GLENN COOPER

Diplômé en archéologie d'Harvard, Glenn Cooper est chercheur en biotechnologie. *Le livre des morts* (le cherche midi éditeur, 2010) est son premier roman. Il a été vendu dans le monde à plus d'un million d'exemplaires et traduit en plus de vingt-cinq langues. Son deuxième ouvrage, *Le livre des âmes*, vient de paraître au cherche midi éditeur.
Il vit dans le Massachusetts.

Retrouvez l'actualité de l'auteur sur
www.glenncooperbooks.com

LE LIVRE
DES MORTS

GLENN COOPER

LE LIVRE
DES MORTS

*Traduit de l'anglais (États-Unis)
par Carine Chichereau*

LE CHERCHE MIDI

Titre original :
LIBRARY OF THE DEAD
Éditeur original : *Arrow Books*

© 2009, Glenn Cooper
© 2010, le cherche midi, pour la traduction française
ISBN : 978-2-266-19216-3

21 mai 2009

NEW YORK, ÉTATS-UNIS

David Swisher fit tourner la molette de son Black-Berry. Il cherchait le courriel envoyé par l'expert-comptable d'un de ses clients qui souhaitait prendre rendez-vous pour discuter du rééchelonnement d'une dette. La routine, quoi, le genre de boulot qu'il abattait en rentrant chez lui. Il écrivit sa réponse tandis que la limousine s'engageait dans Park Avenue.

Un tintement mélodieux lui annonça l'arrivée d'un nouveau message, de sa femme cette fois :

J'ai une surprise pour toi.

Il répondit aussitôt :

Génial ! J'ai hâte de voir ça.

Dehors, les trottoirs grouillaient de New-Yorkais enivrés par les premiers effluves du printemps. Les jours qui rallongeaient, la tiédeur de l'air, tout ça leur remontait le moral et donnait du ressort à leur démarche. Les hommes, veste sur l'épaule, manches de chemise remontées, sentaient la brise sur leurs bras ; les femmes, en petites jupes diaphanes, appréciaient la caresse du vent sur leurs jambes. La sève montait, sans aucun doute. Les hormones, emprisonnées tels des navires dans les glaces arctiques, se trouvaient libérées par les fontes printanières. Ça allait bouger en ville, ce soir. Tout en haut d'un immeuble, quelqu'un écoutait *Le Sacre du printemps*, dont les notes glissaient par la fenêtre ouverte, se mêlant à la cacophonie urbaine.

Concentré sur son petit écran LCD, David Swisher ne voyait rien de tout cela ; de l'extérieur, derrière les vitres fumées, personne non plus ne pouvait remarquer ce banquier d'affaires, âgé de 36 ans, visiblement riche, à l'opulente chevelure, dans son léger costume de laine de chez Barneys, qui fronçait les sourcils car cette journée n'avait profité ni à sa carrière, ni à son ego, ni a son portefeuille.

Le taxi s'arrêta devant son immeuble, au 81, Park Avenue. En franchissant les quelques mètres qui le séparaient de la porte, il s'aperçut soudain que le temps était très agréable. Pour célébrer l'événement, il aspira une grande goulée d'air, puis s'efforça de sourire au portier :

« Comment allez-vous, Pete ?

— Ça va bien, monsieur Swisher. Et les marchés, aujourd'hui ?

— Une vraie catastrophe, dit-il en passant. Gardez vos économies sous votre matelas. »

Leur petite plaisanterie habituelle.

Son neuf-pièces en étage élevé lui avait coûté plus de quatre millions et demi quand il l'avait acheté peu après le 11-Septembre. Une bouchée de pain. Les marchés étaient nerveux et les vendeurs anxieux, même devant ce joyau pourtant situé dans un immeuble d'avant-guerre, de standing, avec trois mètres cinquante sous plafond, une cuisine où dîner, et une cheminée en état de fonctionner. Et qui plus est, sur

Park Avenue ! Il aimait acheter quand le marché atteignait le creux de la vague – peu importait lequel. C'était bien trop grand pour un couple sans enfants, mais c'était un véritable trophée qui arrachait des « oh ! » et des « ah ! » aux membres de sa famille, ce qui lui procurait toujours un plaisir extrême. Et puis, aujourd'hui, il valait plus de sept millions et demi, même vendu dans la précipitation. Alors, l'un dans l'autre, c'était vraiment un coup de maître, se disait-il fréquemment.

La boîte aux lettres était vide. Il se retourna : « Eh, Pete, ma femme est déjà rentrée ?

— Oui, il y a dix minutes. »

Pour une surprise, c'était une vraie surprise.

L'attaché-case d'Helen était posé sur la console de l'entrée, sur une pile de courrier. Il ferma la porte sans bruit, avançant sur la pointe des pieds pour ne pas qu'elle l'entende. Il arriverait derrière elle, prendrait ses seins dans ses mains, se collerait contre ses fesses. Sa version à lui de la surprise. Il fut trahi par le marbre italien : même ses mocassins souples crissèrent, révélant sa présence.

« David ? C'est toi ?

— Ouais. Tu es rentrée tôt. Comment ça va ?

— L'audience a été reportée », s'écria-t-elle depuis la cuisine.

En entendant résonner la voix de son maître, le chien se précipita vers lui depuis l'autre bout de l'appartement où il se trouvait dans une chambre d'amis. Ses petites griffes cliquetèrent sur le marbre et, incapable de s'arrêter, il fonça dans le mur tel un joueur de hockey.

« Bloomberg ! s'exclama David. Comment va mon bébé ? »

Il posa sa serviette et attrapa la boule de poils blanche qui s'empressa de lui donner de grands coups de langue rose, tout en agitant furieusement la queue.

« Ne fais pas pipi sur papa ! Ne fais pas ça, hein ! Oui, tu es un bon chien. Chérie, est-ce qu'on a sorti Bloomberg ?

— Pete a dit que Ricardo l'avait fait vers 16 heures. »

Il posa le caniche et alla chercher son courrier, le triant immédiatement par piles en gestes compulsifs. Factures. Relevés de comptes. Publicités. Courrier perso. Ses catalogues. Ceux de sa femme. Des magazines. Une carte postale ?

Une simple carte postale blanche, portant son nom et son adresse, en caractères noirs imprimés. Il la retourna.

Une date était inscrite : 22 mai 2009. À côté, une image qui le bouleversa : un dessin de cercueil. On ne pouvait s'y méprendre. Haut d'environ deux centimètres et demi, dessiné à l'encre, à la main.

« Helen ! Tu as vu ça ? »

Sa femme arriva dans l'entrée, ses talons hauts martelant la pierre. Elle était parfaite dans son tailleur Armani turquoise pâle, avec son double rang de perles s'arrêtant à quelques centimètres au-dessus de ses seins, assorti à ses boucles d'oreilles qui jouaient à cache-cache parmi ses mèches très chic. C'était une belle femme, tout le monde s'accordait là-dessus.

« De quoi parles-tu ?

— De ça. » Elle jeta un coup d'œil. « Qui te l'a envoyée ?

— Il n'y a pas d'expéditeur.

— D'après le cachet, ça a été posté à Las Vegas. Tu connais quelqu'un là-bas ?

— Comment veux-tu que je sache ! J'ai fait des affaires là-bas... Mais rien de particulier !

— Peut-être qu'ils lancent un nouveau produit, que c'est une campagne de pub originale, suggéra-t-elle en lui rendant la carte. Demain, tu auras une autre carte qui expliquera tout. »

Il se rangea à son opinion. Elle était intelligente, et savait démêler les situations compliquées. Mais tout de même... « Quel mauvais goût ! Un cercueil, merde alors. Non mais, tu te rends compte !

— Ne pense plus à ça. Nous sommes tous les deux rentrés à une heure civilisée. C'est pas génial, ça ? Et si on allait chez Tutti ? »

Il posa la carte sur la pile des pubs, et lui caressa les fesses.

« Et si on commençait par s'amuser un peu tous les deux ? »

Durant toute la soirée, David ne cessa de penser à cette carte, même s'il n'en dit mot. Il y songea en attendant le dessert, puis de retour à la maison, en faisant l'amour avec sa femme, juste après qu'il vint en elle. Il y pensa également quand il sortit Bloomie en vitesse, juste au coin de l'immeuble, avant de regagner l'appartement pour la nuit. Et c'est là-dessus qu'il s'endormit, tandis qu'Helen lisait à son côté, le halo bleuâtre de sa petite lampe de lecture portative illuminant les recoins sombres de leur luxueuse chambre. Il avait la phobie des cercueils. Quand il avait 9 ans, son frère Barry, alors âgé de 5 ans, était décédé d'une tumeur de Wilms. Le petit cercueil d'acajou verni disposé sur le catafalque, dans l'église, le hantait encore. Celui qui avait expédié cette carte était un vrai vicelard.

Il éteignit le réveil environ un quart d'heure avant qu'il sonne, à 5 heures. Le caniche bondit sur le lit et se lança dans sa stupide danse en rond comme tous les matins.

« C'est bon, c'est bon, j'arrive ! », murmura-t-il.

Helen continuait à dormir. En général, il se rendait au bureau plus tôt que sa femme, aussi était-ce lui qui sortait le chien le matin.

Quelques minutes plus tard, David saluait le portier de nuit, tandis que Bloomberg tirait sur sa laisse. Dans le petit matin frisquet, il remonta le zip de son jogging jusqu'en haut avant de prendre vers le nord, leur circuit habituel, jusqu'à la 82e Rue, où l'animal faisait invariablement ce qu'il avait à faire, puis à l'est par Lexington Avenue, un petit saut au Starbucks avec d'autres lève-tôt, puis retour par la 81e Rue. Park Avenue était rarement déserte et, ce matin-là, bon nombre de taxis et de camions de livraison circulaient déjà.

L'esprit de David travaillait en permanence, il se posait des questions sur presque tout. Par exemple, il trouvait le mot « frisquet » ridicule. Toutefois, en arrivant au carrefour de la 82e Rue, il ne pensait pas à grand-chose : quelques vagues idées concernant son travail de la journée défilaient dans sa tête. Dieu merci, il avait oublié la carte. En tournant dans la rue sombre bordée d'arbres, son instinct d'urbain lui fit presque dévier sa route. Un instant, il envisagea de pousser jusqu'à la 83e Rue. Mais sa testostérone de *trader* refusait toute prudence.

Alors, il traversa la 82e Rue, pour pouvoir garder un œil sur ce jeune Black qui traînait sur le trottoir d'en face, à mi-chemin de Lexington Avenue. S'il traversait aussi, David saurait qu'il n'allait pas tarder à avoir des ennuis. Il ramasserait Bloomie et détalerait. Il avait fait de la course à l'école. Il était encore rapide. Ses Nike, bien serrées, lui tenaient bien aux pieds. Alors, merde, dans le pire des cas, il s'en tirerait.

Le jeune se mit à avancer dans sa direction, de l'autre côté de la rue. C'était un garçon dégingandé, avec sa capuche rabattue, si bien que David ne pouvait voir ses yeux. Il espérait qu'une voiture ou un autre piéton surviendrait. Mais la rue demeurait vide. Deux hommes et un chien. Le silence était tel que David entendait les chaussures de l'autre couiner sur l'asphalte. Les immeubles étaient encore plongés dans l'obscurité, leurs habitants dans les bras de Morphée. Le seul qui bénéficiait d'un portier se trouvait à l'autre bout, près de Lexington Avenue. Son cœur se mit à cogner lorsqu'ils furent à la même hauteur. Ne pas le regarder. Surtout ne pas le regarder. Il poursuivit. Le jeune passa son chemin, et la distance qui les séparait se mit à grandir.

Il s'autorisa un bref coup d'œil derrière lui, et souffla en voyant l'autre tourner dans Park Avenue et disparaître. Quel con je suis, pensa-t-il. Et en plus, un con avec des préjugés.

Arrivé à mi-chemin entre les deux avenues, Bloomie alla renifler son endroit préféré puis s'accroupit. David ne comprit jamais comment il n'avait pas entendu le jeune avant qu'il soit sur lui. Peut-être était-il distrait, songeant à son premier rendez-vous de la journée avec le chef des marchés de capitaux, ou regardant le chien chercher son petit coin à lui, ou encore se remémorant la manière dont Helen avait ôté son soutien-gorge, la veille au soir. À moins que ce type ne soit tout simplement un pro dans l'art de fondre sur ses victimes ni vu ni connu. Mais tout ça n'avait plus d'importance.

David reçut un coup violent à la tempe et tomba à genoux, fasciné plus qu'effrayé par cette brutalité soudaine. Le choc l'assomma presque. Il observa Bloomie qui terminait de faire ses besoins. Il comprit le mot « argent », et sentit des mains fouiller ses poches. Il vit une lame luire près de son visage. Il sentit qu'on lui enlevait sa montre, puis son alliance. Alors, il se souvint de la carte, cette foutue carte, et s'entendit demander :

« C'est toi qui me l'as envoyée ? »

Il crut que le jeune lui répondait :

« Ouais, c'est moi, espèce d'enculé. »

Un an plus tôt

Will Piper arriva un peu en avance dans le restaurant bondé pour avoir le temps de boire un verre tranquillement. Il avisa la décoration éclectique et branchée de style asiatique et haussa les épaules. Ce n'était pas le genre d'endroit qu'il fréquentait, mais il y avait un bar, et le barman assurait le minimum syndical : du scotch et des glaçons. Il jeta un regard peu convaincu sur le mur de pierres taillées de manière artistique en face de lui, puis aux néons bleus, et enfin à la paroi d'écrans plats qui diffusaient une vidéo artistique. « Mais qu'est-ce que je fous là ? », se demanda-t-il.

Un mois plus tôt, le taux de probabilité qu'il se rende à la vingt-cinquième réunion des anciens de Harvard était proche de zéro. Et pourtant, il était là à présent, entouré de gens tous âgés de 47 ou 48 ans, qui se demandaient où avait bien pu passer leur jeunesse. Excellent avocat, Jim Zeckendorf n'avait eu de cesse de les appâter, de les harceler par courriel, jusqu'à ce qu'ils acceptent de venir. Will avait opté pour la version soft : personne ne l'obligerait à défiler avec la promo 1983 au Tercentenary Theatre. Toutefois, il

15

avait quand même consenti à dîner avec ses anciens camarades de chambrée, puis à rester dormir chez Jim, à Weston, avant de repartir pour New York le lendemain matin. Rien ne le ferait consacrer plus de deux jours de vacances à ces fantômes du passé.

Le barman n'avait pas terminé la commande suivante que le verre de Will était déjà vide. Il secoua ses glaçons pour attirer son attention, mais à la place capta celle d'une femme. Debout derrière lui, elle agitait un billet de vingt dollars. C'était une belle brune, la trentaine ; son parfum épicé envahit Will quand elle se pencha par-dessus ses larges épaules pour lui demander :

« Quand il viendra, vous pourrez me commander un verre de chardonnay ? »

Il se retourna : à hauteur des yeux, il vit une poitrine enveloppée de cachemire, et le billet de vingt dollars, coincé entre ses doigts fins.

« Je vous l'offre », fit-il en s'adressant à ses seins.

Puis il leva le menton et découvrit un joli visage aux paupières ombrées de mauve, aux lèvres rouges et brillantes. Tout à fait à son goût. Il sentit soudain de fortes vibrations entre elle et lui.

Elle rangea son billet avec un « merci » tintant comme du cristal, et se faufila dans le minuscule espace qu'il lui ouvrit en déplaçant son tabouret de quelques centimètres.

Cinq minutes plus tard, Will sentit qu'on lui tapait sur l'épaule, et il entendit :

« Je t'avais dit qu'on le trouverait au bar ! »

Zeckendorf arborait un sourire rayonnant sur son visage lisse, presque féminin. Il avait encore assez de cheveux pour porter de longues boucles. Et soudain

Will se souvint de ce premier jour à Harvard, en 1979. Grand escogriffe blond débarquant de Floride, frétillant comme un poisson sur le pont d'un bateau de pêche, il allait rencontrer ce gosse mince aux cheveux broussailleux, avec cette démarche confiante de l'habitué des lieux, élevé pour une brillante destinée. Zeckendorf était accompagné de sa femme. Enfin, c'est ce que supposa Will, imaginant que cette dame d'âge mûr aux hanches épaisses était la jeune épouse toute fine qu'il avait vue à leur mariage en 1988.

Dans le sillage des Zeckendorf se trouvaient Alex Dinnerstein et son amie. Petit, Alex affichait un bronzage parfait qui lui donnait l'air très jeune. Il paradait dans son costume chic *made in Europe*, avec une pochette aussi éclatante que son sourire. Ses cheveux luisant de gel étaient aussi noirs et épais qu'autrefois. Will songea aussitôt qu'il se teignait. Le docteur Dinnerstein devait redoubler d'efforts pour la charmante créature qui lui donnait le bras, un mannequin d'au moins vingt ans plus jeune, dont les longues jambes et la silhouette de rêve faillirent faire oublier à Will sa nouvelle amie, qui sirotait toujours son verre de vin à son côté, un peu mal à l'aise.

Comprenant tout de suite la situation, Zeckendorf interrompit :

« Will, tu ne nous présentes pas ? »

Avec un sourire piteux, il murmura :

« Nous n'en sommes pas encore là. »

Alex émit un gloussement complice.

« Je m'appelle Gillian, déclara l'inconnue. Je vous souhaite à tous de bonnes retrouvailles. »

Elle s'apprêtait à s'éloigner, lorsque Will glissa dans sa main une carte de visite.

Elle y jeta un coup d'œil et un éclair de surprise traversa son visage : AGENT SPÉCIAL WILL PIPER, FBI.

Lorsqu'elle fut partie, Alex amusa la galerie en lançant à Will avec un air de connivence :

« Elle n'a sûrement jamais rencontré un type de Harvard avec un calibre, pas vrai, mon vieux ? C'est un Beretta que tu as dans la poche, ou tu es juste heureux de me voir ?

— Ta gueule, Alex. Allez, je suis content de te retrouver quand même. » Zeckendorf les conduisit à la salle de restaurant, réalisant soudain qu'il manquait une personne : « Vous avez vu Shackleton ?

— Tu es certain qu'il est encore vivant ? demanda Alex.

— J'ai des indices qui tendent à le faire penser : des courriels.

— Il ne viendra pas. Il nous détestait.

— C'est toi qu'il détestait, appuya Will. Merde, c'est toi qui l'as attaché sur son lit avec du ruban adhésif !

— Si ma mémoire est bonne, tu étais là aussi », ricana Alex.

Le restaurant bruissait de conversations argentines, musée d'art baigné de bonne humeur abritant des statues du Népal et des bouddhas incrustés dans un mur. Surplombant Winthrop Street, leur table était prête, mais pas inoccupée. À l'extrémité, un homme seul triturait sa serviette avec nervosité.

« Eh ! s'exclama Zeckendorf. Regardez qui est là. »

Mark Shackleton leva les yeux comme s'il redoutait ce moment. Ses petits yeux rapprochés, en partie dissimulés par la visière de sa casquette des Lakers, se mirent à sauter de l'un à l'autre d'un air inquiet, les passant tous en revue. Will le reconnut instantanément, bien qu'il l'ait perdu de vue depuis presque vingt-huit ans. En effet, la fin de leur première année était à peine achevée qu'il avait déjà rompu tout contact avec lui. Il avait toujours le même visage maigre, le crâne pointu tout en os, les yeux enfoncés, le nez aquilin et les lèvres pincées par l'anxiété. Même à 18 ans, Mark ne faisait pas jeune ; il n'avait fait qu'évoluer vers son âge mûr naturel.

Les quatre anciens compagnons de chambrée formaient un étrange quatuor à leur arrivée à Harvard : Will était le mec cool, bronzé, venant de Floride ; Jim le volubile, originaire de Brookline, qui sortait de prépa ; Alex, l'étudiant en médecine du Wisconsin, qui ne pensait qu'au sexe ; enfin, Mark, le reclus, fondu d'informatique, qui habitait dans les parages. On les avait regroupés ensemble à Holworthy, au nord de la cour arborée, dans deux chambres minuscules avec des lits superposés, agrémentées d'une pièce commune plutôt bien meublée grâce aux riches parents de Zeckendorf. Will fut le dernier arrivé en cette rentrée de septembre, car il était bloqué avec l'équipe de foot pour les entraînements préparatoires. Alex et Jim avaient déjà établi des liens de camaraderie, et quand Will posa son sac à dos par terre, ils lui désignèrent l'autre chambre en ricanant. Là, Will trouva Mark allongé avec raideur sur le lit du bas, comme pour en attester la propriété, trop effrayé pour bouger.

« Salut, mec, ça va ? fit-il tandis que fleurissait sur son visage sculptural son grand sourire de Floride. Eh, Mark, combien tu pèses ?

« — Soixante-trois, répondit l'autre d'un air soupçonneux tout en essayant de regarder dans les yeux le garçon qui le surplombait.

— OK, moi, je fais cent kilos à poil. Tu es sûr que t'as envie d'avoir mon gros cul à quelques dizaines de centimètres au-dessus de ta tête sur ce vieux lit branlant ? »

Mark poussa un profond soupir et sans un mot renonça à toutes ses prétentions. Ainsi donc, la hiérarchie fut-elle définitivement établie.

Les quatre anciens camarades s'engouffrèrent donc dans le hasard chaotique des conversations d'anciens élèves, exhumant leurs souvenirs, riant de leur embarras, se rappelant leurs indiscrétions et petites manies. Les deux femmes constituaient leur public, leur excuse pour exposer les faits et disserter dessus à l'envi. Zeckendorf et Alex, qui étaient restés proches, agissaient en maîtres de cérémonie, se renvoyant la balle tel un couple de comédiens sur une scène de café-théâtre. Will était plus lent à placer un bon mot, mais les autres demeuraient suspendus à ses lèvres quand il racontait en prenant son temps une anecdote liée à cette année singulière. Seul Mark restait silencieux, arborant un sourire poli quand ils riaient, buvant sa bière, et picorant sa nourriture asiatique macrobiotique. La femme de Zeckendorf avait été chargée par son mari de prendre des photos, ce qu'elle faisait en se levant pour mieux cadrer les convives.

Les camarades de chambrée de première année forment des groupes semblables à des composants chimiques instables. Dès que leur environnement change, les liens se délitent et les molécules s'égaillent. L'année suivante, Will avait rejoint les autres membres de l'équipe de foot, à Adams House ; Zeckendorf et Alex étaient partis ensemble pour Leverett House ; Mark avait obtenu une chambre pour lui seul à Currier House. De temps en temps, Will croisait Zeckendorf à un cours d'administration publique, mais globalement, chacun avait suivi son chemin. Après avoir obtenu leur diplôme, Zeckendorf et Alex s'étaient installés à Boston, et de temps à autre prenaient des nouvelles de Will, en général après avoir lu un article sur lui, ou l'avoir vu à la télévision. Aucun d'eux ne pensait plus à Mark. Il s'était évanoui. Et sans le sens de la commémoration de Zeckendorf, et la présence de l'adresse électronique de Mark dans son carnet des anciens élèves, il ne serait resté pour eux qu'un vague souvenir.

Alex dissertait à voix haute sur cette escapade avec des jumelles de Leslay College qui, selon lui, l'avaient convaincu de vouer sa vie à la gynécologie, quand sa compagne changea de sujet de conversation et l'orienta vers Will. Histrion de plus en plus éméché, Alex commençait à lui taper sur les nerfs, et elle ne cessait de regarder ce grand blond qui s'envoyait scotch sur scotch, juste en face d'elle, sans en paraître affecté.

« Alors, comment êtes-vous entré au FBI ? lui demanda-t-elle avant qu'Alex ait eu le temps de se lancer dans une nouvelle anecdote sur lui-même.

— Je n'étais pas assez bon pour devenir footballeur professionnel.

— Non, dites-moi la vraie raison, fit-elle, animée d'un intérêt réel.

— Je ne sais pas, répondit Will avec douceur. Je n'avais pas beaucoup de perspectives quand j'ai fini mes études. Mes amis ici présents, eux, savaient ce qu'ils voulaient : Aléx, c'était la médecine, Zeck, le droit, et Mark entrait au MIT, c'est ça ? »

Mark opina du chef.

« J'ai passé quelques années à glandouiller en Floride, j'ai un peu enseigné, j'ai été entraîneur, et puis une place s'est libérée au bureau du shérif dans un comté pas très loin.

— Ton père était dans la police, se rappela Zeckendorf.

— Il était shérif à Panama City.

— Est-il encore vivant ? demanda la femme de Zeckendorf.

— Non, il y a longtemps qu'il est mort, répondit Will en avalant un autre scotch. Je suppose que j'avais ça dans le sang, et je me suis laissé glisser sur la pente naturelle. Voilà. Au bout d'un moment, le chef en a eu marre d'avoir sous ses ordres un freluquet sorti de Harvard, alors, pour se débarrasser de moi, il m'a envoyé à Quantico. Et en un clin d'œil, je me retrouve à deux doigts de la retraite.

— Tu les auras quand, tes vingt ans de carrière ? demanda Zeckendorf.

— Dans presque deux ans.

— Et après ?

— À part aller à la pêche, je n'ai aucun projet.

— As-tu idée à quel point ce connard est célèbre ? fit Alex à sa compagne tout en servant le vin avec soin.

— Non, répondit le mannequin de plus en plus captivée. Vous êtes si célèbre que ça ?

— Mais non, coupa Will.

— Tu parles ! renchérit son ami. Notre copain ici présent est le profileur de tueurs en série le plus célèbre de l'histoire du FBI !

— Tout ça, c'est des conneries, nia Will avec fermeté.

— Combien en as-tu attrapé au cours de toutes ces années ? l'interrogea Zeckendorf.

— Je ne sais pas. Quelques-uns.

— Quelques-uns ! C'est comme si je disais que j'ai fait quelques examens gynécologiques ! s'exclama Alex. On dit que tu es le meilleur : infaillible.

— Là, c'est du pape, que tu parles.

— Allez, j'ai lu que tu pouvais psychanalyser quelqu'un en moins d'une minute.

— Je n'ai pas besoin de si longtemps pour vous profiler, les mecs, mais franchement, vous ne devriez pas gober tout ce que vous lisez dans la presse.

— Crois-moi, dit Alex en donnant un petit coup de coude à sa compagne, il mérite d'être observé. Un vrai phénomène. »

Will souhaitait de tout cœur changer de sujet. Sa carrière avait hélas connu des revers qui ne méritaient guère de superlatifs, et il n'avait pas le cœur à revenir sur sa gloire passée.

« Je trouve que nous nous en sommes tous bien sortis étant donné nos débuts hasardeux. Zeck est devenu un avocat d'affaires célèbre, Alex est gynécologue… Mais parlons plutôt de Mark. Qu'est-ce que tu as fait pendant tout ce temps, toi ? »

Avant que ce dernier ait eu le temps de s'humecter les lèvres pour répondre, Alex, endossant son vieux costume de tortionnaire, s'écria :

« Ouais, écoutons voir. Shackleton est sûrement devenu milliardaire grâce à la bulle informatique. Il possède un 737 et sa propre équipe de basket. Tu as inventé le téléphone portable ou un truc de ce genre ?

C'est vrai, tu étais sans arrêt en train de griffonner dans ce carnet, la porte de ta chambre toujours fermée. Qu'est-ce que tu faisais là-dedans, à part feuilleter tes vieux *Playboy* avec des paquets de Kleenex ? Du sport ? »

Will et Zeckendorf ne purent s'empêcher de pouffer, car à l'époque, en effet, le garçon semblait sans cesse acheter des mouchoirs en papier. Tout de suite après, pourtant, Will ressentit un pincement de culpabilité car Mark lui lança un regard accusateur, du genre : *Toi aussi, mon fils ?*

« Je travaille dans le domaine de la sécurité informatique, murmura Mark à son assiette. Hélas, je ne suis pas milliardaire. »

Il leva les yeux et déclara avec l'espoir d'attirer leur estime :

« Et j'écris un peu, aussi.

— Tu bosses pour une grande entreprise ? demanda poliment Will pour se racheter.

— Je l'ai fait un moment, mais maintenant, je suis comme toi, en fait, je travaille pour le gouvernement.

— C'est vrai ? Où ça ?

— Dans le Nevada.

— Tu habites Las Vegas, c'est bien ça ? », fit Zeckendorf.

Mark hocha la tête, déçu que personne ne l'interroge sur ses écrits.

« Dans quelle branche ? »

Comme la réponse de Will ne rencontrait qu'un regard muet, il ajouta :

« Pour le gouvernement ?»

La pomme d'Adam anguleuse de Mark bougea quand il déglutit :

« Sur une base. C'est classé secret défense.

— Shack a un secret ! s'exclama Alex d'un ton joyeux. Versez-lui un autre verre ! Ça va lui délier la langue ! »

Zeckendorf semblait fasciné :

« Allez, Mark dis-nous-en un peu plus !

— Désolé, je ne peux pas.

— Je parie qu'une certaine personne du FBI pourrait le découvrir, fit Alex.

— Je ne crois pas », répondit Shackleton avec une pointe de suffisance.

Mais Zeckendorf n'entendait pas lâcher l'affaire. Il réfléchit à voix haute :

« Le Nevada, le Nevada… La seule base secrète du gouvernement dont j'aie jamais entendu parler dans le Nevada se trouve dans le désert… Ça s'appelle… la zone 51. »

Il s'attendait à ce que l'autre nie, mais il ne rencontra qu'un visage indifférent.

« Tu bosses quand même pas sur la zone 51 ? »

Mark hésita, puis répondit d'un air entendu :

« Je ne peux pas dire ça.

— Waouh, fit le mannequin impressionné. Ce n'est pas là qu'on étudie les ovnis et les trucs comme ça ? »

Shackleton afficha un sourire de Joconde.

« S'il vous répondait, il devrait ensuite vous tuer », conclut Will.

Mark secoua la tête vivement et baissa les yeux, perdant tout humour. Il répondit d'une voix aiguë que le policier jugea inquiétante :

« Non. Si je vous le disais, ce sont les autres qui vous tueraient. »

22 mai 2009

STATEN ISLAND, NEW YORK

Consuela Lopez était épuisée et sa cheville l'élançait. Assise à l'avant du ferry de Staten Island, elle occupait sa place habituelle, près de la sortie, pour pouvoir débarquer rapidement. Si elle manquait le bus 51 de 22 h 45, alors l'attente au terminal Saint-George serait très longue. Elle se sentait bercée par les vibrations des neuf mille chevaux du moteur diesel qui se propageait à travers son corps frêle, mais elle était trop sur ses gardes pour s'endormir, car elle craignait toujours qu'un autre passager ne lui vole son sac.

Elle appuya sa cheville gonflée sur le banc de plastique, prenant soin de faire reposer son talon sur un journal. Appuyer sa chaussure directement sur le siège aurait été impoli, irrespectueux. Elle s'était tordu le pied toute seule, en trébuchant sur le fil de l'aspirateur. Elle faisait des ménages dans des bureaux du sud de Manhattan. Une dure journée de labeur s'achevait et avec elle une semaine harassante. Par chance, l'incident s'était produit un vendredi, aussi avait-elle tout le week-end pour se remettre. Elle n'avait pas les moyens de rater une journée de travail et priait pour être en forme le lundi. Si elle avait encore mal samedi soir, elle irait tôt à la messe le dimanche matin et demanderait à la Vierge de l'aider à guérir. Elle voulait aussi montrer au père Rochas l'étrange carte postale qu'elle venait de recevoir, pour lui faire part de ses inquiétudes.

Consuela était une femme au visage ingrat, qui parlait fort mal l'anglais, mais elle était jeune et possédait une silhouette attirante, si bien qu'elle était toujours sur ses gardes vis-à-vis des hommes. À quelques rangées de là, face à elle, un jeune Hispanique vêtu d'un sweat-shirt gris lui souriait. Au début, cela l'avait mise mal à l'aise, puis quelque chose dans ses yeux vifs et ses dents blanches l'avait encouragée à lui adresser à son tour un sourire poli. Cela avait suffi. Il s'était présenté, et avait passé les dix dernières minutes de la traversée auprès d'elle, à s'enquérir de sa cheville.

Quand le ferry accosta, elle se leva et sortit en boitant, refusant son aide. Elle avait beau avancer comme une tortue, il prit soin de rester à quelques pas derrière elle. Il lui proposa de la ramener chez elle en voiture, mais elle déclina l'offre : c'était hors de question. Hélas, le bateau avait quelques minutes de retard et, lente comme elle l'était ce soir-là, elle rata le bus. Elle réfléchit alors à ce que lui avait dit ce garçon. Après tout, il avait l'air gentil. Il était drôle et respectueux. Alors, elle changea d'avis et accepta de se faire reconduire. Quand il partit chercher sa voiture au parking, elle se signa pour se rassurer.

Ils approchaient de sa maison dans Fingerboard Road quand l'attitude du conducteur se durcit, ce qui inquiéta Consuela. Le souci se transforma en peur quand ils passèrent en trombe devant sa rue, sans qu'il tienne compte de ses protestations. Il continua sans dire un mot par Bay Street, puis tourna à gauche d'un coup sec, en direction du parc Arthur Von Briesen.

Lorsqu'ils parvinrent au bout de la route obscure, elle pleurait ; lui vociférait en brandissant un couteau. Il la força à sortir de la voiture puis la tira par le bras, la menaçant de lui faire du mal si elle appelait à l'aide. Sans plus se soucier de sa cheville foulée, il l'attira à toute vitesse parmi les buissons, au bord de l'eau. Elle avait beau grimacer de douleur, elle avait trop peur pour faire le moindre bruit.

Au-dessus d'eux, la structure massive et noire du pont de Verrazano-Narrows était comme une présence malfaisante. Il n'y avait pas âme qui vive. Dans une clairière, il la jeta à terre, et lui arracha brutalement son sac. Elle se mit à pleurer, et il lui ordonna de se taire. Il fouilla parmi ses affaires et empocha les quelques dollars qu'elle possédait. Puis il trouva la carte blanche, avec le cercueil dessiné à la main, surmonté de la date du 22 mai 2009. Il la regarda, et un sourire sadique fleurit sur ses lèvres.

« *Usted me piensa le envió esto ?* demanda-t-il. Tu crois que c'est moi qui t'ai envoyé ça ?

— *No sé*, hoqueta-t-elle entre deux sanglots tout en secouant la tête. Je ne sais pas.

— *Bien, le estoy enviando esto*, dit-il en riant puis en défaisant sa ceinture. Eh ben, moi, c'est ça que je vais t'envoyer. »

10 juin 2009

Will se doutait bien qu'elle n'était pas revenue. Ses soupçons se confirmèrent quand il entra dans l'appartement et laissa choir sac et mallette.

Les lieux avaient retrouvé leur aspect d'avant Jennifer. Les bougies parfumées : disparues. Les sets de table : envolés. Les taies d'oreiller en dentelle : absentes. Ses vêtements, chaussures, cosmétiques, brosse à dents : volatilisés. Il termina son inspection rapide de la chambre et passa à la cuisine. Il ouvrit la porte du réfrigérateur. Même ses stupides bouteilles d'eau vitaminée n'étaient plus là.

Il rentrait de deux jours d'une formation sur la sensibilité, à laquelle on l'avait inscrit d'office après sa dernière évaluation. Si elle était revenue contre toute attente, il aurait essayé de nouveaux trucs. Mais Jennifer était partie... pour de bon.

Il desserra sa cravate, ôta ses chaussures d'un geste leste, et ouvrit le petit bar situé sous la télévision. L'enveloppe était toujours coincée sous sa bouteille de Johnnie Walker Black Label, là où il l'avait trouvée après son départ. Dessus, elle avait griffonné : « Va te faire foutre ! » de son écriture si caractéristique. Il se versa un whisky, posa les pieds sur la table basse et, en souvenir du bon vieux temps, relut cette lettre qui ne lui apprenait sur lui-même rien qu'il ne sache déjà. Un petit bruit attira son attention : son gros orteil avait fait tomber un cadre.

C'est Zeckendorf qui lui avait envoyé une photo de leurs retrouvailles, l'été précédent. Encore un an de passé.

Une heure plus tard, dans les brumes de l'alcool, il était tout entier la proie d'une phrase de Jennifer : *Tu es un cas désespéré*.

Un cas désespéré, songeait-il. En voilà une idée intéressante. Irrécupérable. Irrémédiablement foutu. Aucune rémission possible, pas la plus petite possibilité de remonter la pente.

Il tomba sur un match des Mets, à la télé, et s'assoupit sur le canapé.

Cas désespéré ou pas, il était à son bureau à huit heures pile le lendemain matin, plongé dans ses courriels. Il répondit brièvement à certains d'entre eux, puis en envoya un à sa supérieure, Sue Sanchez, pour la remercier de ses qualités de manager et de sa clairvoyance, grâce auxquelles il avait pu assister à ce séminaire. Sa sensibilité avait augmenté de 47 %, admettait-il, et il espérait qu'elle en mesurerait très vite les résultats. Il signa : « Avec toute ma sensibilité, Will », et cliqua sur envoi.

Trente secondes plus tard, son téléphone sonnait. C'était Sanchez.

« Bienvenue parmi nous, Will, fit-elle d'un ton sirupeux.

— C'est bon d'être de retour, Susan, répondit-il sans l'accent de Floride que les années d'éloignement avaient gommé.

— Pourquoi ne viendriez-vous pas me voir ?

— Quand voulez-vous que je vienne, Susan ? demanda-t-il avec le plus grand sérieux.

— Tout de suite ! », s'écria-t-elle en raccrochant.

Il la trouva assise dans ce bureau qu'il avait naguère occupé, avec cette belle vue sur la statue de la Liberté, qu'on devait à Mohammed Atta[1]. Toutefois, cela l'agaça moins que la moue affichée par le visage crispé de sa supérieure. Sanchez était une obsédée de la discipline, qui passait son temps à lire des manuels de service et des bouquins sur le management tout en travaillant. Physiquement, elle lui avait toujours plu, mais son air renfrogné et son accent latino gâchaient tout à ses yeux.

« Asseyez-vous, dit-elle en hâte, nous avons à parler, Will.

— Susan, si vous avez l'intention de m'engueuler, je suis prêt à prendre la chose de manière professionnelle. Règle n° 6 (ou bien 4 ?) : "Quand vous vous sentez provoqué, n'agissez pas avec précipitation. Arrêtez-vous, et réfléchissez aux conséquences de vos actes, ensuite choisissez vos mots avec soin, en respectant les réactions de la ou les personnes qui vous ont défié." Pas mal, hein ? J'ai obtenu mon certificat de stage. »

Il sourit et joignit les mains sur son ventre naissant.

---

1. L'un des terroristes responsables de l'attentat du 11 septembre 2001 contre les tours du World Trade Center. *(N.d.T.)*

« Je ne suis pas d'humeur à supporter vos pitreries aujourd'hui, fit-elle avec lassitude. J'ai un problème, et vous allez m'aider à le régler. »

En langage courant cela signifiait : tu vas te faire avoir.

· « Pour vous, je ferais n'importe quoi. Du moment qu'il n'y a pas besoin de se mettre nu, et que cela n'a pas de répercussions sur mes quatorze derniers mois de carrière. »

Elle soupira, puis fit une pause, donnant à Will l'impression qu'elle prenait à cœur la règle numéro six – ou quatre. Il savait bien qu'elle le considérait comme l'enfant terrible de l'équipe. Tout le monde au bureau connaissait ses références : Will Piper. 48 ans, neuf de plus que Sanchez qui était auparavant sa subordonnée jusqu'à ce qu'il soit déclassé pour redevenir agent spécial. Autrefois d'une beauté à couper le souffle : près d'un mètre quatre-vingt-cinq, une carrure d'athlète, des yeux d'un bleu électrique, une superbe crinière blonde – avant que l'alcool et l'inactivité ne donnent à sa chair la consistance et la couleur d'une pâte levée mal cuite. Naguère agent d'élite, aujourd'hui en rond-de-cuir tire-au-flanc.

Elle laissa tomber d'un ton sec :

« John Mueller a eu une attaque il y a deux jours. Les médecins disent qu'il va se remettre, mais pour l'instant il est en arrêt maladie. Son absence pose problème, surtout en ce moment. Benjamin, Ronald et moi en avons discuté. »

Will était stupéfait.

« Mueller ? Mais il est plus jeune que vous ! Ce dingue court le marathon ! Comment il a pu avoir une attaque ?

— Il souffrait d'une malformation cardiaque que personne n'avait décelée jusque-là. Un minuscule caillot venant de sa jambe a réussi à passer, et il est remonté dans le cerveau. Voilà ce qu'on m'a dit. C'est assez effrayant comme histoire. »

Will exécrait Mueller. Un connard maigrichon et suffisant qui prenait tout au pied de la lettre. Absolument insupportable. Ce trou du cul continuait de lui faire des remarques perfides sur sa rétrogradation, se sentant protégé par sa prétendue supériorité. J'espère qu'il va rester handicapé physique et mental pour le restant de ses jours – voilà la première pensée qui vint à l'esprit de Will.

« Nom de Dieu, c'est terrible, fit-il plutôt.

— Nous avons besoin que vous repreniez l'affaire Apocalypse. »

Il lui fallut faire un effort surhumain pour ne pas lui dire d'aller se faire foutre.

Il aurait dû s'occuper de cette affaire dès le départ. En fait, c'était même une insulte qu'on ne la lui ait pas confiée tout de suite. En effet, il était l'un des meilleurs experts en matière de tueurs en série de l'histoire du FBI, et une affaire exceptionnelle lui passait sous le nez. Cela montrait à quel point sa carrière allait mal, songeait-il. À ce moment-là, la pilule lui avait semblé impossible à avaler, mais il s'en était quand même remis, arrivant à la conclusion qu'il avait évité un piège.

Il était en fin de carrière. La retraite miroitait tel un mirage dans le désert, insaisissable. C'en était fini pour lui de l'ambition et des luttes de haut vol ; fini les querelles byzantines au bureau ; fini les meurtres et la mort. Il était fatigué, seul, prisonnier d'une ville qu'il n'aimait pas. Il voulait rentrer chez lui. Avec sa retraite en poche.

Il avala la mauvaise nouvelle. L'affaire Apocalypse était vite devenue le dossier phare au bureau, c'était le genre de cas qui requérait une concentration dont il n'avait pas eu à faire preuve depuis bien longtemps. Les longues journées de travail et les week-ends sacrifiés n'étaient pas un souci. Grâce à Jennifer, il avait désormais tout son temps. Non, le problème se trouvait en face de lui, dans la glace : en vérité il n'en avait plus rien à foutre. Il fallait avoir la rage pour résoudre une affaire de tueur en série, mais cette ambition s'était depuis longtemps tarie en lui. La chance aussi comptait, mais selon son expérience, on réussissait en allant jusqu'au bout, en créant l'environnement propice aux caprices du hasard.

En plus, la partenaire de Mueller était jeune, sorti depuis à peine trois ans de Quantico, et si profondément pétrie d'ambition et de dévotion envers les règles du FBI qu'elle lui rappelait les fanatiques religieux. Il l'avait observée, se pressant à travers les couloirs du vingt-troisième étage. Elle marchait si vite, elle était si donneuse de leçon, si dénuée d'humour, et se prenait tant au sérieux que ça le rendait malade.

Il se pencha en avant, blafard :

« Écoutez, Susan, dit-il en haussant la voix, ce n'est pas une bonne idée. Vous auriez dû me proposer l'affaire il y a plusieurs semaines, mais bon… En fait, vous avez pris la meilleure décision. Alors, à ce stade, revenir en arrière, ce n'est pas bon pour moi, ni pour Nancy, ni pour le département, ni pour le FBI, ni pour les contribuables, ni pour les victimes, ni même les futures victimes ! Vous le savez aussi bien que moi. »

Elle se leva pour fermer la porte, puis se rassit et croisa les jambes. Le frottement de son collant détourna Will de sa colère pendant un court instant.

« D'accord, je ne crierai pas, mais le pire, c'est que c'est grave pour vous. Vous êtes dans le bain jusqu'au cou. Vous dirigez la section des Vols & Crimes avec violence, la deuxième section la plus en vue à New York. Si vous mettez la main sur ce connard d'Apocalypse, vous montez en grade. Vous êtes une femme, qui plus est hispanique : dans quelques années, vous vous retrouverez directrice adjointe de Quantico, peut-être agent spécial de surveillance à Washington. Bref, il n'y a pas de limite. Alors, ne gâchez pas tout en me mettant sur le coup, c'est un conseil d'ami. »

Elle lui décocha un regard assassin :

« J'apprécie beaucoup votre leçon professorale inversée, Will, mais je ne pense pas qu'il soit bon de suivre les conseils d'un homme dont la carrière est en chute libre. Croyez-moi, cette idée ne me réjouit pas, mais nous en avons déjà débattu en interne : Benjamin et Ronald refusent de faire venir quelqu'un de la brigade antiterroriste, et il n'y a personne d'autre aux crimes financiers ni au crime organisé qui ait jamais travaillé sur ce genre d'affaire. Ils ne veulent pas qu'on nous parachute quelqu'un de Washington ou d'un autre bureau. Ça ferait mauvais effet. Nous sommes à New York, pas à Cleveland. Nous sommes censés disposer de tout le personnel nécessaire. Vous avez le CV adéquat, malgré une personnalité contre-productive, certes, mais vous allez y remédier. Et vous avez les états de service qui conviennent. Le dossier est à vous. Ce sera votre dernière grande affaire, Will. Une sortie en beauté. Prenez les choses ainsi et réjouissez-vous. »

Il fit une dernière tentative :

« Si on attrape ce type demain – ce qui n'arrivera pas –, je ne serai plus dans le circuit quand son procès débutera.

— Eh bien, vous reviendrez témoigner. Avec les indemnités journalières, ce sera une bonne opération.

— Très drôle. Et Nancy ? Je vais lui pourrir la vie. Vous voulez la sacrifier ?

— C'est une grande fille. Elle saura gérer la situation, et elle saura vous gérer, vous. » Maussade, il se tut. « Et toute la merde que je me tape en ce moment ?

— On va la répartir. Aucun problème. »

Voilà, c'était plié. Le processus n'avait rien de démocratique, mais donner sa démission ou se faire virer n'était pas envisageable. Quatorze mois. Encore quatorze mois à tirer.

En quelques heures, sa vie se transforma. Un employé arriva, chargé de caisses orange, emballa ses dossiers et les emporta. Ils furent bientôt remplacés par ceux de Mueller sur l'affaire Apocalypse, étoffés au cours des semaines – avant qu'un grumeau gluant ne vienne réduire en purée quelques milligrammes de son cerveau. Will les contempla comme s'il s'agissait d'un tas de fumier nauséabond. Il but une énième tasse de café bouilli avant de daigner ouvrir la première page, prélevant un dossier au hasard.

Il l'entendit s'éclaircir la gorge à l'entrée de son bureau avant de la voir.

« Salut, fit Nancy. Je crois qu'on va travailler ensemble. »

Nancy Lipinski était boudinée dans un tailleur gris anthracite, une demi-taille trop juste. Sa jupe lui étreignait la taille, faisant ressortir son ventre de manière disgracieuse. Elle était petite : un mètre soixante, ficelée dans ses bas. D'après Will, elle était trop ronde de partout – même son visage était bouffi. Y avait-il des pommettes sous ces joues rebondies ? Ce n'était pas le genre de recrue svelte et musclée qui sortait d'habitude de Quantico. Il se demanda comment elle avait pu réussir les tests d'aptitude physique. C'était des durs à cuire, là-bas, et ils ne faisaient pas de cadeau aux filles. Tout bien réfléchi, elle n'était pas dénuée de charme. Ses cheveux auburn coupés court dans le cou pour des raisons pratiques, son maquillage et son rouge à lèvres mettaient en valeur un nez délicat, une jolie bouche et des yeux vifs couleur noisette. Sur une autre femme, son parfum aurait suffi à le séduire. C'était son air discret qui lui plaisait. Comment avait-elle fait pour se retrouver coincée avec ce nul de Mueller ?

« Que comptez-vous faire ? fit-il pour la forme.

— Est-ce le bon moment ?

— Écoutez, Nancy, j'ai à peine ouvert le premier dossier. Pourquoi ne me laissez-vous pas quelques heures, et plus tard, cet après-midi peut-être, nous pourrons commencer à discuter ?

— Très bien, Will. Je voulais juste que vous sachiez que malgré ce qui est arrivé à John, je saurai rester à ma place dans cette affaire. Nous n'avons jamais travaillé ensemble, mais j'ai étudié certains cas que vous avez résolus, et je sais ce que vous avez apporté à notre discipline. Je cherche toujours le moyen de m'améliorer, alors vos avis seront très importants pour moi... »

Will sentit qu'il fallait étouffer ce genre de discours dans l'œuf :

« Vous êtes fan de *Seinfeld* ?

— La série télé ? »

Il hocha la tête.

« J'en ai entendu parler, hasarda-t-elle.

— Les gens qui ont créé cette sitcom ont posé des règles précises au sujet des personnages, et cela la différencie de toutes les autres séries. Voulez-vous connaître ces règles ? Parce qu'elles vont s'appliquer à vous et moi.

— Bien sûr, Will ! fit-elle avec enthousiasme, prête à entendre sa première leçon.

— Voici les règles : ni leçon ni câlins. À plus tard, Nancy », fit-il sèchement.

Elle demeura plantée là, hésitant entre battre en retraite ou lui répondre, quand tous deux entendirent un bruit de pas pressés qui se rapprochaient : une femme essayant de courir avec des talons.

« Alerte, Sue débarque, s'exclama Will d'un ton mélodramatique. On dirait bien qu'elle sait quelque chose de plus que nous. »

Au FBI, détenir une information conférait un vrai pouvoir, et savoir les choses avant tout le monde semblait faire jouir Sue Sanchez.

« Vous êtes là tous les deux, très bien, dit-elle en poussant Nancy à l'intérieur du minuscule bureau. Il y en a un autre ! C'est le septième, dans le Bronx ! fit-elle telle une gamine enthousiaste. Rendez-vous tout de suite là-bas avant que la brigade de la 41e Rue fiche tout en l'air. »

Exaspéré, Will leva les bras en l'air :

« Mais merde, Susan, je ne connais rien aux six premiers meurtres. Laissez-moi le temps ! »

Boum. Nancy entra en scène :

40

« Eh bien, faites comme si c'était le premier ! C'est pas un problème ! Et puis je vous résumerai les faits en chemin.

— J'avais raison, Will, lança Sue avec un sourire sarcastique, elle sait y faire ! »

Will emprunta une des Ford Explorer noires de son département dans le garage souterrain du 26, Liberty Plaza. Il prit d'abord les petites rues, puis mit le cap au nord sur la voie rapide FDR Drive. D'une propreté impeccable, la voiture était facile à conduire, et la circulation pas trop dense. D'habitude, il aimait s'échapper ainsi du bureau. S'il avait été seul, il aurait mis la radio pour écouter les informations sportives. Hélas, Nancy Lipinski était assise à côté de lui et, carnet de notes en main, elle lui résumait déjà l'affaire quand ils passèrent sous le tramway de Roosevelt Island, dont les wagons glissaient lentement au-dessus des eaux sombres et houleuses de l'East River.

Elle était excitée comme un pervers au Salon du porno. C'était son premier tueur en série, le caviar des homicides, le moment clef de sa carrière prépubère. On l'avait mise sur l'affaire car c'était la chouchoute de Sue et qu'elle avait déjà travaillé avec Mueller. Ces deux-là s'entendaient comme larrons en foire, et Nancy était toujours prête à flatter l'ego fragile de son coéquipier. « John, tu es si brillant ! » « John, mais tu as une mémoire photographique ? » « John, j'aimerais savoir mener un interrogatoire comme toi. »

Will tentait avec peine de la suivre. Ce n'était guère difficile d'ingurgiter ainsi trois semaines d'enquête à la petite cuillère, pourtant il avait du mal à se concentrer, car son esprit était encore sous l'effet de son tête-à-tête de la veille avec Johnnie Walker. Mais bon, il savait qu'en un quart de seconde il pouvait être opérationnel. Au cours des deux décennies passées, il avait dirigé l'enquête dans huit importantes affaires de tueurs en série, et servi de conseiller dans d'innombrables cas.

Sa première mission sur le terrain, c'était à Indianapolis, et il n'était guère plus âgé que Nancy. L'agresseur était un psychopathe retors qui aimait éteindre ses cigarettes sur les paupières de ses victimes. Jusqu'à ce qu'un mégot le trahisse. Quand sa deuxième épouse, Evie, était entrée à l'université de droit de Duke, Will avait demandé sa mutation à Raleigh, et comme par hasard, un autre fêlé au rasoir effilé s'était mis à tuer des femmes dans la région d'Asheville. Au bout de neuf mois éreintants et cinq victimes fauchées au hasard, il avait arrêté ce deuxième dingue. Tout à coup, il était sorti de l'ombre, propulsé au rang de spécialiste. Après un divorce difficile, il fut envoyé au quartier général des Vols & Crimes avec violence, dans l'équipe de Hal Sheridan, l'homme qui avait entraîné toute une génération d'agents à traquer les tueurs en série.

Sheridan était un animal à sang-froid, détaché sur le plan émotionnel et renfermé, au point que c'en était un sujet de plaisanterie au bureau. Dès qu'une vague de meurtres déferlait sur la Virginie, Hal s'y rendait sans attendre. À l'échelle nationale, il distribuait les enquêtes avec soin, essayant de trouver parmi ses agents le profil qui correspondait à celui du tueur. À Will, il confiait toujours les affaires les plus brutales, les cas de torture, où souvent les tueurs s'en prenaient avec sauvagerie à des femmes. Allez savoir pourquoi.

Le discours de Nancy commençait enfin à percer son cerveau embrumé. Les faits, il fallait bien l'admettre, étaient vraiment fascinants. Il en connaissait déjà les grandes lignes grâce aux médias. Tout le monde était au courant. On ne parlait que de ça dans la presse. Et bien sûr, le surnom de l'agresseur, le « tueur de l'Apocalypse », avait été inventé par un journaliste. C'est au *Post* qu'était revenu cet honneur. Son rival en matière criminelle, le *Daily News*, avait résisté pendant quelques jours, essayant de contrer cette trouvaille par la sienne, « Les Cartes postales de la mort », mais très vite, il avait renoncé, et à présent sa une n'en avait plus que pour le tueur de l'Apocalypse.

D'après Nancy, il n'y avait pas d'empreintes communes sur les cartes. L'expéditeur devait porter des gants dépourvus de fibres, peut-être en latex. On en avait trouvé quelques-unes qui n'appartenaient ni aux victimes ni à leurs proches, et des agents du FBI remontaient toute la chaîne postale depuis Las Vegas jusqu'à New York. Les cartes elles-mêmes étaient de banals rectangles de papier cartonné, blanc, de sept centimètres et demi sur douze et demi, disponibles dans toutes les papeteries. Elles avaient été imprimées d'un côté, puis de l'autre, sur une imprimante HP Photosmart à jet d'encre dont il existait plusieurs dizaines de milliers d'exemplaires à travers le pays. La police utilisée était un standard de Word. Quant aux dessins du cercueil, ils avaient sûrement tous été tracés par la même main, avec un Pentel noir, à pointe ultrafine, comme il en existait des millions. Les timbres étaient toujours identiques, vignettes de base à quarante et un centimes représentant le drapeau américain, une poignée parmi des centaines de millions en circulation. Ils étaient autocollants, si bien qu'ils ne portaient aucune trace d'ADN. Les six cartes avaient été postées le 18 mai, puis étaient passées par le centre de tri UPS de Las Vegas.

« Donc, le type a eu largement le temps de faire le voyage en avion, car ça aurait été difficile en voiture ou en train, coupa Will, la prenant par surprise car elle n'était pas certaine qu'il l'écoutait. Vous avez la liste des passagers sur les vols directs ou indirects reliant Las Vegas aux aéroports de LaGuardia, Kennedy et Newark entre le 18 et le 21 ?

— J'ai demandé à John si c'était nécessaire ! s'exclama-t-elle en levant les yeux. Il m'a dit que ce n'était pas la peine car n'importe qui avait pu poster les cartes pour le tueur. »

Will klaxonna à l'intention d'une camionnette qui n'allait pas assez vite à son gré. Comme elle ne se rabattait pas, il la doubla par la droite.

« Eh non ! Mueller s'est trompé, intervint Will sans pouvoir s'empêcher de montrer son mépris. Les tueurs en série n'ont presque jamais de complices. Parfois, ils tuent à deux, comme les *snipers* de Washington, ou les tireurs de Phoenix, mais c'est très très rare. Un soutien logistique pour mettre en scène les crimes ? Ça, ce serait une première dans le genre. Ces mecs-là sont des loups solitaires. »

Elle s'était mise à écrire.

« Qu'est-ce que vous faites ?

— Je prends des notes sur ce que vous venez de dire. »

Putain, on n'est pas à l'école, pensa-t-il.

« Puisque votre stylo est sorti, écrivez ça aussi, appuya-t-il avec ironie. Au cas où le tueur aurait quand même traversé le pays d'un coup de bagnole : faites vérifier les contredanses pour excès de vitesse le long des routes principales. »

Elle acquiesça, puis s'aventura à demander :

« Je continue ?

— Je vous écoute. »

Les faits se résumaient à ça : les victimes, quatre hommes et deux femmes, étaient âgées de 18 à 82 ans. Trois avaient été tuées à Manhattan, une à Brooklyn, une à Staten Island, et une dans le Queens. Le *modus operandi* était toujours le même : une personne recevait une carte postale représentant le dessin d'un cercueil, affichant la date du lendemain, ou du surlendemain. Chacune était morte à la date indiquée. Deux par arme blanche ; une par balle ; une par overdose d'héroïne ; une fauchée par une voiture qui était montée sur le trottoir avant de prendre la fuite ; la dernière victime, enfin, était passée par la fenêtre.

« Et que dit Mueller de tout ça ?

— Il croit que le tueur essaie de nous égarer en n'ayant pas de scénario défini.

— Qu'en pensez-vous ?

— Il me semble que c'est un procédé inhabituel. Ça ne correspond pas à ce qu'on dit dans les livres. »

Il imagina ses manuels de criminologie, les passages surlignés de manière compulsive au marqueur jaune, les notes minuscules dans la marge.

« Et les profils des victimes ? Y a-t-il un lien ? »

En apparence, il n'y en avait aucun. Les informaticiens de Washington travaillaient sur des modules d'analyse matricielle à la recherche de dénominateurs communs, sur des superordinateurs cousins de celui de Keanu Reeves dans *Matrix* : en vain.

« Des agressions sexuelles ? »

Elle tourna les pages :

« Une seule, une Hispanique de 32 ans, Consuela Pilar Lopez, à Staten Island. Elle a été violée et poignardée.

— Quand on en aura fini dans le Bronx, je veux qu'on commence par là.

— Pourquoi ?

— On en apprend beaucoup sur un tueur à la façon dont il traite les dames. »

Ils traversaient à présent le Bronx d'ouest en est, sur la voie express Bruckner.

« Vous savez où on va ? »

Elle regarda dans son carnet :

« Au 847, Sullivan Place.

— Merci ! J'ai pas la moindre idée d'où c'est, aboya-t-il. Je sais juste où perche le Yankee Stadium. Point barre. C'est tout ce que je connais dans ce putain de quartier.

— Ne soyez pas grossier, s'il vous plaît, fit-elle avec une sévérité d'institutrice. J'ai un plan. »

Elle le déplia, l'étudia un moment, puis regarda autour d'elle.

« Il faut sortir à Bruckner Boulevard. »

Ils continuèrent ainsi sans un mot pendant un ou deux kilomètres. Il attendait qu'elle reprenne son résumé de l'enquête, mais elle fixait la route des yeux, comme pétrifiée.

Il finit par tourner la tête, et vit que sa lèvre inférieure tremblait.

« Qu'y a-t-il ? Merde alors, vous êtes en pétard contre moi parce que j'ai lâché un juron ? »

Elle le regarda d'un air mélancolique. « Vous ne ressemblez pas à John Mueller.

— J'hallucine, murmura-t-il. Il vous a fallu si longtemps pour comprendre ça ? »

Ils prirent vers le sud sur East Tremont, puis longèrent le commissariat de la 41e Rue sur Barkley Avenue. C'était un bâtiment laid et ramassé, au parking trop petit pour les nombreuses voitures de patrouille garées alentour. Le thermomètre approchait les trente degrés Celsius, et la rue grouillait de Portoricains transportant des sacs en plastique, poussant des landaus, déambulant, portable vissé sur l'oreille, entrant et sortant des épiceries, des *bodegas*, et de magasins de puériculture bon marché. Les femmes étaient très découvertes. Trop de gros thons ficelés dans des bustiers et minishorts, roulant du cul en faisant trembler leurs bourrelets. Mais elles se croient vraiment bandantes ? se demanda Will. À côté d'elles, sa passagère faisait figure de top-modèle.

Nancy était plongée dans la carte, essayant de ne pas tout foirer.

« C'est la troisième à gauche à partir d'ici », annonça-t-elle.

Sullivan Place. Mauvais endroit pour un meurtre. Voitures de patrouille, véhicules banalisés, camionnettes de légiste, ils stationnaient tous en double file devant l'immeuble où avait eu lieu le crime, formant un bouchon. Will s'arrêta devant un jeune flic qui essayait de diriger la circulation, et lui montra son insigne.

« Oh, là, là ! gémit-il. Je sais pas où je vais vous mettre. Vous pouvez tourner au coin, là-bas ? Peut-être qu'il y a de la place de l'autre côté.

— De l'autre côté, répéta Will.

— C'est ça, de l'autre côté, vous n'avez qu'à tourner à droite. »

Will coupa le moteur, sortit du véhicule et lança la clef au flic. Des klaxons furieux se mirent à retentir derrière eux, et instantanément la circulation fut immobilisée.

« Mais qu'est-ce que vous faites ? hurla l'agent. Vous pouvez pas rester ici ! »

Mortifiée, Nancy était restée à l'intérieur. Will l'appela.

« Allez, venez ! Et notez dans votre carnet le numéro de la plaque de l'agent Cuneo au cas où il manquerait d'égards envers la propriété du gouvernement.

— Connard », murmura le flic.

Will bouillait d'envie de passer ses nerfs sur quelqu'un : ce blanc-bec ferait l'affaire.

« Écoute, fit-il, écumant de rage, si t'aimes vraiment ton petit job de minable, me casse pas les couilles ! Maintenant, si t'as quelque chose à me dire, te gêne pas ! Vas-y ! Essaye un peu pour voir ! »

Deux types rouges de colère, veines saillantes, nez à nez.

« Will ! On peut y aller ? l'implora Nancy. Nous perdons du temps. »

Le policier secoua la tête, grimpa dans l'Explorer, la fit avancer un peu plus loin, et la gara en double file devant la voiture d'un inspecteur. Will, soufflant comme un bœuf, lança un clin d'œil à Nancy :

« J'étais sûr qu'il nous trouverait une bonne place. »

L'immeuble était tout petit : trois niveaux, six appartements, en briques blanches crasseuses, construit dans les années 1940. Le hall d'entrée était glauque, déprimant : murs beiges sales, carreaux noirs et marron au sol, ampoules nues au plafond. Toute l'action se passait autour de l'appartement 1A, au rez-de-chaussée gauche. Au bout du hall, près du local à poubelles, les membres de la famille, toutes générations confondues, s'étaient regroupés, partageant le même chagrin. Une femme d'âge mûr pleurait en silence ; son mari, chaussé de bottes de travail, essayait de la réconforter ; une jeune femme en fin de grossesse, assise par terre, se remettait d'une crise de tétanie ; deux vieux messieurs, chemise sortie du pantalon, hochaient la tête tout en grattant leur menton mal rasé ; et puis il y avait une jeune fille en robe du dimanche, l'air égaré.

Will se faufila par la porte entrouverte, Nancy sur les talons. Il fit la grimace en découvrant au moins une douzaine de personnes agglutinées dans soixante-quinze mètres carrés, multipliant ainsi de manière exponentielle les probabilités de pollution sur la scène du crime. Il fit une brève reconnaissance des lieux, Nancy toujours derrière lui, et, fait extraordinaire, personne ne les arrêta ni ne leur posa la moindre question sur leur présence. La pièce principale : mobilier de vieux, bric-à-brac. Une télé d'au moins vingt ans d'âge. Il sortit de sa poche un stylo et s'en servit pour écarter les rideaux afin de regarder dehors, répétant la manœuvre dans chaque pièce. La cuisine. Bouffe portoricaine. Pas de vaisselle dans l'évier. La salle de bains. Bien en ordre, odeur de talc. La chambre. Bondée de gens en pleine discussion. Impossible d'y voir quelque chose, à part une paire de jambes mortes, grasses et grises, près d'un lit défait, un pied encore à moitié enfilé dans une pantoufle.

« Qui dirige l'enquête, ici ? », beugla Will.

Le silence s'établit, jusqu'à ce qu'un inspecteur dégarni et bedonnant, vêtu d'un uniforme étriqué, sorte de la masse et apparaisse à la porte de la chambre.

« Qui le demande ?

— FBI. Je suis l'agent spécial Piper. »

Nancy se sentit blessée qu'il ne l'ait pas présentée.

« Inspecteur Chapman, du commissariat de la 45e Rue. »

Il lui tendit une large main tiède, lourde comme une brique.

Il sentait l'oignon.

« Inspecteur, et si on mettait tout le monde dehors pour pouvoir examiner tranquillement les lieux du crime ?

— Mes gars ont presque fini. Après, tout est à vous.

— Et si on le faisait tout de suite ? La moitié de vos hommes ne portent pas de gants. Personne n'a de protège-chaussures. Vous êtes en train de tout saloper.

— Mais on n'a touché à rien, répliqua le policier sur la défensive. Et c'est qui, elle ? fit-il avec nervosité en avisant Nancy qui prenait des notes. Votre secrétaire ?

— Agent spécial Lipinski, répondit-elle en agitant gentiment son carnet dans sa direction. Puis-je connaître votre prénom, inspecteur Chapman ? »

Will réprima un sourire.

Le flic n'avait pas envie d'empiéter sur les plates-bandes des fédéraux. Il se démènerait en vain, car il finirait perdant, c'est sûr. La vie était trop courte pour ça.

« Très bien, écoutez tous ! s'exclama-t-il. Le FBI vient de débarquer, et ils veulent qu'on s'en aille, alors vous remballez tout et vous les laissez faire.

— Demandez-leur de laisser la carte », ajouta Will.

Chapman plongea la main dans une poche intérieure et en retira une carte blanche enveloppée dans un sac hermétique.

« La voici. »

Une fois la pièce vide, ils examinèrent le corps en compagnie de l'inspecteur. Il commençait à faire chaud, et les premiers relents de décomposition commençaient à monter du cadavre. La victime avait été tuée par balle, or il y avait très peu de sang. Quelques caillots dans ses cheveux gris aplatis, un filet le long de sa joue gauche, jusqu'à l'oreille où une artère avait éclaté, formant plusieurs ruisseaux coulant dans le cou, jusque sur la moquette vert mousse. Elle était allongée sur le dos, à trente centimètres de la brassée de fleurs de son lit défait, vêtue d'une chemise de nuit en coton rose qu'elle avait dû porter un bon millier de fois. Ses yeux, déjà recouverts d'un glacis vitreux, étaient grands ouverts. Will avait vu d'innombrables cadavres, dont beaucoup étaient méconnaissables à force de brutalité. Cette dame, en revanche, était en parfait état : une gentille grand-mère portoricaine, qu'on avait envie de réveiller en lui donnant un bon coup de coude. Il regarda Nancy, observant sa réaction face à la mort.

Elle prenait des notes.

« Bon, selon moi, fit Chapman, ça s'est passé… »

Will leva la main, et l'arrêta au beau milieu de sa phrase :

« Agent spécial Lipinski, pourquoi ne nous dites-vous pas ce qui s'est passé ? »

Elle piqua un fard, faisant paraître ses joues encore plus rebondies. Le rosissement se propagea dans son cou, puis glissa sous le col de son chemisier blanc. Elle déglutit, s'humecta les lèvres du bout de la langue, puis elle commença. D'abord avec lenteur, mais elle s'enhardit à mesure que sa pensée prenait forme.

« Eh bien, le tueur est déjà venu sur les lieux, pas forcément dans l'appartement, mais à proximité du bâtiment. La grille de sécurité qui protège la fenêtre de la cuisine ne tient plus. Il faudrait que je regarde mieux, mais je parierais que tout le cadre est rongé par la rouille. Néanmoins, même en se cachant dans la ruelle, il n'aurait pas pris le risque de tout faire en une seule nuit, pas s'il voulait être certain de terminer sa besogne à la date inscrite sur la carte. Il est revenu, la nuit dernière, il s'est faufilé dans la ruelle, et il a achevé de démonter la grille. Puis il a découpé la vitre avec un instrument, et ouvert la fenêtre en passant le bras à l'intérieur. Dehors, il a dû marcher dans de la boue car on en retrouve sur le sol de la cuisine, dans le couloir et dans cette pièce. »

Elle désigna deux endroits sur la moquette, dont un, sous le pied de l'inspecteur. Il s'en écarta, comme s'il marchait sur un composé radioactif.

« La victime a dû entendre quelque chose car elle s'est redressée pour mettre ses chaussons. Elle n'a pas eu le temps de terminer, il est arrivé dans sa chambre et lui a tiré dessus à bout portant dans l'oreille gauche. On dirait que c'est un petit calibre, sûrement un 22. La balle est encore logée dans le crâne, elle n'est pas ressortie. Je ne pense pas qu'il y ait eu d'agression sexuelle, mais ça reste à vérifier. Il faut aussi s'assurer si quelque chose a été volé. L'endroit n'a pas été fouillé, mais je n'ai vu son sac à main nulle part. Ensuite, il a dû repartir comme il était venu, acheva-t-elle en faisant une pause avant de reprendre tout en se grattant le front. Voilà. D'après moi, ça s'est passé comme ça. »

Will la regarda en fronçant les sourcils, lui donnant quelques sueurs froides, puis déclara :

« Ouais, je suis du même avis. »

Nancy rayonnait comme si elle venait de réussir un oral, et baissa les yeux avec fierté pour contempler ses chaussures à semelles de crêpe.

« Vous êtes d'accord avec ma collègue, inspecteur ? »

Chapman haussa les épaules :

« Ça pourrait bien être ça. Ouais, un 22. Je suis sûr que c'est l'arme du crime. »

Il n'en a pas la moindre idée, songea Will.

« Savez-vous si quelque chose a été volé ?

— Sa fille dit que son sac n'est plus là. C'est elle qui l'a découverte, ce matin. La carte postale était posée sur la table de la cuisine, avec le reste du courrier.

— Elle a été violée ? poursuivit Will en désignant les cuisses de la vieille femme.

— J'en ai aucune idée ! On le saurait peut-être si vous aviez pas flanqué dehors le légiste. »

Will se baissa et du bout de son stylo souleva avec soin la chemise de nuit. Il regarda avec attention sous la tente rose, et aperçut une culotte de grand-mère en bonne place.

« Ça n'en a pas l'air. Allons voir la carte. »

Il l'examina avec soin, d'un côté puis de l'autre, et la tendit à Nancy :

« C'est la même police que pour les autres ? »

Elle acquiesça.

« C'est du Courier, corps 12 », affirma-t-il.

Impressionnée, elle lui demanda comment il pouvait le savoir :

« Je suis expert en matière de police, railla-t-il avant de lire à voix haute : Ida Gabriela Santiago. »

Chapman leur apprit que d'après la fille, la défunte n'utilisait jamais son second prénom.

Will se releva et s'étira.

« OK, c'est bon. La zone doit rester hermétiquement fermée jusqu'à ce que débarquent les mecs du labo du FBI. On reste en contact si vous avez besoin de quelque chose.

— Vous avez une piste pour retrouver ce dingue ? », demanda Chapman.

Le portable de Will se mit à sonner dans sa veste, jouant de manière peu adéquate l'*Hymne à la joie*. Tout en l'attrapant, il répondit :

« Que dalle, pour l'instant, inspecteur, mais c'est mon premier jour sur l'enquête. »

Puis, au téléphone :

« Piper, j'écoute… »

Il hocha la tête plusieurs fois avant de dire :

« Un malheur n'arrive jamais seul. Donc, pas de guérison miraculeuse pour Mueller, c'est bien ça ? Dommage. »

Il termina sa conversation et leva les yeux :

« Prête pour une longue nuit de travail, partenaire ? »

Nancy hocha la tête comme une poupée de chiffon. Elle semblait beaucoup apprécier la dénomination de partenaire.

« C'était Sanchez, continua-t-il. Il y a une autre carte. Mais cette fois, c'est un peu différent. Elle est datée d'aujourd'hui, et le type est encore vivant. »

12 février 1947

Ernest Bevin, c'était lui le lien, l'entremetteur. Le seul membre du cabinet à avoir fait partie des deux gouvernements. Pour Clement Attlee, Premier Ministre travailliste, Bevin était un choix logique.

Assis devant un bon feu de charbon au 10, Downing Street, Attlee interpella son secrétaire aux Affaires étrangères.

« Ernest, vous irez parler à Churchill. Dites-lui que je requiers personnellement son aide. »

La transpiration perlait sur le front dégarni du Premier Ministre, et Bevin observa, mal à l'aise, une goutte de sueur qui coulait sur son large front, puis sur son nez aquilin.

Mission acceptée. Sans question ni réserve. Bevin était un soldat, un vieux chef travailliste, l'un des fondateurs du plus grand syndicat britannique, le TGWU. Toujours pragmatique, avant la guerre, il avait été l'un des rares membres du parti à coopérer avec le gouvernement conservateur de Winston Churchill, plutôt que de s'aligner aux côtés des travaillistes pacifistes.

En 1940, alors que ce dernier préparait la nation à la guerre, formant une coalition multipartite pour gouverner, il avait pris Bevin comme ministre du Travail et du Service national, lui offrant un large portefeuille lié en grande partie à l'économie de guerre. Bevin avait su instaurer un équilibre subtil entre les nécessités militaires et intérieures du pays, prenant aux forces armées un bataillon de cinquante mille hommes pour exploiter les mines de charbon, les Bevin Boys. Churchill le tenait en très haute estime.

Puis, le choc. Quelques semaines seulement après l'armistice, alors qu'il savourait encore sa victoire, l'homme que les Russes avaient baptisé le Bouledogue britannique perdit les élections générales de 1945. Un véritable raz de marée hissa le parti travailliste de Clement Attlee au pouvoir. Les électeurs ne faisaient pas confiance à Churchill pour reconstruire le pays. L'homme qui avait dit : « Nous défendrons notre île quel qu'en soit le prix, nous nous battrons sur les plages, nous nous battrons sur les pistes d'atterrissage, nous nous battrons dans les champs, dans les rues, jamais nous ne nous rendrons » quitta la scène en boitant, vaincu, déprimé, démoralisé. Après sa défaite, il continua de diriger l'opposition, mais son plus grand plaisir consistait à rester chez lui, dans sa demeure de Chartwell House, où il écrivait de la poésie, peignait des aquarelles et jetait du pain à ses cygnes noirs.

Aujourd'hui, un an et demi après le changement de pouvoir, Bevin, le secrétaire aux Affaires étrangères d'Attlee, attendait son ancien patron, profondément enfoui sous terre. Il faisait froid, et il avait gardé son pardessus boutonné sur son costume trois-pièces d'hiver en laine épaisse. C'était un homme bien bâti, aux cheveux gris clairsemés, peignés en arrière et pommadés, avec un visage rond et des bajoues. Il avait organisé la rencontre dans cet endroit confidentiel à dessein, pour accentuer la gravité de leur entretien. Le sujet était capital. Top secret. C'était une affaire brûlante, qui ne pouvait souffrir de délai.

Churchill comprit tout de suite le message, qui fit irruption en jetant sur les lieux un regard froid :

« Pourquoi m'avez-vous fait venir dans ce trou oublié de tous ? »

Bevin se leva et renvoya d'un geste le gradé de haut rang qui accompagnait l'ancien Premier Ministre.

« Vous étiez dans le Kent ?

— Exactement ! »

Churchill se tut avant de reprendre :

« Je pensais ne jamais remettre les pieds ici.

— Je ne vous propose pas de prendre votre manteau. Il fait très froid.

— Il en a toujours été ainsi. »

Les deux hommes échangèrent une poignée de main flegmatique, puis Bevin entraîna Churchill dans un angle, vers un dossier rouge portant le sceau du Premier Ministre. Là, ils s'assirent. Ils se trouvaient dans le bunker de George Street où Churchill et son cabinet de guerre avaient passé la plus grande partie du conflit. Les pièces avaient été aménagées dans les sous-sols du ministère des Travaux publics, juste entre le Parlement et Downing Street. Protégé par des sacs de sable et des murs en béton armé, enterré à une grande profondeur, le bunker aurait sûrement résisté à l'impact direct d'une bombe, si la chose s'était produite. Ils étaient à présent face à face autour de la grande table carrée du cabinet de guerre, là où, de jour comme de nuit, Churchill recevait ses plus proches conseillers. C'était une pièce triste et morne, utilitaire, qui sentait le renfermé. À côté, se trouvait la chambre des plans, où étaient encore affichées toutes les cartes représentant les lieux de combat. Venait ensuite l'appartement privé de Churchill, où flottaient toujours des relents de cigare bien longtemps après que le dernier eut été éteint. Un peu plus loin, dans un ancien placard à balais reconverti, se trouvait la cabine du téléphone transatlantique, où le brouilleur répondant au nom de code de Sigsaly cryptait les conversations entre Churchill et Roosevelt. D'après ce que savait Bevin, le matériel était encore en état de fonctionner. Rien n'avait changé depuis le jour où l'on avait abandonné le cabinet de guerre : le jour de la victoire.

« Voulez-vous revoir les lieux ? Il me semble que le général Stuart dispose des clefs.

— Non », fit l'ancien Premier Ministre avec impatience.

Il se sentait mal à l'aise dans le bunker. Il poursuivit d'un ton sec :

« Pourquoi ne pas en venir aux faits ? Qu'attendez-vous de moi ? »

Bevin se lança dans une introduction mûrement réfléchie :

« Un fait s'est produit, très inattendu, très remarquable, et très sensible. Le gouvernement doit gérer la situation avec soin et délicatesse. Comme cela concerne les Américains, Attlee pense que vous êtes la personne la mieux placée pour l'assister personnellement en ces circonstances exceptionnelles.

— Je fais partie de l'opposition, répondit-il d'un ton glacial. En quoi pourrais-je l'assister, à part pour

58

l'aider à quitter Downing Street et y reprendre ma place ? '

— Parce que vous êtes le plus grand patriote que la nation ait jamais compté. Et parce que l'homme qui est assis devant moi se soucie davantage du bien de la population britannique que des expédients politiques. Voilà pourquoi je pense que vous accepterez d'aider le gouvernement. »

Déconcerté, Churchill le toisait, conscient qu'on se jouait de lui. « Dans quel pétrin vous êtes-vous donc fourrés ? En appeler à mon patriotisme, tout de même ! Allez, dites-moi tout.

— Ce dossier résume la situation, fit Bevin en lui montrant une serviette rouge. Je pense que vous devriez le lire. Avez-vous apporté vos lunettes ? »

Churchill chercha dans la poche intérieure de son veston :

« Oui. Et vous allez attendre en vous tournant les pouces ? », fit-il en écartant les branches grêles pour en chausser son énorme tête.

Bevin acquiesça et se renfonça dans la simple chaise en bois. Il observait son interlocuteur, qui ouvrit le dossier en grognant. Il le vit lire le premier paragraphe. Puis ôter ses bésicles et s'exclamer :

« C'est une plaisanterie ! Vous imaginez vraiment que je vais croire ça ?

— Hélas, non, ce n'est pas une plaisanterie. C'est incroyable, certes, mais fictif, non. Plus loin, vous trouverez les travaux préliminaires entrepris par nos services de renseignements militaires pour authentifier ces découvertes.

— Je ne m'attendais pas à ce genre de chose. »

De nouveau, Bevin opina du chef.

Avant de reprendre sa lecture, Churchill alluma un cigare. Son vieux cendrier était toujours là.

De temps à autre, il marmonnait quelque chose d'inintelligible dans sa barbe. Une fois, il s'écria :

« Sur l'île de Wight ! Nom d'un chien ! »

À un autre moment, il se leva pour se dégourdir les jambes et rallumer son cigare. Par intervalles, il fronçait les sourcils, et jetait à son interlocuteur des regards incrédules. Enfin, au bout de dix minutes, il eut terminé. Il rangea ses lunettes, puis inspira une profonde bouffée de son havane :

« J'y suis aussi ?

— Sans aucun doute, mais je ne connais pas les détails, répondit Bevin avec solennité.

— Et vous ?

— Je n'ai pas cherché. »

Soudain, comme c'était arrivé tant de fois dans cette pièce, Churchill s'anima, le sang bouillant de conviction :

« Il ne faut pas que le public ait vent de cette histoire ! Nous nous réveillons à peine de notre grand cauchemar. Cela ne ferait que nous replonger dans les ténèbres et le chaos.

— C'est précisément notre opinion.

— Qui est au courant ? Jusqu'où s'étend le cercle ?

— Il est très restreint. En dehors du Premier Ministre, je suis le seul du gouvernement. Moins d'une demi-douzaine d'officiers de l'armée en savent assez long pour deviner les faits. Ensuite, il y a bien sûr le professeur Atwood et son équipe.

— C'est bien ça le problème, grogna Churchill. Vous avez eu raison de les isoler.

— Enfin, il y a les Américains. Étant donné nos relations particulières, nous avons jugé nécessaire d'informer le président Truman, mais nous avons exigé qu'un très petit nombre de personnes soient au courant.

— C'est pour ça que vous vous êtes adressé à moi ? À cause des Ricains ? »

Bevin se sentait mieux, et il ôta son manteau.

« Je serai tout à fait franc avec vous. Le Premier Ministre veut que vous vous occupiez des tractations avec Truman. Leurs rapports sont plutôt tendus. Le gouvernement souhaite vous déléguer cette affaire. Après aujourd'hui, nous ne voulons plus être impliqués. Les Américains ont proposé de tout prendre en charge, et au terme de longs débats internes, nous avons décidé de tout leur laisser. Nous ne voulons pas nous occuper de cette affaire. Ils ont déjà toutes sortes de projets, mais, pour être honnête, nous ne voulons être au courant de rien. Reconstruire ce pays nécessite un effort énorme, et nous ne pouvons pas nous laisser distraire de cette tâche, et encore moins avoir à porter la responsabilité de ces choses. Car imaginez les conséquences s'il y avait une fuite… sans parler du coût ! En outre, il faut prendre une décision au sujet d'Atwood et des autres. Nous vous demandons de vous charger de tout ça, non pas en tant que chef de l'opposition, ni comme figure politique, mais aux vues de vos capacités personnelles, bref, en tant que chef moral.

— Brillant, répondit Churchill en hochant la tête. Très brillant. L'idée est de vous, j'imagine. J'aurais agi de la même manière. Écoutez-moi, mon ami, pouvez-vous me donner l'assurance que cela ne sera pas utilisé contre moi à l'avenir ? J'ai l'intention de vous écraser lors des prochaines élections, et ce serait mal de me décocher un coup sous la ceinture.

— Vous avez ma parole. Cette affaire dépasse toute contingence politique. »

Churchill se leva, et frappa dans ses mains.

« Dans ce cas, j'accepte. J'appellerai Harry demain matin si vous pouvez arranger cela pour moi. Puis nous nous occuperons de l'équipe d'Atwood. »

Bevin se racla la gorge, soudain sèche :

« J'espérais que vous puissiez vous occuper de son cas plus vite. Il attend dans le couloir.

— Vous l'avez amené ici ! Vous voulez que je m'en occupe tout de suite ? », s'exclama-t-il, incrédule.

Son interlocuteur acquiesça en se levant avec un peu trop de hâte, comme s'il fuyait :

« Je vous laisse. Je vais faire mon rapport au Premier Ministre. »

Il s'interrompit pour bien marquer la solennité de l'instant, puis reprit :

« Le général Stuart sera votre aide logistique. Il vous assistera jusqu'à ce que l'affaire soit réglée et que tous les éléments aient été évacués du sol britannique. Cela vous agrée-t-il ?

— Eh bien, oui. Je m'occupe de tout.

— Merci. Le gouvernement vous est reconnaissant.

— Certes, tout le monde me doit une fière chandelle, à part ma femme, qui va me tuer parce que je vais manquer le dîner. Faites venir Atwood.

— Vous voulez le voir ? Je ne pensais pas que ce fût nécessaire.

— Ce n'est pas que je veuille le voir. Je crains de ne pas avoir le choix. »

Totalement ahuri, Geoffrey Atwood était à présent assis devant l'homme le plus célèbre du monde. Malgré son teint cireux et son air maladif, il était en bonne santé, musclé après toutes ces années de travail sur le terrain. Il n'avait que 52 ans, mais la pression des circonstances lui en faisait paraître dix de plus. Churchill nota que son bras tremblait un peu quand il porta sa tasse de thé à ses lèvres.

« Je suis retenu contre mon gré depuis presque quinze jours, lâcha-t-il. Mon épouse n'est au courant de rien. Cinq autres de mes collègues sont aussi détenus, dont une femme. Avec tout le respect que je vous dois, monsieur le Premier Ministre, cette situation est intolérable. Un membre de mon groupe, Reginald Saunders, est même décédé. Nous avons été traumatisés par ces événements.

— Bien sûr, c'est intolérable. Et traumatisant. On m'a tout raconté à propos de M. Saunders. Nonobstant, je suis certain que vous serez d'accord avec moi, professeur, que toute cette affaire est des plus extraordinaire.

— Certes, mais…

— Où avez-vous servi pendant la guerre ?

— Mes compétences furent bien employées, monsieur le Premier Ministre. Je faisais partie d'un régiment dont la tâche consistait à faire l'inventaire et mettre à l'abri des objets d'art et des antiquités repris aux nazis, qui avaient pillé les musées européens.

— Fort bien, fort bien. Et lorsque vous avez été rendu à la vie civile, vous avez retrouvé vos responsabilités universitaires.

— C'est cela. Je suis professeur d'archéologie à Cambridge, spécialiste des objets anciens.

— Et ces fouilles sur l'île de Wight sont les premières que vous réalisez depuis la guerre.

— Oui, j'avais déjà travaillé sur ce site, avant le conflit, mais le chantier actuel se trouve dans un secteur nouveau.

— Je vois. »

Churchill sortit son étui à cigares.

« Puis-je vous en offrir un ? Non ? J'espère que la fumée ne vous incommode pas. »

Il gratta une allumette, tira quelques bouffées avec vigueur, et la pièce fut envahie de volutes bleuâtres.

« Savez-vous où nous sommes, professeur ? »

Atwood opina du chef avec lassitude.

« Rares sont les personnes qui ont pénétré dans cette pièce. Je ne pensais pas moi-même la revoir un jour, mais on m'a rappelé, on m'a tiré de ma semi-retraite, en quelque sorte, pour gérer la crise que vous avez déclenchée.

— J'entends bien les implications de ma découverte, monsieur le Premier Ministre, protesta-t-il, mais je ne comprends guère en quoi notre liberté à mon équipe et à moi-même pose problème en la circonstance. Si crise il y a, elle a été montée de toutes pièces.

— Certes, je comprends votre point de vue, mais d'autres pourraient considérer les choses sous un jour différent, répliqua Churchill avec une froideur qui mit mal à l'aise Atwood. Il y a des enjeux plus vastes, ici. Des conséquences dont on doit tenir compte. Nous ne pouvons vous laisser sortir et publier vos découvertes dans un de vos fichus journaux ! »

La fumée gênait Atwood, qui éternua, puis se racla la gorge.

« J'y pense jour et nuit depuis que nous sommes détenus. N'oubliez pas que c'est moi qui ai pris contact avec les autorités. De mon propre chef. Je n'ai pas appelé la presse. Je suis prêt à passer un accord secret avec le gouvernement, et je suis certain de pouvoir persuader le reste de mon équipe d'agir de même. Cela devrait apaiser vos inquiétudes.

— Voici une suggestion fort intéressante dont nous tiendrons compte. Vous savez, au cours de la guerre, j'ai eu à prendre beaucoup de décisions difficiles dans cette pièce. Des questions de vie ou de mort... »

Il se tut, se remémorant un moment particulièrement horrible, lorsqu'il avait dû laisser la Luftwaffe bombarder Coventry sans pouvoir donner l'ordre d'évacuer la population car les nazis auraient alors deviné que les Britanniques avaient réussi à décrypter leur code. Des centaines de civils étaient morts.

« Avez-vous des enfants, professeur ?

— J'ai deux filles et un garçon. L'aînée a 15 ans.

— Eh bien, je ne doute pas qu'ils aient hâte de revoir leur père. »

Atwood fut pris par l'émotion :

« Vous avez été un modèle pour chacun d'entre nous, monsieur le Premier Ministre, un héros, et aujourd'hui, c'est pour moi que vous êtes un héros. Je vous remercie du fond du cœur pour votre intervention », termina-t-il en pleurs.

Devant cet homme qui avait perdu toute retenue, Churchill grinça des dents.

« Ce n'est rien. Tout est bien qui finit bien. »

L'ancien Premier Ministre resta seul dans la pièce, son cigare à moitié consumé. Il entendait encore les échos de la guerre, les appels pressants, les parasites des transmissions, l'explosion lointaine des V1. Les volutes de fumée bleue étaient telles des apparitions fantomatiques, flottant parmi les miasmes souterrains. Le général Stuart, que Churchill avait déjà rencontré pendant la guerre, entra et se mit au garde-à-vous.

« Repos, général. Vous savez donc que l'affaire est entre mes mains, à présent.

— J'en ai été informé, monsieur le Premier Ministre. »

Churchill posa son cigare dans son vieux cendrier. « Vous détenez Atwood et son équipe à Aldershot, n'est-ce pas ?

— Affirmatif. Le professeur croit qu'il va être relâché.

— Relâché ? Non. Ramenez-le auprès de ses collègues. Nous restons en contact. C'est un dossier délicat. On ne saurait se montrer trop prudent. »

Le général observa son corpulent interlocuteur, fit claquer ses talons et salua avec élégance.

Churchill prit son manteau, son chapeau et, sans jeter un regard derrière lui, quitta le cabinet de guerre pour la dernière fois.

10 juillet 1947

WASHINGTON, DC

Harry truman avait l'air tout petit dans le bureau ovale. Avec sa cravate à rayures blanches et bleues nouée avec soin, son costume d'été gris anthracite entièrement boutonné, ses derbys noirs bien cirés, et ses mèches dégarnies, peignées avec rigueur, il était tiré à quatre épingles.

Arrivé à mi-mandat, la guerre était dorénavant derrière lui. Depuis Lincoln, aucun autre président n'avait été soumis à aussi rude épreuve. Les caprices de l'histoire l'avaient mis dans une situation inconcevable. C'était un homme comme les autres, tout à fait ordinaire, si bien que personne, pas même lui, n'aurait parié un centime sur le fait qu'il accéderait un jour à la Maison Blanche. En tout cas, pas à l'époque où il vendait des chemises de soie chez Truman & Jacobson à Kansas City, vingt-cinq ans plus tôt. Ni quand il devint juge dans le comté de Jackson, pion de la machine démocrate de Pendergast ; ni lorsqu'il fut élu sénateur du Missouri, à nouveau pantin entre les mains des autres ; ni même quand Roosevelt le choisit comme vice-président lors des dernières élections, compromis choquant forgé dans les arrière-salles moites et brûlantes de la convention démocrate de Chicago en 1944.

Quatre-vingt-deux jours après avoir été élu vice-président, Truman fut appelé en urgence à la Maison Blanche, pour apprendre que Roosevelt était mort. Dans la nuit, il dut reprendre les rênes, tenues par un homme qui lui avait à peine adressé la parole durant les trois premiers mois de leur mandat conjoint. Il était en effet *persona non grata* parmi les proches du Président. On l'avait tenu à l'écart des plans de guerre. Il n'avait jamais entendu parler du projet Manhattan.

« Priez pour moi, les gars », avait-il dit alors aux journalistes.

Et il le pensait sincèrement. Quatre mois plus tard, cet ex-vendeur de chemises allait autoriser l'usage de la bombe atomique sur Hiroshima et Nagasaki.

À présent, en 1947, il avait appris le dur métier qui consistait à gouverner une nouvelle superpuissance dans un monde chaotique, mais son style méthodique, décidé, lui réussissait, et il avait trouvé son rythme. Les problèmes avaient émergé, nombreux, complexes : reconstruire l'Europe grâce au plan Marshall, fonder l'ONU, combattre le communisme avec le National Security Act, bousculer la politique sociale avec le Fair Deal. Je peux y arriver, se disait-il. Bon sang ! Je suis à la hauteur. C'est alors qu'un ovni lui était tombé entre les mains. Il était posé devant lui, sur son bureau parfaitement en ordre, près de sa célèbre plaque : THE BUCK STOPS HERE[1]. Le dossier portait cette inscription en rouge : PROJET VECTIS – ULTRACONFIDENTIEL.

---

1. Le responsable, c'est moi. *(N.d.T.)*

Truman se souvenait de ce coup de téléphone reçu cinq mois plus tôt. Le genre d'événement qui s'inscrit à jamais dans la mémoire avec une clarté parfaite. Il se rappelait ce qu'il portait ce jour-là, la pomme qu'il croquait en cet instant, ce à quoi il pensait juste avant, puis juste après avoir parlé à Winston Churchill.

« Quelle joie de vous entendre. Et quelle surprise !

— Bonjour, monsieur le président. J'espère que vous allez bien.

— Je ne me suis jamais senti aussi bien. Que puis-je faire pour vous ? »

Malgré les grésillements de la ligne transatlantique, Truman avait remarqué le ton crispé de son interlocuteur.

« Monsieur le président, vous pourriez nous rendre un grand service. Nous sommes face à une situation extraordinaire.

— Je vous aiderai volontiers si je le puis. Est-ce un appel officiel ?

— Tout à fait. On m'a chargé d'une affaire. Il existe une petite île au sud de l'Angleterre, l'île de Wight.

— J'en ai entendu parler.

— Une équipe d'archéologues a fait là-bas une découverte qui nous dépasse. L'affaire est d'une importance capitale, mais nous craignons tout simplement de ne pas être en mesure de nous en occuper étant donné l'état dans lequel nous a laissés la guerre. Nous ne pouvons prendre le risque d'échouer. Au mieux, cela servirait de distraction nationale, au pire, ce serait une catastrophe mondiale. »

Truman imaginait Churchill assis là-bas, penché sur le téléphone, son grand corps se perdant dans un nuage de fumée.

« Pourquoi ne me dites-vous pas ce qu'ont trouvé vos hommes ? »

L'infatigable président tendit l'oreille, le stylo à la main, prêt à prendre des notes. Au bout d'un moment, sa plume tomba toute seule, sans avoir servi, et les doigts de Truman se mirent à pianoter avec nervosité sur son bureau. Soudain, il trouva son nœud de cravate trop serré, se sentit trop petit face à l'immensité de sa charge. Il avait vécu la bombe atomique comme un baptême du feu : en cet instant, elle lui parut être un galop d'essai présageant un événement inouï.

En dehors du président des États-Unis, seuls six membres du gouvernement avaient accès à l'ultraconfidentiel, ce qui correspondait à un niveau de sécurité si élevé que son existence en soi était déjà classée top secret. Des centaines, voire des milliers de personnes connaissaient l'existence du projet Manhattan à l'époque ; seule une demi-douzaine était au courant pour Vectis – du nom romain de Wight. Un membre du cabinet de Truman possédait l'accès à l'ultra-confidentiel : James Forrestal. Sur le plan personnel, le président l'aimait bien ; il avait par ailleurs une confiance absolue en lui. Ils se ressemblaient : Forrestal avait comme lui été dans les affaires avant d'entrer au service de l'État. Sous Roosevelt, il était secrétaire à la Marine, et Truman l'avait conservé à son poste.

C'était un homme froid, exigeant, qui ne pensait qu'au travail, et partageait la haine viscérale de son président pour le communisme. Ce dernier le préparait d'ailleurs à un destin supérieur. En temps voulu, il occuperait un poste nouvellement créé au gouvernement, celui de secrétaire à la Défense, et le projet Vectis lui serait confié, dans son intégralité.

Le président brisa le sceau de cire rouge qui fermait le dossier, technique ancienne de confidentialité qui avait fait ses preuves. Dedans se trouvait une note du contre-amiral Roscoe Hillenkoetter, un autre membre ayant accès à l'ultraconfidentiel que Truman allait bientôt nommer pour la première fois au poste de directeur d'une nouvelle agence appelée CIA. Le président lut son mémo, puis retira un ensemble de coupures de presse.

Roswell Daily Record : L'ESCADRILLE DE LA BASE DE ROSWELL INTERCEPTE UNE SOUCOUPE VOLANTE DANS UN RANCH DE LA RÉGION.

Le lendemain, le même journal titrait : LE GÉNÉRAL RAMEY VIDE LA SOUCOUPE DE ROSWELL.

Sacramento Bay : L'ARMÉE RÉVÈLE AVOIR MIS LA MAIN SUR UN OVNI DANS UN RANCH DU NOUVEAU-MEXIQUE.

Et ainsi de suite sur quelques douzaines d'autres articles répétant plus ou moins tous la même chose.

Alea jacta est, songea Truman en souvenir de ses cours de latin d'autrefois. César avait franchi le Rubicon en déclarant : « Le sort en est jeté. » Il avait changé le cours de l'histoire en défiant le Sénat et en entrant dans Rome avec ses légions. Le président retira le capuchon de son stylo à plume et écrivit un bref message à Hillenkoetter sur une feuille de papier à lettres à l'en-tête de la Maison Blanche. Il rangea ensuite sa missive avec le reste du dossier puis il prit son sceau et de la cire dans le premier tiroir de droite. Il alluma ensuite un Zippo et fit fondre un bâtonnet, goutte à goutte, sur le carton, jusqu'à ce qu'apparaisse une flaque rouge sang. Le sort en était scellé.

Le 24 juin 1947, le pilote d'un avion privé qui volait dans le secteur du mont Rainier, dans l'État de Washington, annonça qu'il avait vu des objets en forme de soucoupes filant à grande vitesse à travers le ciel en un vol erratique. Dans les jours qui suivirent, des centaines de gens à travers tout le pays furent eux aussi témoins de phénomènes étranges et, soudain, les journaux fourmillèrent d'articles sur les ovnis. La pompe était amorcée pour l'affaire Roswell.

Dix jours plus tard, le 4 juillet, au cours d'un violent orage, on vit un objet bleu en flammes traverser la nuit avant de s'écraser quelque part au nord de Roswell, au Nouveau-Mexique. Ceux et celles qui l'aperçurent jurèrent que ça n'avait rien à voir avec un éclair.

Le lendemain matin, Mack Brazel, chef d'équipe au ranch de J.B. Foster, vaste exploitation consacrée à l'élevage des moutons, à cent vingt kilomètres au nord de Roswell, emmena son troupeau boire au point d'eau. C'est alors qu'il découvrit une zone semée de débris épars de métal et de caoutchouc. Par endroits, les vestiges étaient si nombreux que les bêtes refusaient de passer, et il dut leur faire contourner le site.

Brazel, homme sérieux à la peau tannée par de longues années au grand air, jeta un coup d'œil rapide, et comprit qu'il ne s'agissait pas d'un de ces ballons météorologiques comme il s'en écrasait parfois. C'était beaucoup plus important. En examinant davantage le terrain, il découvrit des traces de pneus, venant puis repartant du champ de débris. Une Jeep, pensa-t-il. Bon Dieu, qui a mis les pieds sur mes terres ? Il ramassa quelques fragments de métal et termina son travail. Le soir, il appela le shérif du comté de Chavez, George Wilcox, et lui dit tout simplement :

« George, t'as entendu parler des soucoupes volantes ? Ben, je crois qu'il y en a une qui s'est écrasée sur mes terres. »

Wilcox connaissait bien Brazel, et il savait qu'il n'était pas du genre à raconter des histoires. Si Mack le disait, eh bien, mon vieux, il fallait le prendre au sérieux. Il passa un coup de téléphone à l'unité locale de l'armée de l'air de Roswell, le 509e groupe des bombardiers, et s'entretint avec le commandant de la base. À son tour, le colonel William Blanchard mobilisa ses deux meilleurs officiers de renseignements, Jesse Marcel et Sheridan Cavitt, à qui il demanda de se rendre sur les lieux dès le lendemain matin. Puis il transmit le message à son supérieur, à la 8e base de l'armée de l'air, le brigadier général Roger Ramey, qui insista pour être tenu au courant en direct des progrès sur le terrain. Ce dernier croyait fermement en cet adage selon lequel « la merde remonte toujours vers le sommet », aussi appela-t-il Washington, et fit un rapport préliminaire à un assistant du secrétaire d'État aux Armées. Puis il attendit qu'on le rappelle.

Quelques minutes plus tard, son secrétaire l'informait que Washington était en ligne.

« Allô, Patterson ?

— Non, ici le secrétaire à la marine, M. Forrestal. »

La marine ? Par tous les saints du paradis, que se passe-t-il ? se demanda-t-il avant de reprendre la ligne.

En ce dimanche matin, le soleil cuisait déjà la glaise rouge quand Mack Brazel se rendit à l'entrée du ranch, à la rencontre des deux officiers de renseignements et de la section qui les accompagnait. Le convoi suivit la camionnette du cow-boy par les chemins poussiéreux, à travers les collines pelées, jusqu'à l'endroit où gisaient les débris. Les soldats délimitèrent un périmètre, puis se mirent au travail sous un soleil de plomb, tandis que le commandant Marcel, jeune homme songeur, fumait cigarette sur cigarette en arpentant l'épave. Brazel lui montra les traces de pneus et demanda si l'armée était venue là, plus tôt. L'officier inspira une profonde bouffée et répondit :

« Dans ce cas, je n'en serais pas informé: »

Au bout de quelques heures, la troupe avait ratissé la zone, chargé de débris les camions bâchés, puis était repartie. Brazel les vit disparaître à l'horizon, et sortit de sa poche un morceau de métal. Il était aussi fin que le papier argenté trouvé dans les paquets de cigarettes, et tout aussi léger. Pourtant, il y avait quelque chose d'étrange : le cow-boy avait beau être un costaud, avec des mains comme des étaux, malgré sa force, il ne parvenait pas à plier la feuille métallique.

Au cours des deux jours suivants, il observa les allées et venues de l'armée sur le site où l'appareil s'était écrasé. On lui avait demandé de se tenir à distance. Le mardi matin, il fut certain d'avoir vu briller l'étoile d'un général de brigade passant en trombe dans une Jeep. Fait inévitable, toute la ville apprit qu'il se passait quelque chose au ranch Foster, et, dès le mardi après-midi, l'armée ne parvenait plus à dissimuler qu'un événement s'était en effet produit. Le colonel Blanchard fit paraître un communiqué de presse où il reconnaissait qu'un cow-boy avait découvert un ovni. Le service de renseignements de l'armée l'avait récupéré et transféré à leurs supérieurs. Ce soir-là, le

Roswell Daily Record fit paraître une édition spéciale, et les médias se déchaînèrent.

Chose curieuse, une heure après le communiqué de Blanchard, le général Ramey était au téléphone avec l'agence United Press pour donner une autre version de l'histoire. Il ne s'agissait pas d'une soucoupe volante ou quoi que ce soit de ce genre. C'était un simple ballon météorologique muni d'un réflecteur de radar. Rien d'anormal. Les journalistes pouvaient-ils venir faire des photos des débris ? Eh bien, répondit-il, Washington avait classé cette affaire « secret défense », mais il verrait ce qu'il pouvait faire. Peu de temps après, il invita des reporters dans son bureau, au Texas, pour prendre des photos d'un simple ballon en aluminium, posé sur un tapis.

« Messieurs, voilà autour de quoi tourne toute cette histoire. »

Au bout d'une semaine, les journaux cessèrent de s'intéresser à l'affaire. Pourtant, à Roswell, les rumeurs persistaient : d'étranges faits s'étaient produits aux premières heures du jour suivant la chute de l'ovni. On disait que l'armée s'était rendue sur les lieux avant Brazel ; qu'ils avaient découvert une soucoupe tout entière, intacte ; qu'ils en avaient extrait cinq petits corps non humains, et qu'une autopsie avait été pratiquée à la base.

Une infirmière de l'armée présente lors de cette autopsie avait parlé un peu plus tard avec une de ses amies, esthéticienne à Roswell. Elle avait dessiné sur une serviette en papier des êtres dégingandés, pourvus d'une tête allongée aux yeux énormes. L'armée avait retenu Mack Brazel pendant un moment ; par la suite, il s'était montré beaucoup moins bavard. Les jours suivants, presque tous les témoins du crash ou des opérations de nettoyage avaient soit changé leur version des faits, soit cessé de parler, ou encore s'étaient vus transférés sur une autre base. Certains autres n'avaient plus jamais donné signe de vie.

« Monsieur le président, le secrétaire à la Marine est là.

— Très bien, faites-le entrer. »

Forrestal, homme soigné dont les grandes oreilles constituaient le seul trait détonnant, s'assit devant Truman, raide comme la justice, semblable au banquier en costume rayé qu'il avait été par le passé.

« Jim, j'aimerais qu'on fasse le point sur le dossier Vectis », commença-t-il en coupant court aux politesses.

C'était parfait pour le secrétaire à la Marine, avare de paroles. « Je dirais que les choses suivent le cours prévu, monsieur le président.

— Et la situation à Roswell ? Qu'en est-il ?

— Nous continuons d'attiser le feu juste ce qu'il faut, selon mon opinion.

— C'est bien mon impression quand je lis la presse, fit Truman en hochant la tête avec vigueur. Dites-moi, comment les gars de l'armée prennent-ils le fait d'avoir à obéir aux ordres du secrétaire à la Marine ? dit-il ensuite avec un petit rire.

— Pas pour le mieux, monsieur le président.

— Non, j'imagine bien ! J'ai trouvé l'homme de la situation : vous. Désormais, c'est une opération de la marine, il faudra qu'ils s'y fassent. À présent, parlez-moi de cette base dans le Nevada. Où en sont les choses, sur place ?

— Groom Lake. J'ai visité les lieux la semaine dernière. Ce n'est guère hospitalier. Ce qu'on appelle lac est en fait à sec depuis des siècles, à mon avis. C'est loin de tout : cela touche notre site d'expérimentation de Yucca Flats. Nous n'aurons pas de problème avec les curieux, et si jamais quelqu'un cherchait à y accéder, la place est protégée sur le plan géographique, grâce aux collines et aux montagnes environnantes. Les ingénieurs de l'armée font d'excellents progrès. Ils sont tout à fait dans les temps. Une piste d'atterrissage de bonne qualité est déjà construite, ainsi que des hangars et des baraquements rudimentaires. »

Truman s'enfonça dans son fauteuil et croisa les mains derrière la nuque, soulagé d'entendre ces bonnes nouvelles.

« C'est parfait, continuez.

— On a achevé de creuser les fondations pour la base souterraine. On est en train de couler le béton, quant au système de ventilation et à l'installation électrique, ils seront bientôt opérationnels. Je suis certain que la base sera prête en temps voulu, comme prévu. »

Le président semblait satisfait. Forrestal faisait du bon travail.

« Qu'est-ce que cela vous fait de gérer le chantier le plus secret au monde ? »

Son interlocuteur réfléchit avant de répondre :

« Autrefois, j'ai fait construire une maison dans le comté de Westchester. Le projet actuel me donne moins de souci. »

Truman fit la grimace :

« Parce que cette fois vous n'avez pas en permanence votre femme sur le dos, c'est bien ça ?

— Vous avez parfaitement raison, monsieur »,
répondit Forrestal sans ciller.

Le président se pencha alors pour lui murmurer :

« Et le petit cadeau des Anglais ? Toujours bien au
sec dans le Maryland ?

— Il serait plus facile de pénétrer à Fort Knox.

— Comment allez-vous transférer tout ça dans le
Nevada ? Il va falloir traverser presque tout le pays.

— L'amiral Hillenkoetter et moi-même sommes en
train d'en discuter. Je suis en faveur d'un convoi de
camions. Il préfère les avions-cargos. Chaque approche
a ses avantages et ses inconvénients.

— Eh bien, débrouillez-vous, c'est à vous de régler
ça entre vous, mon vieux ! s'exclama Truman d'une
voix flûtée. Je ne m'en mêlerai pas. Et comment
allons-nous nommer cette base ?

— Sa désignation officielle d'après la cartographie
militaire est NTS 51, monsieur le président. Le corps
des ingénieurs a pris l'habitude de l'appeler zone 51. »

Le 28 mars 1949, James Forrestal démissionna de
son poste de secrétaire à la Marine. Truman n'avait
rien remarqué d'anormal dans sa façon d'être jusqu'à
environ une semaine plus tôt, quand soudain il perdit
tout contrôle de lui-même. Son comportement devint
fantasque ; il cessa de dormir et de s'alimenter, devint
négligent ; bientôt il fut évident qu'il n'était plus apte à
assurer ses fonctions. La rumeur se répandit que ses
nerfs avaient lâché sous la pression ; elle se confirma
quand il fut admis à l'hôpital naval de Bethesda. Forrestal n'en ressortit jamais. Le 22 mai, son cadavre fut
retrouvé, poupée de chiffon ensanglantée, étendue sur
le toit du troisième étage, après qu'il se fut jeté du

seizième où il était interné. Il avait réussi à ouvrir la fenêtre d'une cuisine située en face de sa chambre.

Dans les poches de son pyjama, on retrouva deux morceaux de papier. Sur l'un étaient écrits d'une main tremblante quelques vers d'une tragédie de Sophocle, *Ajax* :

Devant la sombre imminence de la tombe béante,
la mère vieillissante au cœur désolé,
  aux tempes grisonnantes,
apprenant de son fils le funeste égarement,
n'exhalera point de douce plainte,
ni chant semblable à celui du rossignol,
mais laissera éclater sa fureur.

Sur l'autre, une seule ligne : « Aujourd'hui, 22 mai 1949, est le jour où je dois mourir, moi, James Vincent Forrestal. »

11 juin 2009

NEW YORK

Il avait beau vivre à New York, Will ne se sentait pas new-yorkais. Il était posé là comme un Post-it qu'on pouvait d'un geste enlever pour le coller ailleurs. Cet endroit ne lui revenait pas, ne lui parlait pas. Le rythme n'était pas le sien, il n'avait pas le bon ADN. Il se fichait complètement des trucs nouveaux, à la mode – restaurants, galeries, expositions, spectacles, clubs. C'était un provincial qui ne voulait pas se fondre dans le moule. Si la ville avait été un tapis, il en aurait été la frange élimée. Il mangeait, buvait, dormait, travaillait et parfois baisait à New York, mais sorti de là, cette ville ne l'intéressait pas. Il avait bien son bar préféré sur la 2e Avenue, connaissait un bon grec dans la 23e Rue, un chinois à emporter correct sur la 24e, et une épicerie qui lui vendait tout l'alcool qu'il voulait sur la 3e Avenue. C'était son territoire, un carré d'asphalte avec son propre environnement sonore : les sirènes constantes des ambulances luttant contre la circulation pour transporter les épaves de la ville jusqu'à l'hôpital Bellevue. Il verrait bien où il irait, dans quatorze mois. En tout cas il savait déjà qu'il ne resterait pas à New York.

Ce n'était donc guère surprenant qu'il ignore que Hamilton Heights était le nouveau quartier tendance.

« Sans blague ? À Harlem ? dit-il sans grand intérêt.

— Oui, oui ! À Harlem. Beaucoup de cadres et de professions libérales s'y installent. Il y a même des Starbucks ! »

Ils progressaient lentement au milieu de la circulation désordonnée de l'heure de pointe, tandis que Nancy continuait de discourir.

« L'université de New York se trouve là-bas, ajouta-t-elle pleine d'enthousiasme. Il y a beaucoup d'étudiants et de professeurs, de bons restaus, des trucs comme ça, et c'est beaucoup moins cher qu'à Manhattan.

— Vous y êtes déjà allée ?

— Eh bien, non, fit-elle, stoppée net sur sa lancée.

— Alors, comment savez-vous tout cela ?

— J'ai lu des articles, dans le *Times,* le magazine *New York.* »

À l'inverse de Will, Nancy adorait New York. Elle avait grandi dans la banlieue de White Plains. Ses grands-parents habitaient toujours le Queens, c'étaient des immigrants polonais avec l'accent rocailleux et les coutumes de leur pays d'origine. White Plains, c'était chez elle ; New York, son terrain de jeux. C'est là qu'elle avait tout appris de la musique et des arts ; qu'elle avait bu son premier verre ; perdu sa virginité dans son dortoir de la faculté de droit criminel de John Jay ; là qu'elle s'était inscrite au barreau après être sortie major de sa promotion à l'école de droit de Fordham avant d'obtenir son premier poste au FBI, fraîche émoulue de Quantico. Il lui manquait le temps ou l'argent nécessaires pour profiter pleinement de la ville, mais elle mettait un point d'honneur à savoir tout ce qui s'y passait.

Ils traversèrent la rivière Harlem aux eaux boueuses et arrivèrent à l'angle de Nicholas Avenue et de la 140e Rue Ouest. L'immeuble de onze étages était facile à identifier grâce aux six voitures de patrouille envoyées par le commissariat du trente-deuxième arrondissement de Manhattan Nord. L'avenue était large, propre, bordée à l'ouest par une allée de verdure, zone tampon la séparant du campus de l'université de New York. L'endroit était étonnamment prospère. Nancy eut un petit sourire entendu, qui signifiait : « Je vous l'avais bien dit ! »

Au dernier étage, les larges baies vitrées de l'appartement de Lucius Robertson s'ouvraient sur le parc Saint Nicholas et la masse compacte du campus, puis venait l'Hudson River, bordé par les espaces boisés de New Jersey Palisades. Dans le lointain, une péniche rouge brique de la taille d'un terrain de football glissait vers le sud, tirée par un remorqueur. Le soleil se reflétait sur un ancien télescope en cuivre juché sur un trépied et, tel un petit garçon, Will éprouva soudain l'envie d'aller y coller son œil.

Il préféra sortir son insigne :

« Voilà la cavalerie ! », s'exclama un lieutenant de police.

C'était un costaud, un Afro-Américain qui n'avait qu'une hâte : ficher le camp d'ici. Ses collègues, comme les flics en uniforme, poussèrent eux aussi un soupir de soulagement. Leur service s'éternisait, et ils aspiraient tous à faire meilleur usage de cette soirée. L'option bière fraîche barbecue arrivait largement en tête devant le *papy-sitting* dans leurs projets immédiats.

« Où est notre homme ? lui demanda Will.

— Dans sa chambre, il se repose. On a tout vérifié dans l'appartement. On a même ramené un chien. Y a rien.

— Vous avez la carte ? »

Elle était emballée avec soin et étiquetée : « Lucius Jefferson Robertson, 384, 140ᵉ Rue Ouest, New York, NY 10030. » De l'autre côté, un petit cercueil, et la date : 11 juin 2009.

Will la donna à Nancy et passa les lieux en revue. Le mobilier était moderne, coûteux, il y avait deux jolis tapis d'Orient, et sur les murs couleur coquille d'œuf étaient accrochées les œuvres de peintres du xxᵉ siècle. Un pan tout entier était recouvert de vinyles et de CD encadrés. Près de la cuisine, un Steinway fermé, des partitions empilées. Sur un autre mur on avait installé une chaîne stéréo flanquée de centaines de disques.

« Il est musicien, ce type ? s'enquit Will.

— Ouais, il fait du jazz. J'ai jamais entendu parler de lui, mais d'après Monroe, il est célèbre.

— Il est vachement connu », renchérit alors un flic.

Après un bref échange, tout le monde s'accorda à dire que la situation était désormais entre les mains du FBI. Les flics du commissariat surveilleraient les deux côtés de l'immeuble toute la nuit, mais les fédéraux s'occuperaient eux-mêmes de M. Robertson et demeureraient auprès de lui aussi longtemps qu'ils le jugeraient utile. Il n'y avait plus qu'à le leur présenter. À travers la porte de la chambre, le lieutenant appela :

« Monsieur Robertson, vous pouvez venir ? Le FBI est là pour vous voir.

— J'arrive tout de suite. »

Le musicien avait l'air d'un voyageur fatigué, mince et courbé. Il sortit de sa chambre en traînant les pieds. Il portait des pantoufles, un pantalon large, une fine chemise de lin et un léger cardigan jaune. Il avait 66 ans, mais en paraissait plus. Les rides sur son visage étaient si profondes qu'on aurait pu y insérer une pièce. Sa peau était d'un noir d'ébène, à l'exception de la paume de ses mains, couleur café au lait, aux longs doigts effilés. Ses cheveux et sa barbe coupés court étaient plus sel que poivre.

Il avisa les nouveaux venus :

« Comment allez-vous ? fit-il à Will et Nancy. Je suis navré de vous causer autant d'embarras. »

Les deux agents spéciaux se présentèrent de manière officielle.

« Je vous en prie, ne m'appelez pas monsieur Robertson. Mes amis me nomment Clive. »

Très vite, la police s'en alla. Le soleil baissait au-dessus de l'Hudson, puis il plongea, s'étalant telle une grosse orange sanguine. Will tira les rideaux du salon et ferma les volets de la chambre. Ils n'avaient pas encore eu affaire à un tireur embusqué, mais le tueur de l'Apocalypse avait une fâcheuse tendance à brouiller les cartes. Avec Nancy, ils repassèrent tout l'appartement au peigne fin. Ensuite, elle resta avec Clive tandis que Will allait inspecter le couloir et la cage d'escalier.

L'entretien formel fut bref : il n'y avait pas grand-chose à dire. Le pianiste était revenu à New York en milieu d'après-midi après une tournée dans trois villes avec son quintet habituel. Personne ne possédait la clef de son appartement et, d'après lui, nul n'avait touché à rien en son absence. Après un vol sans incident depuis

Chicago, il avait pris un taxi pour rentrer chez lui, et il avait découvert la carte postale parmi le courrier de la semaine. Il avait tout de suite compris de quoi il s'agissait et appelé la police. C'était tout.

Nancy lui soumit la liste des victimes précédentes, mais chaque fois Clive secouait la tête : il n'en connaissait aucune.

« Pourquoi cet homme me voudrait-il du mal ? se lamentait-il de sa voix rauque à l'accent traînant. Je suis un simple pianiste. »

Nancy referma son calepin et Will haussa les épaules. Ils en avaient terminé. Il était presque 20 heures. Encore quatre heures avant la fin du jour de l'Apocalypse.

« Mon réfrigérateur est vide car j'étais absent. Autrement, je vous aurais offert quelque chose à manger.

— On va commander à dîner, répondit Will. Qu'est-ce qu'il y a de bien, par ici ? C'est le gouvernement qui régale », s'empressa-t-il d'ajouter.

Le pianiste suggéra les travers de porc de chez Charley's, dans Frederick Douglass Boulevard. Il décrocha le téléphone et avec un soin méticuleux passa une commande compliquée, comportant cinq accompagnements différents.

« Donnez-leur mon nom », murmura Will en l'écrivant en majuscules sur un papier.

Tout en attendant, ils mirent au point un plan. Ils ne quitteraient pas Clive des yeux jusqu'à minuit. Ce dernier ne répondrait pas au téléphone. Lorsqu'il dormirait, ils monteraient la garde dans le salon. Au matin, ils réexamineraient la situation, et mettraient au point une nouvelle stratégie de protection.

Ensuite, ils restèrent assis en silence, le musicien se trémoussant dans son fauteuil préféré, sourcils froncés, se grattant la barbe. Il n'était pas à l'aise avec ses visiteurs, surtout face à des agents du FBI très sérieux, qui débarquaient dans son salon comme s'ils venaient d'une autre planète.

Nancy tordait le cou dans tous les sens pour mieux voir les peintures, quand soudain ses yeux s'écarquillèrent, et elle s'exclama :

« Mais c'est un De Kooning ! »

Elle désignait une grande toile couverte d'explosions abstraites et de taches de couleurs primaires.

« Félicitations, mademoiselle, c'est tout à fait ça. Je vois que vous vous y connaissez.

— C'est incroyable, souffla-t-elle. Il doit valoir une fortune. »

Will plissa les yeux. Pour lui, c'était le genre de truc que les gosses ramènent à la maison pour le coller sur le frigo.

« En effet, il vaut très cher. Willem me l'a offert il y a bien des années. J'ai donné son nom à un morceau, en échange, mais je pense que c'est moi qui ai fait la meilleure affaire. »

Et tous deux se mirent à discuter d'art contemporain, sujet que Nancy semblait maîtriser. Will desserra sa cravate, regarda sa montre, et écouta son estomac qui gargouillait. La journée avait été longue. Sans ce petit trou dans le cœur de Mueller, il serait à présent sur son canapé, devant la télé, à s'enfiler un bon scotch. Il le détestait de plus en plus.

On frappa à la porte d'entrée. Il sortit son arme :

« Emmenez-le dans la chambre. »

Nancy passa un bras autour de la taille de Clive, et l'attira en hâte dans l'autre pièce tandis que Will allait regarder par le judas.

Il vit un policier, tenant un énorme sac en papier :

« J'ai vos travers. Si vous en voulez pas, les gars et moi, on est preneurs ! »

Le porc était bon – non, délicieux. Ils s'assirent tous les trois, bien en rond autour de la petite table, et mangèrent avec gourmandise, piochant au passage dans la purée de pommes de terre, les macaronis au gratin, le maïs, la salade de riz, haricots et chou, mastiquant en silence, car c'était si bon qu'ils n'avaient plus envie de parler. Le pianiste termina le premier, suivi de Will, tous deux repus.

Nancy, elle, continua de s'empiffrer pendant encore cinq bonnes minutes. Les deux hommes la regardaient avec une espèce d'admiration jalouse, attendant avec politesse en déchirant l'emballage de leurs rince-doigts pour nettoyer consciencieusement la sauce barbecue sur leurs mains.

Au lycée, la jeune femme était svelte et athlétique. Elle faisait partie d'une équipe de softball, et elle était ailier au foot. Au cours de sa première année à l'université, elle avait pris du poids, syndrome typique chez les étudiants. Elle avait ensuite continué de grossir et, en arrivant à l'école de droit, elle était dodue. À mi-parcours de sa seconde année à Fordham, elle avait décidé d'entrer au FBI ; sa conseillère d'orientation lui avait objecté qu'il lui faudrait d'abord retrouver la ligne. Alors, obsédée par son ambition, elle s'était lancée dans un régime draconien, s'était mise au jogging, et avait fini par retomber à cinquante-quatre kilos.

Être nommée à New York pour son premier poste était à la fois une aubaine et une déveine. Une aubaine, car c'était New York. Une déveine, car c'était New

York. Elle touchait un salaire de base de trente-huit mille dollars par an, plus une prime de neuf mille cinq cents dollars : comment vivre dans cette ville avec moins de cinquante mille dollars ? La réponse résidait à White Plains : elle retrouva sa chambre d'enfant, et la bonne cuisine de sa maman, agrémentée de paniers-déjeuner préparés avec amour. Elle travaillait à longueur de temps et n'avait jamais une minute pour faire un tour à la salle de gym. En trois ans, son poids n'avait cessé d'augmenter, et son squelette léger de se capitonner.

Les deux hommes l'observaient comme une championne briguant le titre de plus grande dévoreuse de hot dogs. Mortifiée, elle rougit, et posa ses couverts.

Ils débarrassèrent la table et firent la vaisselle comme une vraie petite famille. Il était près de 22 heures.

Will écarta les rideaux de quelques centimètres du bout du doigt. La nuit était d'un noir d'encre. Sur la pointe des pieds, il regarda en bas et vit les deux policiers, bien à leur poste sur le trottoir. Il remit en place les pans de tissu et alla vérifier que le verrou de la porte d'entrée était bien tiré. Quelle était la détermination de ce tueur ? Avec un cordon de police, que pouvait-il faire ? Se retirerait-il, acceptant sa défaite ? Après tout, il avait déjà assassiné une vieille dame au cours des vingt-quatre heures précédentes. En général, les tueurs en série ne débordaient pas d'énergie, mais ce type-là mettait les bouchées doubles. Allait-il entrer en fracassant le mur de l'appartement mitoyen ? Descendre en rappel du toit pour exploser une vitre ? Faire sauter tout l'immeuble pour avoir sa fichue victime ? Will n'avait pour l'instant aucune idée concernant ce criminel hors normes. Et l'incapacité à prévoir ses actes rendait l'agent spécial nerveux.

Clive était à nouveau niché dans son fauteuil préféré, où il essayait de se convaincre que le temps était son allié. Il commençait à bien s'entendre avec Nancy, ensorcelée par la cadence lente et précise de sa voix. Ils parlaient à présent de musique. Will avait l'impression que dans ce domaine-là aussi, elle s'y connaissait.

« C'est pas vrai ! Vous avez joué avec Miles ?

— Oh, oui, j'ai joué avec tous les grands. Herbie, Dizzy, Sonny, Ornette. J'ai eu beaucoup de chance.

— Lequel était votre préféré ?

— Eh bien, jeune femme, je dirais que c'est Miles. Pas forcément pour ses qualités humaines, si vous voyez ce que je veux dire, mais en tant que musicien, oh, là, là ! Ce n'était pas une trompette qu'il avait entre les mains, c'était une corne qu'il tenait directement du Seigneur. Non ! Non ! Il ne jouait pas comme un mortel. Ce n'était pas de la musique qu'il faisait, mais de la magie. Quand je jouais avec lui, j'avais le sentiment que les cieux allaient s'ouvrir, et que des anges se déverseraient sur nous. Voulez-vous que nous écoutions un de ses disques, pour que je vous explique mieux ?

— Je préférerais entendre votre musique à vous !

— Vous essayez de me faire du charme, mademoiselle du FBI ! Et vous vous y prenez très bien. Vous savez que votre collègue est une charmeuse ? fit-il à Will.

— C'est notre premier jour ensemble.

— Eh bien, elle a de la personnalité, et ça peut mener loin, ça. »

Il se leva, alla s'asseoir au piano puis fit quelques mouvements pour dégourdir ses articulations.

« Il faut que je joue doucement à cette heure, à cause des voisins. »

La musique s'éleva, lente, suave, avec une certaine tendresse, bercée de mélodies qui disparaissaient dans la brume pour mieux revenir ensuite. Il joua longtemps, les yeux clos, fredonnant par moments en guise d'accompagnement. Nancy était captivée, mais Will restait sur ses gardes, regardant sa montre, écoutant la nuit pour y déceler un cliquetis, un craquement, un coup sourd.

Quand Clive s'arrêta et la dernière note se fut dissipée, la jeune femme murmura :

« Mon Dieu, c'était merveilleux. Merci de tout cœur.

— Non, merci à vous de m'écouter et de veiller sur moi cette nuit, répéta-t-il en se renfonçant dans son fauteuil. Merci à tous les deux. Grâce à vous, j'ai vraiment le sentiment d'être en sécurité, et c'est très appréciable. Dites-moi, mon vieux, est-ce que j'ai droit à un petit verre ?

— Je vais vous le chercher. Qu'est-ce que vous voulez ?

— Dans le placard de la cuisine, à droite de l'évier, j'ai une bonne bouteille de bourbon. Surtout, pas de glace. »

Will trouva la bouteille à demi pleine. Il la déboucha puis la renifla. Avait-on pu l'empoisonner ? Était-ce ainsi que les choses devaient se passer ? Puis il eut une pensée inspirée : je dois protéger cet homme, et en même temps, un petit verre ne me ferait pas de mal à moi non plus. Il se versa deux doigts de bourbon qu'il but d'une seule traite. Ça avait bien le goût du bourbon. Il sentit une chaleur agréable se propager à l'intérieur de son estomac. J'attends une minute pour voir si je meurs, et si ce n'est pas le cas, il a gagné son verre, se dit-il, impressionné par sa propre logique.

« Vous trouvez, mon vieux ?

— Ouais, j'arrive. »

Comme il avait survécu, il apporta un verre au musicien, qui huma son haleine :

« Vous avez bien fait de vous servir. »

Nancy lui décocha un regard noir.

« Simple contrôle, comme les goûteurs de l'Antiquité », fit Will à sa partenaire horrifiée.

Clive se mit à siroter son bourbon tout en parlant :

« Vous savez, mademoiselle FBI, je vais vous envoyer quelques disques de mon groupe, les Clive Robertson Five. Nous ne sommes qu'une bande de vieux de la vieille, mais on a encore du jus, si vous voyez ce que je veux dire. Sûr qu'on donne tout ce qu'on peut, et mon batteur, Harry Smiley, il fait même des étincelles. »

Une heure plus tard, il leur parlait encore de la vie de bohème, de la façon de caresser le clavier, et du monde du jazz. Son verre était vide. Sa voix se fit murmure, ses yeux papillonnèrent, se fermèrent, et il se mit à ronfler doucement.

« Qu'est-ce qu'on fait ? demanda Nancy à voix basse.

— Il nous reste encore une heure avant minuit. Laissons-le ici et attendons. »

Il se leva.

« Où allez-vous ?

— Je vais pisser. J'ai votre autorisation ? »

Elle acquiesça d'un air contrarié.

« Quoi ? fit-il entre ses dents. Vous croyez que j'allais m'en servir un autre ? Nom de Dieu, il fallait bien s'assurer qu'il n'était pas empoisonné !

— Quel sens du sacrifice ! C'est admirable. »

En revenant des toilettes, il était toujours en rogne, mais il essaya de calmer le jeu.

« Vous savez, va falloir arrêter de vous la jouer comme ça si vous voulez qu'on bosse ensemble. Quel âge avez-vous ?

— 30 ans.

— Ben, ma chérie, j'ai commencé dans ce boulot alors que vous étiez encore au collège !

— Je ne suis pas votre chérie ! fit-elle furieuse.

— Vous avez raison, ce terme est inadéquat. D'ailleurs, même si on passait ensemble un million d'années, vous ne seriez jamais ma chérie. »

Elle lui répondit du tac au tac avec une fureur contrôlée :

« Bonne nouvelle ! Parce que la dernière fois que vous êtes sorti avec quelqu'un du bureau, vous avez failli vous faire virer. Y a du boulot, Will. Rappelez-moi de ne jamais vous demander de conseils sur mon plan de carrière. »

Clive grogna et bougea un peu. Ils se turent et se regardèrent en chiens de faïence.

Will n'était guère surpris qu'elle connaisse son passé ; ce n'était pas ce qu'on appelle un secret d'État. En revanche, il était impressionné par sa rapidité à le lui jeter à la figure. D'habitude il mettait un peu plus longtemps à faire sortir une femme de ses gonds. Il fallait bien le reconnaître : elle en avait, cette fille.

Il avait été transféré à New York six ans plus tôt, quand Hal Sheridan l'avait propulsé hors du nid après avoir convaincu les dirigeants à Washington que Will était capable de diriger un service. Le bureau de New York l'avait jugé suffisamment qualifié pour l'accepter au poste de directeur des Vols & Crimes avec violence.

On l'avait renvoyé à Quantico pour suivre une formation en management, où on lui avait bourré le crâne de
toutes les techniques modernes dont avait besoin un
cadre du FBI. Bien sûr, il savait qu'il n'était pas censé
coucher avec les membres de son administration, ni de
tout autre service, mais dans aucun manuel utilisé à
Quantico n'apparaissait la photo de Rita Mather.

Rita était d'une telle lascivité, elle dégageait un tel
parfum, elle était si aguichante et si spectaculaire au lit,
qu'en vérité il n'avait pas eu le choix. Ils avaient dissimulé leur liaison pendant des mois, jusqu'à ce que son
patron à elle, à la section des crimes financiers, lui
refuse l'augmentation qu'elle espérait, et qu'elle
demande à Will d'intervenir. Il s'était dégonflé, alors,
elle avait explosé et l'avait dénoncé. Un gigantesque
chaos s'en était suivi : interrogatoires disciplinaires,
recours à des avocats, et la machine s'était emballée. Il
avait failli se faire virer, mais Hal Sheridan était intervenu et il avait négocié discrètement pour qu'on le
garde jusqu'à la fin de ses vingt années de service. Le
vendredi, Sue Sanchez était sous ses ordres ; le lundi
suivant, c'était le contraire.

Bien sûr, il avait songé à démissionner, mais, oh,
cette retraite… si proche et tant désirée ! Il avait donc
accepté son destin, suivi une formation sur le harcèle-
ment sexuel, continué de faire correctement son boulot,
et pris l'habitude de boire un peu plus.

Avant que Will ait pu répondre à Nancy, Clive se
mit à remuer et ses yeux s'ouvrirent. Il demeura perdu
quelques secondes, puis se rappela où il était. Il entrouvrit ses lèvres sèches et jeta un coup d'œil nerveux à sa
vieille montre Cartier.

« Bon, je ne suis pas encore mort. Ça ne vous gêne pas si je vais aux toilettes sans aide fédérale, mon vieux ?

— Pas de problème. »

Il s'aperçut que Nancy était irritée.

« Ça va, mademoiselle FBI ? Vous avez l'air en colère. Ce n'est pas à cause de moi, j'espère ?

— Bien sûr que non.

— Ce doit être votre coéquipier, alors. »

Il se releva, dépliant avec difficulté ses genoux rongés par l'arthrose. Il avança de deux pas, et s'arrêta net. Sur son visage, un mélange d'étonnement et de peur.

« Oh, mon Dieu ! »

En un éclair, Will tourna la tête, passant la pièce en revue. Qu'arrivait-il ?

Il élimina aussitôt la possibilité d'un coup de feu : pas de verre brisé, pas de bruit d'impact, pas de jet de sang.

« Will ! »

Nancy hurla en voyant le pianiste basculer de l'avant, la tête la première.

L'atterrissage fut si brutal que son nez fut pulvérisé, maculant le tapis d'un motif rouge abstrait tel un tableau de Jackson Pollock.

Fût-il tombé sur une toile, Clive aurait pu l'ajouter à sa collection.

Sept mois plus tôt

BEVERLY HILLS, CALIFORNIE

Peter Benedict aperçut son reflet et s'émerveilla de la manière dont son image était multipliée, découpée et mélangée grâce aux propriétés optiques du verre. La façade du bâtiment consistait en une surface concave, s'élevant sur dix étages au-dessus de Wilshire Boulevard. Elle vous arrachait presque du trottoir pour vous emmener vers le disque à deux étages du hall d'entrée. Il y avait aussi une cour en ardoise, fraîche, dépouillée, ornée d'un bronze de Henry Moore, lobulaire, vaguement humain, situé sur le côté. L'immeuble était un véritable miroir, captant l'humeur et les couleurs des environs. Or, comme on était à Beverly Hills, l'humeur était plutôt gaie, et la couleur, celle d'un ciel azur. La façade étant recourbée, les panneaux se reflétaient les uns les autres, se mélangeaient comme une salade de fruits – nuages, voitures, sculpture, piétons, constructions, pêle-mêle, telles les pièces d'un puzzle.

C'était magnifique.

Son heure était venue. Il atteignait des sommets. Il avait un rendez-vous confirmé avec Bernie Schwartz, l'un des dieux de la firme Artist Talent Inc.

Peter s'était inquiété de sa garde-robe. Il n'avait jamais eu d'entretien de ce genre, et il était trop timide pour demander comment il fallait se présenter. Les agents portaient-ils le costume de nos jours ? Et les scénaristes ? Devait-il paraître plutôt conservateur, ou branché ? Cool ou collet monté ? La prudence lui fit choisir une tenue intermédiaire : pantalon gris, chemise blanche, blazer bleu, mocassins noirs. En se rapprochant du hall, il vit son image dans un panneau de verre, sans les jeux des reflets. Aussitôt, il détourna les yeux, mal à l'aise devant cet échalas osseux au crâne dégarni, qu'il cachait d'habitude sous une casquette de base-ball. Il connaissait la règle : plus l'auteur est jeune, mieux c'est. Il était donc consterné de s'apercevoir que sa calvitie lui donnait l'air beaucoup trop vieux. Tout le monde devait-il savoir qu'il approchait la cinquantaine ?

Les portes tournantes l'aspirèrent dans la fraîcheur de l'air conditionné. Le bureau de la réception était en beau bois ciré, assorti à la forme concave du bâtiment. Le sol aussi était tout en rondeur, constitué de minces lamelles de bambou incurvées et glissantes. La décoration intérieure était tout entière vouée à la lumière, l'espace et l'argent. Une rangée de réceptionnistes aux allures de starlettes, munies de casques invisibles, disaient toutes en même temps :

« ATI, bonjour, à qui souhaitez-vous parler ? »

Répétée de manière inlassable, cette phrase devenait une mélopée.

Il tordit le cou pour contempler l'atrium et, là-haut, dans les galeries, vit une armée de jeunes gens à l'allure impeccable, allant et venant en hâte. Oui, les agents portaient le costume. Armani de préférence.

Il s'approcha de la réception et toussa pour attirer l'attention. La plus belle femme qu'il eût jamais vue lui dit alors :

« Bonjour, je peux vous aider ?

— J'ai rendez-vous avec M. Schwartz. Je suis Peter Benedict.

— Lequel ? »

Confus, il resta muet, puis bégaya :

« Je... je ne vois pas ce que vous voulez dire. Je m'appelle Peter Benedict.

— Quel M. Schwartz ? Ils sont trois, expliqua-t-elle, glaciale.

— Oh, je vois. M. Bernard Schwartz.

— Veuillez vous asseoir. J'appelle son assistante. »

Si l'on ne savait pas que Bernie Schwartz était l'un des plus grands agents de Hollywood, on ne pouvait le deviner en entrant dans son bureau du septième étage. À moins d'être anthropologue, ou amateur d'art éclairé. L'endroit était en effet dépourvu des accessoires habituels : pas d'affiches de film, ni de photos bras dessus, bras dessous, avec des politiciens, aucune récompense, cassette, aucun DVD, écran plat ni magazine. Rien que de l'art africain. Toutes sortes de statuettes en bois, d'objets décoratifs, de boucliers en peau, de lances, de masques et de tableaux représentant des formes géométriques. Ce petit juif vieillissant et obèse éprouvait en effet une véritable passion pour le continent noir. À travers la porte ouverte, il cria à l'une de ses quatre assistantes :

« Rappelez-moi pourquoi je vois ce type ?

— Victor Kemp », lui répondit une voix féminine.

Il eut un geste significatif de la main gauche :

« Ah, ouais, je me souviens. Amenez-moi le dossier, et venez nous interrompre au bout de dix minutes, max. Ou peut-être cinq. »

Dès que Peter entra dans son bureau, il se sentit mal à l'aise face à Bernie. L'agent lui adressa un grand sourire et lui fit signe de s'approcher d'un geste amical, comme un officier de pont l'accueillant à bord d'un porte-avions.

« Entrez, entrez. »

Peter vint vers lui, feignant d'être heureux, mais agressé par les objets d'art africains.

« Que voulez-vous boire ? Un café ? On a de l'espresso, du cappuccino, tout ce que vous voulez. Je suis Bernie Schwartz. Heureux de vous rencontrer, Peter. »

Sa main maigre et légère fut happée par une courte poigne dodue qui la serra plusieurs fois.

« Peut-être un verre d'eau ?

— Roz, apportez de l'eau à M. Benedict, s'il vous plaît. Asseyez-vous là. Je viens auprès de vous sur le canapé. »

Quelques secondes plus tard, une Chinoise, d'une grande beauté elle aussi, apparut avec un verre et une bouteille d'Évian. Tout allait très vite ici.

« Vous êtes venu en avion, Peter ?

— Non, en fait, j'ai pris ma voiture.

— Malin, très malin. Laissez-moi vous dire que maintenant, je ne prends plus l'avion. Enfin, les vols commerciaux. Le 11-Septembre, pour moi, c'est comme si c'était hier. J'aurais pu me trouver à bord d'un de ces appareils. Ma femme a une sœur au cap Cod. Roz ! Vous m'apportez un thé ? Ainsi donc,

Peter, vous écrivez des scénarios. Et ça fait combien de temps ?

— Environ cinq ans, monsieur Schwartz.

— Appelez-moi Bernie ! Et combien vous en avez en réserve dans vos tiroirs ?

— Vous voulez dire, ceux qui sont terminés ?

— Oui, oui, les projets complets, fit l'agent avec impatience.

— Je vous ai envoyé mon premier. » Bernie ferma les yeux très forts, comme s'il signalait à son assistante par télépathie : cinq minutes ! pas dix !

« Et vous avez du talent ? »

Peter resta perplexe devant la question. Il avait envoyé son scénario deux semaines plus tôt. Bernie ne l'avait-il donc pas lu ?

Aux yeux de Peter, son texte était sacré, doté d'une aura quasi magique. Il avait mis toute son âme dans sa création, et en conservait un exemplaire sur son bureau, relié par trois clous de cuivre étincelants : sa première œuvre achevée. Chaque matin, quand il sortait, il en caressait la couverture, comme on touche une amulette, ou le ventre d'un bouddha. C'était son passeport pour une nouvelle vie, et il avait hâte de démarrer. De plus, le sujet était important pour lui, sorte d'hymne à la vie et au destin. Étudiant, il avait été bouleversé par la lecture du roman de Thornton Wilder, *Le Pont du roi Saint-Louis,* qui raconte l'histoire de cinq personnes, mourant ensemble lorsqu'un pont s'écroule. Bien sûr, lorsqu'il avait commencé de travailler dans le Nevada, il s'était mis à réfléchir sur les notions de fatalité et de prédestination. Il avait donc décidé d'écrire une histoire moderne sur un schéma classique, où les existences d'inconnus se croisaient au moment d'une attaque terroriste.

Bernie prit sa tasse de thé :

« Merci, ma chère. Vous me prévenez quand mon prochain rendez-vous sera là ? »

Dès que Roz ne fut plus dans le champ de vision de Peter, elle lança un clin d'œil appuyé à son patron.

« Eh bien, je pense qu'il est bon. Avez-vous eu l'occasion d'y jeter un coup d'œil ? »

Bernie n'avait pas lu un scénario depuis des décennies. D'autres gens le faisaient pour lui et lui donnaient des notes de lecture.

« Oui, oui, j'ai mes notes ici même. »

Il ouvrit le dossier portant le nom de Peter, et en sortit deux pages :

Histoire faible.

Dialogues exécrables.

Évolution des personnages inexistante.

Etc.

Conseil : refuser.

Bernie conserva son calme, sourit encore plus fort, puis demanda :

« Dites-moi, Peter, comment se fait-il que vous connaissiez Victor Kemp ? »

Un mois plus tôt, Peter Benedict était entré au Constellation, plein d'espoir. Il aimait ce casino plus que tous les autres. C'était le seul qui possédait un soupçon de contenu intellectuel grâce à son planétarium : des lasers en perpétuel mouvement reproduisaient le ciel nocturne tel qu'il se présentait au-dessus de Las Vegas, exactement comme on aurait pu le voir en passant la tête au-dehors – enfin, à condition d'éteindre les centaines de millions d'ampoules et les vingt-cinq mille kilomètres de néons qui noyaient la nuit de leur lumière criarde. Si l'on regardait avec attention, qu'on venait assez souvent et qu'on s'intéressait à l'astronomie, avec le temps, on pouvait identifier les quatre-vingt-huit constellations. La Grande Ourse, Orion, Andromède : un jeu d'enfant. Peter s'était intéressé à cette science dans sa jeunesse, et il avait réussi à repérer les constellations les plus difficiles : le Corbeau, le Dauphin, l'Éridan, et le Sextant. En réalité, il lui manquait seulement la Chevelure de Bérénice, faible groupe d'étoiles visible dans le ciel du Nord, coincée entre la Vierge et les Chiens de chasse. Un jour, il la trouverait.

Il aimait jouer au black-jack, à la table des gros paris, où les mises devaient être comprises entre cent et cinq mille dollars, dissimulant sa calvitie sous une casquette des Lakers. Il dépassait rarement le minimum autorisé, mais préférait ce genre de table car le spectacle y était plus intéressant. C'était un bon joueur, discipliné, qui en général repartait avec quelques centaines de dollars en plus, mais de temps à autre perdait ou gagnait mille dollars, suivant l'orientation des cartes. Son plus grand plaisir était indirect : c'était d'observer les gros joueurs qui doublaient, splittaient et jouaient sur trois tableaux, risquant quinze voire vingt mille dollars d'un coup. Il aurait adoré ce genre de montée d'adrénaline, mais il savait que ça n'était pas pour lui, pas avec ses revenus !

Le croupier, un Hongrois prénommé Sam, voyant que le hasard ne le favorisait pas ce soir-là, essaya de lui remonter le moral :

« Ne vous inquiétez pas, Peter, la chance tourne. Vous verrez. »

Il n'y croyait guère. Il ne restait dans le sabot que quinze cartes, ce qui avantageait largement la banque. Pourtant, alors que tout compteur sensé aurait abandonné la partie pour revenir plus tard, ces informations n'influençaient pas sa manière de jouer.

Peter était un compteur étrange. En fait, il comptait naturellement. Son cerveau allait si vite, cela lui coûtait si peu d'effort, qu'une fois la technique acquise, il ne put plus s'empêcher de poursuivre ! Voilà comment les choses se passent : les cartes fortes (du dix à l'as) ont une valeur de moins un ; les faibles (de deux à six), de plus un. Un bon compteur doit savoir faire deux choses : garder en mémoire le compte total des six cartes distribuées, et estimer le nombre de cartes restant dans le sabot. Quand ce chiffre est faible, il faut parier le minimum, ou quitter la table. Quand il est élevé, il faut jouer de manière agressive. Si l'on sait ce qu'on fait, on peut influer sur la moyenne et gagner. Enfin, tant qu'on n'est pas repéré par un croupier, par son superviseur, ou par une caméra, puis jeté dehors, devenant *persona non grata* dans le casino.

Il arrivait à Peter de prendre une décision basée sur le comptage des cartes, mais comme son jeu ne variait jamais, il ne tirait guère profit de ses informations clandestines. Il aimait le Constellation, il venait y passer trois ou quatre heures d'affilée, et avait peur d'être exclu de son havre préféré. Il faisait partie des meubles.

Ce soir-là, il n'y avait que deux joueurs à sa table : un anesthésiste aux yeux larmoyants, venu de Denver pour assister à une convention médicale, et un cadre très élégant aux cheveux argentés qui était le seul à jouer sérieusement. Peter avait déjà perdu six cents dollars, essayant de trouver son rythme tout en sirotant une bière offerte par la maison.

Alors qu'il restait seulement quelques tours avant que le sabot soit renouvelé, un jeune mec d'environ 22 ans grand et élancé, en T-shirt et pantalon de toile, vint prendre place sur une chaise vacante, posant mille dollars sur la table. Les cheveux jusqu'aux épaules, il avait le charme décontracté des Californiens.

« Eh, salut tout le monde. Ça va ? La table est bonne ?

— Pas pour moi, fit le cadre. J'espère que vous allez changer ça.

— Je serai heureux de vous aider, si je peux. Servez-moi, Sam », fit-il en avisant le badge du croupier.

Pariant le minimum, le jeune homme transforma cette table silencieuse en lieu animé. Il raconta à ses partenaires qu'il était étudiant à l'université de Las Vegas, en administration publique, et se mit à interroger les autres sur leurs occupations et leur lieu de résidence, en commençant par le médecin. Après avoir disserté sur un problème qu'il avait à l'épaule, il se tourna vers Peter.

« Je suis d'ici. Je bosse dans l'informatique.

— Ça, c'est cool, mec. Ouais, vraiment cool. »

Le cadre annonça à la cantonade :

« Moi, je suis dans les assurances.

— Vous vendez des assurances ?

— Eh bien, oui et non. Je dirige la compagnie.

— Waouh ! La vieille classe ! », s'exclama le jeune homme.

Sam garnit le sabot d'un nouveau jeu, et d'instinct, Peter se remit à compter. Au bout de cinq minutes, ils avaient bien entamé le nouveau sabot et le compte était élevé. Peter était un peu mieux loti, gagnant plus qu'il ne perdait.

« Vous voyez, je vous l'avais dit », déclara Sam gaiement après qu'il eut remporté trois jeux d'affilée.

Le docteur avait perdu deux mille dollars, quant au type des assurances, il atteignait au moins trente mille et commençait à se montrer nerveux. L'étudiant jouait de manière désordonnée, sans vraiment faire attention, mais il n'avait perdu que deux cents dollars. Il commanda un rhum-Coca et se mit à tripoter le touilleur jusqu'à ce qu'il tombe par terre.

« Merde », murmura-t-il.

Une blonde approchant la trentaine, en jean ajusté et bustier vert-jaune, s'approcha et s'assit sur une chaise vide. Elle déposa son coûteux sac Vuitton à ses pieds, par sécurité, et en sortit dix mille dollars en quatre liasses bien nettes.

« Bonjour », fit-elle d'un air timide.

Elle n'était pas vraiment belle, mais elle avait un corps extraordinaire, et une voix douce et sexy. La conversation s'arrêta net.

« J'espère que je ne vous dérange pas, fit-elle en empilant ses jetons.

— Bien sûr que non ! déclara le jeune homme. Il faut une rose parmi les épines que nous sommes.

— Je m'appelle Melinda. »

Ils échangèrent les politesses minimales coutumières à Las Vegas. Elle venait de Virginie. Elle désigna son alliance. Son jules était à la piscine.

Peter l'observa pendant plusieurs jeux. Elle était rapide, audacieuse, faisait des paris à cinq cents dollars, avec un jeu frisant les limites, qui rapportait bien.

Le jeune homme, lui, perdit trois fois de suite et déclara, en se renfonçant dans sa chaise :

« Je suis maudit ! »

Maudit.

Peter s'aperçut alors que le compte dépassait treize, et qu'il restait une quarantaine de cartes dans le sabot.

Maudit.

La blonde mit en avant un paquet de jetons d'une valeur de trois mille cinq cents dollars. En voyant cela, le type des assurances suivit, mettant le maximum.

« Vous me donnez du courage », dit-il.

Peter, lui, resta sur cent dollars, comme l'anesthésiste et l'étudiant.

Sam distribua très vite les cartes, donnant à Peter dix-neuf points, à l'assureur quatorze, au médecin dix-sept, au jeune homme douze et à la femme deux valets : vingt points. Le croupier avait lui-même six points. Elle maîtrise la situation, songea Peter. Le compte est élevé, le croupier va sûrement tirer une carte et sauter, elle est bien partie avec ses vingt points.

« Je vais splitter, Sam », annonça-t-elle.

Le croupier cligna, puis acquiesça, tandis qu'elle misait de nouveau trois mille cinq cents dollars.

Merde alors ! Peter était stupéfait. Qui splitterait avec deux valets ?

À moins que…

Peter et l'anesthésiste déclarèrent qu'ils restaient ; l'étudiant tira un six et fit de même. L'assureur sauta à cause d'un dix et, de dégoût, s'exclama :

« Putain ! »

La blonde retint son souffle, serrant les poings jusqu'à ce que Sam lui donne une reine sur une main, et un sept sur l'autre. Elle applaudit tout en expirant enfin.

Le croupier retourna sa carte, un roi, et tira un neuf. Sauté.

Il paya à la femme ses sept mille dollars en jetons, tandis qu'elle poussait de petits cris de plaisir.

Peter leur murmura ses excuses et partit aux toilettes, la tête en feu. Son esprit bouillait. Enfin, à quoi tu penses ? se dit-il à lui-même. Ce n'est pas tes affaires ! Laisse tomber ! .

Mais c'était plus fort que lui. Il se sentait moralement outragé : si lui ne profitait pas de la situation, pourquoi le feraient-ils, eux ?

Il pivota sur ses talons et retourna vers les tables de black-jack. Il fit un petit geste à l'employé qui supervisait cette partie du casino. Celui-ci acquiesça en lui souriant. Peter s'approcha et lui dit :

« Bonjour, ça va ?

— Très bien, monsieur. Que puis-je faire pour vous ?

— Vous voyez le jeune homme et la fille, à la table, là-bas ?

— Oui, monsieur.

— Ils comptent. »

Le superviseur ouvrit la bouche, ébahi. Il en avait vu de belles dans sa vie, mais un joueur qui en dénonçait un autre, c'était la première fois. Quel intérêt y avait-il ?

« Vous êtes sûr de ce que vous avancez ?

— Tout à fait. Le jeune compte, et renseigne sa partenaire.

— Je vous remercie de cette information, monsieur, nous allons nous en occuper. »

Le surveillant appela le directeur d'étage, qui à son tour demanda à la sécurité de repasser la bande où étaient enregistrées les dernières mains de la table en question. Avec le recul, les mises de la blonde semblaient en effet suspectes.

Peter était de retour à sa table quand plusieurs gardiens en uniforme arrivèrent et posèrent la main sur l'épaule de l'étudiant.

« Mais putain, qu'est-ce qui se passe ? », s'écria-t-il.

Aux autres tables, les joueurs s'arrêtèrent pour lever les yeux.

« Vous vous connaissez ? lui demanda le superviseur.

— Je l'ai jamais vue ! Je vous jure ! »

La femme ne dit mot, elle ramassa son sac à main, empocha ses jetons, et laissa à Sam un pourboire de cinq cents dollars.

« À bientôt », dit-elle tandis qu'on l'emmenait.

Le superviseur fit un signe de la main, et un autre croupier vint remplacer Sam.

L'assureur et le médecin regardaient Peter avec une curiosité grandissante.

« Mais bon Dieu, qu'est-ce qui s'est passé ? fit le premier.

— Ils comptaient, répondit simplement Peter. Je les ai donnés.

— Non, vous n'avez pas fait ça !

— Ben, si. C'était insupportable pour moi.

— Mais comment l'avez-vous su ? reprit l'anesthésiste.

— Je le savais, c'est tout. »

L'attention que lui portaient les deux autres le mettait mal à l'aise. Il avait envie de ficher le camp.

« Je n'en reviens pas, fit l'assureur en secouant la tête. Laissez-moi vous offrir un verre, l'ami. C'est ahurissant. »

Ses yeux bleus étincelants, il prit son portefeuille et en tira une carte de visite :

« Tenez, voici ma carte. Mon entreprise est entièrement informatisée. Si jamais vous cherchez du travail, appelez-moi, OK ? »

Peter la prit : NELSON G. ELDER, *P-DG des assurances Desert Life*.

« Je vous remercie, mais j'ai déjà un emploi, murmura Peter d'une voix rendue à peine audible par le cliquetis et les musiques criardes des machines à sous.

— Eh bien, si jamais ça changeait, vous avez mes coordonnées. »

Le superviseur s'approcha alors de la table :

« Messieurs, nous sommes navrés de ce qui s'est passé. Comment allez-vous, monsieur Elder ? Vous êtes tous invités par la maison ce soir en ce qui concerne vos consommations, et si vous désirez une place pour un spectacle, nous serons heureux de vous l'offrir. D'accord ? Et je vous renouvelle nos excuses.

— Vos largesses iraient-elles jusqu'à couvrir mes dettes de ce soir, Frankie ? demanda l'assureur.

— Je l'aimerais, monsieur Elder, mais ça, je ne peux pas.

— Bon, tant pis, ça ne coûte rien de demander. »

Le superviseur posa la main sur l'épaule de Peter et lui glissa à l'oreille :

« Le directeur souhaite vous voir. »

Peter pâlit.

« Ne vous inquiétez pas, c'est tout bon pour vous. »

Gil Flores, le directeur du rez-de-chaussée du Constellation, était un homme élégant et plein d'assurance. Devant lui, Peter se sentit soudain minable, mal fagoté. Il transpirait, il avait envie de s'en aller. Le bureau du directeur était fonctionnel, rempli d'écrans plats diffusant en direct les images des tables de jeu et des machines à sous.

Flores se creusait les méninges, essayant de comprendre : comment un simple client était-il parvenu à repérer ces compteurs que même ses hommes à lui n'avaient pas remarqués, et pourquoi les avait-il dénoncés ?

« Y a un truc qu'il faut que vous m'expliquiez », dit-il à son timide interlocuteur.

Peter but une gorgée d'eau :

« Je suivais le compte, admit-il.

— Vous comptez aussi ?

— Oui.

— Vous êtes un compteur ? Attendez, vous êtes en train de me dire que, vous aussi, vous êtes un compteur ? s'exclama-t-il.

— Je compte, mais je ne suis pas un compteur.

— Mais qu'est-ce que ça veut dire ? fit l'autre, décontenancé.

— J'ai le compte en tête, c'est une sorte d'habitude. Mais je ne m'en sers pas.

— Et vous espérez que je vais vous croire ?

— Je suis désolé, mais c'est la vérité, fit-il en haussant les épaules. Je viens ici depuis deux ans et mes mises ne varient jamais. Je gagne un peu, je perds un peu, et voilà.

— Incroyable. Donc vous comptiez quand ce petit connard s'en est mêlé ?

— Il a dit qu'il était maudit. Le compte était à treize, vous comprenez, j'ai pensé que c'était le mot de code

111

pour le chiffre treize. Elle est arrivée alors que le compte était élevé. Je pense qu'il lui a envoyé un signe.

— Ainsi donc, il compte et lui prépare le terrain, et la fille parie et empoche le pognon.

— Ils doivent avoir un nom de code pour tous les chiffres, comme "chaise" pour quatre, "doux" pour douze. »

Le téléphone sonna et Flores décrocha, attendant avant de répondre :

« Oui, monsieur. »

Il raccrocha

« Eh bien, Peter Benedict, c'est votre jour de chance. Victor Kemp veut vous voir là-haut, dans l'appartement terrasse. »

La vue, du dernier étage, était éblouissante. La longue avenue des casinos, le Strip, serpentait jusqu'à l'horizon, tel un flamboyant panache. Victor Kemp entra et tendit la main à Peter, qui sentit ses grosses bagues en or quand leurs doigts se serrèrent. Il avait des cheveux noirs ondulés, le teint bronzé, les dents immaculées, cette allure pleine d'aisance qu'ont les hommes de pouvoir. Il portait un costume bleu scintillant qui accrochait la lumière et jouait avec – un tissu surnaturel. Il fit asseoir son invité dans son immense salon et une employée lui apporta une bière. Peter prit le verre, se demanda s'il devait ôter sa casquette, mais choisit de la garder – si ça ne lui plaisait pas, tant pis pour lui. Il s'aperçut que le grand patron surveillait le bureau de Flores grâce aux écrans, sur le mur, à l'autre bout de la pièce. Les caméras étaient partout.

« Un honnête homme est la plus noble œuvre de Dieu, fit soudain Kemp. C'est d'Alexander Pope. À la vôtre ! ajouta-t-il en trinquant avec son verre de vin.

Vous m'avez redonné le moral, monsieur Benedict, et je vous en remercie.

— Je vous en prie, répondit-il avec prudence.

— Vous me donnez l'impression d'être un type très intelligent. Puis-je vous demander quelle est votre profession ?

— Je travaille dans l'informatique.

— Eh bien, cela ne me surprend pas ! Vous avez mis le doigt sur quelque chose qu'une armée de professionnels bien entraînés a raté, alors d'un côté, je suis heureux que vous soyez un honnête homme, mais d'un autre côté, je suis mécontent de mes employés. Avez-vous jamais envisagé de travailler dans la sécurité des établissements de jeu, monsieur Benedict ? »

Peter secoua la tête tout en répondant : « C'est la seconde offre d'emploi qu'on me fait ce soir.

— Ah bon ? Qui d'autre ?

— Un type, à ma table de black-jack, le P-DG d'une compagnie d'assurances.

— Cheveux gris, mince, la cinquantaine ?

— C'est ça.

— Ce doit être Nelson Elder, un type très bien. C'est une sacrée soirée pour vous. Mais si votre travail vous convient, il faut que je trouve un autre moyen de vous remercier.

— Oh, non, ce n'est pas nécessaire, monsieur.

— Ne soyez pas si formel : appelez-moi Victor, et je vous appellerai Peter. Donc, Peter, c'est comme si vous veniez de trouver un génie enfermé dans une bouteille, mais comme ce n'est pas un conte de fées, vous ne pouvez faire qu'un vœu, et encore faut-il qu'il soit réaliste. Alors, qu'est-ce que vous voulez ? Une fille ? Un crédit illimité ? Rencontrer une star de cinéma ? »

Le cerveau de Peter était capable d'analyser une grande quantité de données en peu de temps. En quelques secondes, il passa en revue plusieurs scénarios possibles, et en sortit la proposition la plus alléchante pour lui.

« Vous connaissez des agents à Hollywood ? demanda-t-il d'une voix tremblante.

— Bien sûr ! répondit l'autre en riant. Ils viennent tous ici ! Vous voulez travailler dans le cinéma ?

— Eh bien, j'ai écrit un scénario, dit-il en baissant les yeux.

— Alors, je vais vous mettre en contact avec Bernie Schwartz, c'est une pointure chez ATI. Est-ce que ça vous va comme ça, Peter ? Vous êtes content ?

— Oh, oui ! exulta-t-il, envahi par la joie. Ce serait formidable !

— Très bien, c'est comme si c'était fait. Je ne vous promets pas qu'il aimera votre scénario, Peter, mais je vous promets qu'il le lira et qu'il vous rencontrera. »

Ils se serrèrent à nouveau la main. En sortant, Kemp prit Peter par l'épaule avec paternalisme.

« Et ne venez plus compter les cartes chez moi, Peter, c'est bien compris ? Vous êtes dans le droit chemin, ne l'oubliez pas. »

« Comme c'est intéressant, fit Bernie. Victor Kemp, c'est le roi de Las Vegas.

— Et mon scénario ? », s'enquit Peter, retenant sa respiration dans l'attente de la réponse.

Chaque seconde était une torture.

« Eh bien, Peter, le scénario, tel qu'il est là, a besoin d'être un peu retouché. Mais le problème est ailleurs. C'est un film à gros budget, que vous avez prévu. Il y a le train qui explose, et tout un tas d'effets spéciaux. Ce genre de film d'action est de plus en plus difficile à réaliser, à moins d'avoir un public tout prêt ou d'autres débouchés potentiels. Et puis il y a cette histoire de terroristes qui plombe tout. Le 11-Septembre a changé la donne. Je peux vous affirmer que rares sont les projets refusés en 2001 qui ont réussi ensuite à passer. Plus personne ne·veut d'histoire de terrorisme. C'est invendable. Je suis désolé, le monde a changé. »

Expire. Il fut pris de vertige.

Roz entra :

« Monsieur Schwartz, votre rendez-vous suivant est arrivé.

— Mon Dieu que le temps passe vite ! s'exclama Bernie en se relevant d'un bond et entraînant Peter à sa suite. À présent, vous allez m'écrire un scénario avec des joueurs qui jouent gros, des compteurs, un peu de sexe, de rire, et je vous promets de le lire. Je suis heureux de vous avoir rencontré, Peter. Mes respects à M. Kemp. Et vous savez, je suis content que vous soyez venu en voiture. En ce qui me concerne, je ne prends plus l'avion. Tout au moins les vols commerciaux. »

Quand Peter rentra chez lui, à Spring Valley, ce soir-là, il trouva une enveloppe coincée sous son paillasson. Il l'ouvrit et lut la lettre sous la lumière de son porche.

Cher Peter,

Je suis désolé que ça n'ait pas marché avec Bernie Schwartz aujourd'hui. Rendez-vous ce soir à 22 heures à l'hôtel, chambre 1824.

Victor

Peter était fatigué, démoralisé, mais on était vendredi soir, et il lui restait le week-end pour se remettre.

À la réception du Constellation, une clef l'attendait, et il monta aussitôt. C'était une vaste suite, avec vue panoramique. Dans le salon, la table basse était garnie d'une coupe de fruits et d'une bouteille de Laurent-Perrier glacée. Il y avait aussi une enveloppe. À l'intérieur, se trouvaient deux cartes : un bon de mille dollars à valoir dans les boutiques de la galerie commerciale du Constellation, et un crédit de cinq mille dollars au casino.

Il s'assit sur le canapé, stupéfait, et observa le paysage de néons.

On frappa à la porte.

« Entrez ! s'écria-t-il.

— Je n'ai pas la clef ! répondit une voix de femme.

— Oh, excusez-moi, fit Peter en se ruant sur la porte, je croyais que c'était le service d'étage. »

Elle était superbe. Et jeune, presque adolescente. C'était une brune au visage frais et avenant. Sa peau d'ivoire était mise en valeur par sa robe cocktail noire et moulante.

« Vous devez être Peter, dit-elle en refermant la porte derrière elle. M. Kemp m'envoie pour vous saluer. »

Comme beaucoup de gens à Las Vegas, elle venait d'ailleurs : elle avait un petit accent de la campagne, musical et délicat.

Il rougit comme une pivoine.

« Eh ben ! »

Elle s'approcha de lui, le faisant reculer jusqu'au canapé.

« Je m'appelle Lydia. Je vous conviens ?

— Comment ça ?

— Si vous préférez un garçon, aucun problème, on n'était pas sûrs. »

Elle faisait preuve d'une charmante fraîcheur.

« Mais je n'aime pas les garçons ! Je veux dire, j'aime les femmes ! fit-il d'une voix aiguë, le larynx resserré par l'anxiété.

— Ça tombe bien, puisque je suis une femme, minauda-t-elle avec art. Pourquoi vous ne vous asseyez pas pour ouvrir cette bouteille de champagne, Peter, et nous verrons à quels jeux vous voulez jouer. »

Par chance, il atteignit le sofa au moment où ses genoux se dérobaient sous lui, et tomba assis d'un seul coup. Son cerveau nageait dans un bain d'émotions : crainte, désir, embarras. Il n'avait rien connu de tel auparavant. Ça semblait idiot, pourtant…

« Eh, mais je vous connais ! », s'écria-t-elle soudain.

À présent, elle semblait vraiment excitée.

« Mais oui, je vous ai vu plein de fois ! Ça me revient maintenant !

— Où ça ? Au casino ?

— Mais non ! Vous ne me reconnaissez pas parce que je ne porte pas cet uniforme ringard. De jour, je suis hôtesse d'accueil à l'aéroport McCarran, vous savez : les terminaux G et EG. »

Peter blêmit aussitôt.

Cette fois, c'en était trop pour lui. Cette journée le dépassait.

« Vous ne vous appelez pas Peter ! C'est Mark quelque chose. Mark Shackleton. J'ai la mémoire des noms.

— Oh, les noms, vous savez… fit-il en tremblant.

— Je comprends ! Allez, vous faites pas de mouron. Ce qui se passe à Vegas ne sort pas de Vegas, mon chou. Si vous voulez savoir, je ne m'appelle pas Lydia. »

Ébahi, il la vit ôter sa robe noire, apparaissant soudain dans ses dessous de dentelle, sans cesser de babiller.

« Oh, c'est trop cool ! J'ai toujours eu envie de parler à un mec dans votre genre ! C'est vrai, ça, c'est dingue de faire ce trajet tous les jours jusqu'à la zone 51. Oh, mon Dieu, c'est un endroit tellement top secret que ça suffit pour m'exciter ! »

Il était éberlué.

« Mais oui, je sais bien que vous n'êtes pas autorisé à en parler, mais s'il vous plaît, faites-moi juste un petit signe, c'est bien des ovnis que vous étudiez là-bas ? En tout cas, c'est ce que tout le monde dit ! »

Il faisait des efforts pour ne pas perdre son calme.

« Vous avez fait un signe, là ? Ça veut dire que c'est bien ça ? »

Il recouvra suffisamment ses esprits pour répondre :

« Je ne peux rien vous dire de ce qui se passe là-bas. Je vous en prie, n'insistez pas. »

Elle semblait contrariée, mais très vite, retrouva le sourire et se remit au travail :

« D'accord ! C'est cool. Je vais te dire, Peter, fit-elle en s'approchant du canapé d'une démarche sensuelle. Ce soir, moi, je vais être ton OSNI : objet sexuel non identifié. Ça te va ? »

23 juin 2009

New York

Will avait une terrible gueule de bois, comme si une belette s'était réveillée, bien au chaud sous son crâne et, prise de panique en se retrouvant ainsi enfermée, avait essayé de fuir en se frayant un chemin à coups de griffes et de dents à travers ses yeux.

La soirée avait commencé en douceur. En rentrant chez lui, il s'était d'abord arrêté à son bar habituel, Dunigan's, espèce de caverne sentant l'alcool, où il avait descendu deux verres. Étape suivante : le Pantheon Diner. Il avait échangé quelques grognements avec le serveur mal rasé, qui lui avait apporté le plat qu'il mangeait deux ou trois fois par semaine : brochettes d'agneau et riz, arrosés bien sûr de quelques bières. Avant de retourner dans sa tanière pour la nuit, il était passé rendre hommage au magasin le plus accueillant du voisinage, d'où il était reparti avec une bouteille de deux litres de Black Label, seul luxe qu'il s'accordait dans la vie.

L'appartement était petit et spartiate. À présent dépourvu des touches féminines qu'y avait apportées Jennifer, ce n'était plus qu'un vulgaire deux-pièces sans aucun intérêt : murs blancs, parquet luisant, vue quelconque sur les immeubles d'en face, et quelques milliers de dollars de mobilier et de tapis. À la vérité, l'endroit était presque trop petit pour lui. Le salon faisait un peu plus de vingt mètres carrés ; la chambre, douze ; quant à la cuisine et la salle de bains, c'étaient des placards. Certains des criminels qu'il avait mis sous les verrous n'auraient pas jugé l'endroit digne d'eux. Comment avait-il pu y vivre avec Jennifer pendant quatre mois ? Qui avait eu cette brillante idée ?

Il n'avait pas l'intention de prendre une cuite, mais cette lourde bouteille bien pleine semblait renfermer tant de promesses… Il dévissa le bouchon, déchirant au passage le sceau de plastique, puis remplit à demi son verre à whisky préféré. Avec la télévision en bruit de fond, il but, allongé sur le canapé, sombrant peu à peu dans un profond trou noir tout en se rappelant cette foutue journée, cette foutue affaire, cette foutue vie.

Malgré sa réticence à s'occuper de l'affaire Apocalypse, les premiers jours l'avaient comme rajeuni. Clive Robertson avait été tué sous ses yeux, et l'audace, la complexité de ce crime l'électrisaient. Il se sentait à nouveau comme naguère, lors des grandes affaires : la fréquence des poussées d'adrénaline lui convenait parfaitement.

Il s'était alors immergé dans un ensemble de faits. Il avait beau savoir que les moments clefs où se produit une découverte importante relevaient de la fiction, il éprouvait la nécessité de passer et repasser chaque détail au crible, jusqu'à ce qu'il trouve un élément négligé jusqu'alors, le lien entre deux meurtres, puis avec un troisième, qui déboucherait sur la solution de l'énigme.

La distraction que causait dans sa vie cette affaire capitale avait l'effet du beurre sur une brûlure. Il avait commencé par s'échauffer, se plongeant dans les dossiers, bousculant Nancy, s'épuisant tous les deux en journées marathons, qui débordaient sur une nuit blanche, puis sur la journée suivante. Pendant un moment, il prit Sue Sanchez au mot : très bien, ce serait sa dernière grosse affaire. Je vais débusquer ce crétin et prendre ma retraite dans un feu d'artifice.

Crescendo.

Decrescendo.

Au bout d'une semaine, il était lessivé, cuit, déprimé. L'autopsie de Robertson et le rapport toxicologique n'avaient aucun sens, selon lui. Pas plus que les sept autres meurtres. Il ne parvenait pas à se faire une idée du criminel, ni à comprendre quelle satisfaction il tirait de ses actes. Aucune de ses théories ne tenait. Tout ce qu'il parvenait à tirer des faits, c'était un tableau dépendant du hasard, ce qu'il n'avait jamais rencontré chez aucun tueur en série.

Le premier scotch, c'était pour noyer le sentiment de malaise qu'il avait ressenti cet après-midi-là en allant interroger dans le Queens la famille d'une victime fauchée par une voiture : des gens solides, sympathiques, qui paraissaient inconsolables. Le deuxième verre, c'était pour atténuer sa frustration. Le troisième, pour remplir le vide qu'il éprouvait face à certains souvenirs tristes. Le quatrième, pour la solitude. Le cinquième… ?

Malgré le marteau dans sa tête, les nausées lancinantes, il tenait à être au travail à 8 heures. D'après ses règles à lui, si on arrivait à l'heure au boulot, qu'on ne buvait pas pendant le service, et qu'on ne touchait jamais une goutte avant l'*happy hour*, alors on n'avait pas de problème avec l'alcool. Toutefois, dans l'ascenseur qui le menait à son étage, il ne pouvait ignorer ce mal qui lui vrillait le crâne, et il serrait contre lui son café extra-large tel un gilet de sauvetage. Il vacillait presque en songeant à la façon dont il s'était réveillé, à 6 heures, tout habillé, devant cette bouteille dont il manquait un tiers. Au bureau, il avait de l'Advil. Raison de plus d'y aller.

Les dossiers de l'affaire Apocalypse étaient empilés sur sa table de travail, sa console, ses étagères ; le sol était jonché de stalagmites de notes, rapports, recherches, documents imprimés et photos des lieux des crimes. Il avait tracé des chemins pour circuler entre les tas, allant depuis sa chaise à la porte, à l'étagère et à la fenêtre, afin de baisser les stores, l'après-midi, pour ne pas avoir le soleil en pleine figure. Il se traîna jusqu'à son siège et s'y laissa choir. Puis il se mit en quête de médicaments, qu'il avala avec peine, accompagnés d'une gorgée de café chaud. Il se frotta les yeux et, quand il les rouvrit, Nancy était debout face à lui, l'examinant tel un médecin.

« Ça va ?

— Très bien.

— Vous avez mauvaise mine. On dirait que vous êtes malade.

— Je vais très bien. »

Au hasard, il prit un dossier et l'ouvrit. Elle n'avait pas bougé.

« Qu'y a-t-il ?

— Qu'est-ce qui est prévu aujourd'hui ? demanda-t-elle.

— Eh bien, je vais commencer par boire mon café, et vous, vous revenez dans une heure. »

Avec zèle, elle réapparut exactement une heure plus tard. Sa migraine et ses nausées avaient un peu diminué, mais son cerveau était encore dans le brouillard.

« Très bien, qu'est-ce qu'on a au programme ? »

Elle ouvrit son carnet habituel :

« À 10 heures, rendez-vous téléphonique avec le docteur Sofer, de John Hopkins. À 14 heures, conférence de presse avec toute l'équipe. À 16 heures, nous allons rendre visite à Helen Swisher. Vous avez l'air mieux.

— J'étais bien il y a une heure, et je le suis toujours », lança-t-il d'un ton cassant.

Elle n'avait pas l'air convaincue, et il se demanda si elle avait compris qu'il avait la gueule de bois. Soudain, il s'aperçut de quelque chose : elle était beaucoup mieux physiquement. Son visage était moins joufflu, sa silhouette moins dodue, et sa jupe la boudinait moins. Depuis dix jours, ils passaient ensemble tout leur temps, et il réalisait seulement maintenant qu'elle mangeait comme un oiseau.

« Je peux vous poser une question à mon tour ?

— Bien sûr.

— Vous êtes au régime, non ?

— Plus ou moins, dit-elle en rougissant. Et je me suis remise à courir, aussi.

— Ça vous va bien. Continuez comme ça.

— Merci », déclara-t-elle en baissant les yeux, gênée.

Il changea de sujet sans attendre.

« Bon, essayons de revenir en arrière pour voir le tableau dans son ensemble, dit-il, malgré ses difficultés à articuler sa pensée. Ce sont les détails qui nous plombent. Repassons tout ça une fois de plus en nous arrêtant sur les liens. »

Il alla la rejoindre à la table de conférence, et empila les dossiers pour faire de la place. Il prit un carnet de notes neuf et y écrivit : « Observations décisives », en soulignant deux fois. Il voulait que son cerveau se remette en marche et desserra sa cravate pour faciliter l'afflux du sang.

Il y avait eu trois morts le 22 mai, trois autres le 25, et deux le 11 juin. Rien d'autre depuis.

« Qu'est-ce que cela nous apprend ? », demanda-t-il.

Elle secoua la tête, alors il répondit lui-même :

« Ce sont tous des jours de la semaine.

— Peut-être que le type travaille le week-end ?

— C'est possible, en effet. »

Il nota cette première observation décisive : « En semaine. »

« Passez-moi le dossier Swisher. Je crois qu'il est sur l'étagère », fit-il.

Affaire n° 1 : David Paul Swisher, 36 ans, banquier d'affaires chez HSBC. Park Avenue, riche, sorti des meilleures universités. Marié, rien de ce côté. Pas de squelettes du genre Enron dans le placard, enfin à ce stade de l'enquête. A sorti son chien pour sa promenade matinale, trouvé par un jogger peu après 5 heures dans un bain de sang : montre, alliance et portefeuille manquants ; carotide tranchée de façon bien nette à gauche. Corps encore chaud, à environ sept mètres du champ d'une caméra de surveillance située sur le toit d'un immeuble en copropriété, du côté sud de la 82ᵉ Rue. Sept mètres de plus, et ils avaient le meurtre en direct !

Toutefois, ils possédaient quelques images intéressantes : une séquence de neuf secondes enregistrée entre 5 heures 02 minutes et 23 secondes, et 5 heures 02 minutes et 32 secondes, prise par une caméra juchée sur le toit d'un bâtiment de dix étages, du côté ouest de Park Avenue, entre les numéros 81 et 82. Elle montrait un homme qui arrivait en marchant depuis la 82ᵉ Rue, tournait dans Park Avenue, puis soudain repartait en sens contraire en courant, et disparaissait de nouveau dans la 82e Rue. L'image était de mauvaise qualité, mais les techniciens du FBI avaient réussi à l'agrandir et à l'améliorer. D'après la couleur des mains du suspect, on pouvait affirmer qu'il était noir ou latino ; on avait même réussi à calculer qu'il devait mesurer environ un mètre soixante-dix-huit, et peser entre soixante-douze et soixante-dix-huit kilos. La capuche de son sweat-shirt gris plongeait son visage dans l'ombre. L'heure correspondait bien, puisque la police avait reçu l'appel de détresse à 5 heures 07 minutes. Hélas, en l'absence de témoin, on n'avait aucune idée de l'identité de l'assassin.

Sans la carte postale, ç'aurait été une banale agression. Seulement David Swisher avait reçu cette carte. C'était la première victime du tueur de l'Apocalypse.

Will prit une photo du type à la capuche et la montra à Nancy :

« Vous croyez que c'est notre homme ?

— C'est peut-être l'assassin de David Swisher, mais ça n'en fait pas le tueur de l'Apocalypse.

— Des meurtres en série par procuration ? Ce serait une première. » Elle essaya autre chose : « Bon, peut-être était-ce un tueur à gages ?

— Possible. Un banquier d'affaires doit avoir des ennemis. Dans chaque affaire, il y a un gagnant et un perdant. Mais Swisher est différent des autres victimes : c'est le seul col blanc. Qui aurait payé pour assassiner les autres ? Est-ce qu'on a la liste de ses clients ? demanda Will en feuilletant le dossier.

— La banque ne nous a pas beaucoup aidés. Chacune de nos demandes doit être approuvée par leur service juridique et recevoir l'autorisation personnelle de leur conseiller général. On n'a rien, pour l'instant, mais j'insiste.

— J'ai le sentiment que c'est lui, la clef du problème. »

Will referma le dossier Swisher, et poursuivit :

« La première victime d'une série revêt une signification particulière aux yeux du tueur, quelque chose de symbolique. Vous avez dit qu'on allait voir sa femme, aujourd'hui ? »

Elle acquiesça.

« Il serait temps. »

Affaire n° 2 : Elizabeth Marie Kohler, 37 ans, gérante d'une pharmacie de la chaîne Duane Reade, dans le Queens. Tuée par balle lors d'un cambriolage, apparemment. Découverte par les employés à l'entrée de service quand ils sont arrivés pour travailler le matin à 8 h 30. La police a pensé dans un premier temps qu'elle avait été tuée par un voleur en embuscade qui comptait dérober des médicaments. Le cambriolage se serait mal passé, il aurait tiré, elle serait tombée, il aurait filé. Il y avait une seule balle. Calibre 38, tirée dans la tempe, à bout portant. Pas de vidéosurveillance, rien du côté de l'autopsie ni du labo. Il avait fallu deux jours aux inspecteurs pour trouver la carte postale chez elle, et relier ce crime aux autres.

Il leva les yeux et demanda :

« Bien, quel est le rapport entre un banquier de Wall Street et la gérante d'une pharmacie ?

— Je ne sais pas. Ils avaient à peu près le même âge, mais leurs vies n'ont absolument rien en commun. Il n'est jamais venu à sa pharmacie.

— Où on en est avec son ex-mari, ses anciens petits amis, ses collègues ?

— La plupart ont été identifiés et interrogés. On n'arrive pas à mettre la main sur un de ses petits copains de lycée. Sa famille a quitté l'État de New York il y a des années. Les autres ex, s'ils n'ont pas d'alibi pour ce meurtre-là, en ont pour les différents assassinats. Elle a divorcé il y a cinq ans. Son ex-mari conduisait un bus pour la compagnie Transit Authority ce matin-là. Elizabeth Kohler était une personne ordinaire. Sa vie n'avait rien de compliqué. Elle n'avait pas d'ennemis.

— Ainsi donc, sans cette carte postale, ce serait une simple histoire de casse qui a mal tourné.

— Ça y ressemble, du moins à première vue.

— Très bien, voilà ce qu'on va faire : on va aller voir chez elle si on trouve des albums de ses années de lycée ou d'université, et on va entrer tous les noms dans la base de données. Il faut aussi prendre contact avec son propriétaire et obtenir la liste de ses voisins, actuels et passés, en remontant sur cinq ans, et les rentrer eux aussi.

— C'est comme si c'était fait. Vous voulez un autre café ? »

Il en mourait d'envie.

Affaire n° 3 : Consuela Pilar Lopez, 32 ans, sans-papiers, venue de République dominicaine, habitant Staten Island, travaillant comme femme de ménage dans des bureaux à Manhattan. Découverte juste après 3 heures par un groupe d'adolescents dans une zone boisée près du rivage, dans le parc Arthur Von Briesen, à un kilomètre et demi de chez elle, sur Fingerboard Road. Violée et poignardée plusieurs fois à la poitrine, la tête et le cou. Elle avait pris le ferry de 22 heures au départ de Manhattan, ce soir-là, d'après les caméras de surveillance. Selon ses habitudes, elle aurait dû ensuite prendre le bus en direction du sud, vers Fort Wadsworth, mais nul ne l'a vue à l'arrêt du terminal Saint-George, ni sur la ligne 51, qui descendait Bay Street jusqu'à Fingerboard.

L'hypothèse était que quelqu'un l'avait interceptée à la descente du ferry, lui avait proposé de la raccompagner en voiture, l'avait emmenée dans un endroit sombre et reculé près de la superstructure du pont de Verrazano-Narrows, lieu de l'agression. On n'avait pas trouvé de traces de sperme sur elle : le tueur avait dû utiliser un préservatif. Il y avait des fibres grises sur son chemisier, qui semblaient provenir d'un sweat-shirt. Lors de l'autopsie, ses blessures avaient été calibrées : la lame mesurait environ dix centimètres, ce qui correspondait aussi à l'arme qui avait tué David Swisher. Consuela Lopez habitait un petit immeuble d'un étage, en compagnie de ses frères, sœurs et cousins, dont certains étaient en situation régulière. Elle était très religieuse et fréquentait l'église Saint-Sylvester, où les paroissiens stupéfaits s'étaient rassemblés en masse lors d'une messe en sa mémoire. D'après sa famille et ses amis, elle n'avait pas de petit ami, et selon le légiste, malgré son âge, elle devait être encore vierge. Toutes les tentatives pour la relier aux autres meurtres s'étaient soldées par un échec.

Will avait passé un nombre d'heures extravagant à étudier ce meurtre. Il avait examiné en détail le ferry et l'arrêt de bus, arpenté la scène du crime, fait le tour de sa maison et de l'église. Les crimes sexuels, c'était son domaine. Pas par goût, car aucune personne saine d'esprit n'irait écrire dans sa demande d'admission à Quantico : « J'espère me spécialiser dans les crimes sexuels », mais ses premières grosses affaires allaient dans ce sens, voilà comment le FBI lui avait collé l'étiquette de spécialiste. Nonobstant son instinct, brûlant d'ambition, il avait alors travaillé pour devenir vraiment expert en la matière. À force d'étudier les annales des crimes sexuels avec assiduité, il était devenu une encyclopédie vivante des perversions américaines.

Il avait déjà rencontré ce genre de tueur, et le profil de l'agresseur lui était très vite apparu. C'était un chasseur, qui planifiait les choses, un solitaire circonspect qui prenait grand soin de ne pas laisser traîner son ADN derrière lui. Il connaissait bien les lieux, ce qui signifiait qu'il avait habité Staten Island, voire y vivait peut-être encore. Il connaissait le parc comme sa poche, et avait choisi avec précision l'endroit où il risquait le moins d'être surpris. Il y avait de fortes probabilités qu'il soit hispanique, car il avait réussi à amadouer sa victime et à la faire monter dans sa voiture, or l'anglais de Consuela était limité. Il était même possible qu'elle le connaisse.

« Attendez un peu, fit soudain Will. Un point de plus : le tueur avait forcément une voiture. Nous devrions nous mettre à la recherche de la berline bleue qui a écrasé Myles Drake. »

Il écrivit : « Berline bleue. »

« Comment s'appelle le prêtre de Consuela ?

— Le père Rochas, répondit Nancy sans consulter ses notes car elle se souvenait bien du visage triste du religieux.

— Il faut faire passer une affichette avec différents modèles de voitures bleu foncé et demander au père Rochas de les distribuer à ses paroissiens pour voir si l'un d'entre eux connaîtrait quelqu'un avec ce genre de véhicule. Et croiser la liste de tous ces gens avec celle des plaques d'immatriculation en faisant particulièrement attention aux Latinos. »

Elle acquiesça et prit note.

Il tendit les bras en l'air et bâilla.

« Bon, faut que j'aille aux toilettes. Après, on appelle l'expert. »

Le légiste du FBI les avait dirigés vers Gerald Sofer, le spécialiste national d'une affection assez étrange. Ils s'adressaient à lui car, jusque-là, ils n'avaient pas trouvé la cause du décès de Clive Robertson.

Après qu'il se fut écroulé, Will et Nancy lui avaient administré un massage cardiaque frénétique jusqu'à l'arrivée des secours, six minutes plus tard. Le lendemain, penché par-dessus l'épaule du légiste qui s'occupait du cadavre, ils avaient tenté de percer à jour la raison de sa mort. En dehors de son nez écrasé, il n'y avait aucun traumatisme extérieur. Son lourd cerveau, qui quelques heures plus tôt débordait de musique, avait été découpé en tranches, comme un rosbif. Aucun signe d'attaque ni d'hémorragie. Tous ses organes étaient normaux pour son âge. Son cœur était légèrement hypertrophié, les valves normales, les artères coronaires un peu encrassées par l'athérosclérose, en particulier l'artère antérieure descendante gauche, qui était bouchée à 70 %.

« La mienne est certainement en pire état », grommela le légiste.

Il n'y avait pas de trace de crise cardiaque, mais un examen au microscope serait déterminant.

« Pour l'instant, je n'ai pas de diagnostic à vous proposer », conclut le médecin en ôtant ses gants.

Will avait attendu avec anxiété les résultats de l'examen du sang et des tissus. Il espérait qu'on découvrirait un poison ou un toxique, mais l'éventuelle séropositivité du défunt l'intéressait aussi, étant donné qu'il avait pratiqué le bouche-à-bouche sur le visage maculé de sang de la victime. Les résultats étaient tombés quelques jours plus tard. Bonne nouvelle : Clive n'était pas séropositif, et il n'était pas non plus porteur de l'hépatite. Mauvaise nouvelle : le reste aussi était négatif. Cet homme n'avait aucune raison d'être mort.

« Oui, dit le docteur Sofer, j'ai bien eu les résultats de l'autopsie pratiquée sur M. Robertson. C'est typique du syndrome. »

Will se pencha vers le micro du téléphone :

« C'est-à-dire ?

— Eh bien, son cœur n'était pas en mauvais état. Il n'y a pas d'occlusion artérielle critique, de thrombose, ni de preuve histopathologique d'infarctus du myocarde. Son profil correspond tout à fait aux patients victimes de cardiomyopathie liée au stress que j'ai étudiée, et qu'on appelle aussi syndrome de Tako-Tsubo. »

Un violent stress émotionnel, la peur, la colère, le chagrin, un choc pouvaient donc causer des dommages irréparables au cœur, d'après Sofer. Les victimes étaient des gens par ailleurs en bonne santé, brutalement soumises à un tsunami émotionnel, comme la mort d'un proche, ou une peur extrême.

« Bonjour docteur, je suis l'agent spécial Lipinski. J'ai lu votre article dans le *New England Journal of Medicine*. Aucun de vos patients souffrant de ce syndrome n'est mort. En quoi le cas de M. Robertson est-il différent des autres ?

— Excellente question. Je pense que le cœur peut s'arrêter de battre suite à une affluence massive de catécholamines, des hormones liées au stress telles que l'adrénaline, sécrétées par la glande médullosurrénale en réponse à un stress ou un choc. C'est un outil de survie basique dont nous a dotés l'évolution pour préparer notre organisme à fuir ou se battre dans une situation de vie ou de mort. Quoi qu'il en soit, chez certains, l'affluence de ces hormones est si forte que le cœur ne parvient plus à pomper correctement. Le rythme cardiaque diminue de façon soudaine, et la pression sanguine s'effondre. Hélas pour M. Robertson, ce phénomène combiné au fait que son artère coronaire gauche était en partie bouchée a pu donner lieu à une mauvaise irrigation du ventricule gauche, ce qui a déclenché une arythmie fatale, une possible fibrillation ventriculaire, et une mort soudaine. Il est rare de mourir du syndrome de Tako-Tsubo, mais cela peut arriver. Si je comprends bien la situation, juste avant son décès, M. Robertson a été soumis à un très fort stress.

— Il avait reçu une carte postale du tueur de l'Apocalypse, déclara Will.

— Eh bien, pour utiliser le langage commun, je dirais dans ce cas que M. Robertson est littéralement mort de peur.

— Il n'avait pas l'air d'avoir peur.

— Les apparences sont parfois trompeuses. »

La conversation terminée, Will raccrocha et vida sa cinquième tasse de café.

« C'est clair comme du jus de boudin. Le tueur a parié qu'il aurait sa peau rien qu'en lui foutant la trouille ! Allons donc ! s'exclama-t-il en levant les bras en l'air en signe d'exaspération. Très bien, continuons. Il élimine trois personnes le 22 mai, puis il fait une pause durant le week-end. Le 25, notre détraqué reprend du service. »

Affaire n° 4 : Myles Drake, 24 ans, coursier à bicyclette dans le Queens. Il travaillait dans le quartier financier à 7 heures. Un employé dont le bureau donne sur Broadway (l'unique témoin) a regardé dehors et l'a vu sur le trottoir de John Street qui enfilait son sac à dos et montait sur son vélo. C'est alors qu'une berline bleu foncé a grimpé sur le trottoir et l'a fauché avant de prendre la fuite. La mort de Drake a été instantanée : son foie et sa rate ont éclaté. La voiture, qui a subi des dommages à l'avant, n'a pas encore été retrouvée, bien qu'on ait perquisitionné dans tous les ateliers de carrosserie de la région. Myles vivait avec son frère aîné, et d'après toutes les personnes interrogées, c'était un garçon sérieux. Pas de casier judiciaire, témoignages en sa faveur sur le plan professionnel, etc. Aucun lien direct ou indirect avec les autres victimes, bien qu'on ne puisse affirmer avec certitude qu'il ne soit jamais entré dans la pharmacie de Kohler, sur Queens Boulevard.

« Aucune histoire de drogue ? demanda Will.

— Non, mais je me souviens d'une affaire, quand j'étais en droit, où des coursiers à vélo approvisionnaient des *traders* en cocaïne.

— Ce n'est pas une mauvaise idée, la filière de la came. » Il écrivit : « Chercher des résidus de narcotiques dans le sac à dos. »

Affaire n° 5 : Milos Ivan Covic, 82 ans, de Park Slope, à Brooklyn, est tombé en milieu d'après-midi depuis son appartement du huitième étage, et a causé un sacré désordre sur Prospect Park West, près de Grand Army Plaza. La fenêtre de sa chambre était ouverte, la porte d'entrée verrouillée, aucun signe de cambriolage, ni de tentative d'effraction. Toutefois, on a trouvé près de la fenêtre, gisant en morceaux sur le sol, des photos encadrées de Covic jeune, entouré de personnes supposées être de sa famille. Aucune lettre d'adieu. C'est un immigré croate qui a travaillé cinquante ans comme cordonnier. Il n'a aucun parent et il était si solitaire que personne ne peut témoigner de son état mental. Dans l'appartement, on a trouvé un seul type d'empreintes : les siennes.

Will feuilleta les photos anciennes. « Et on n'a aucune idée de l'identité de ces gens ?

— Pas la moindre. On a interrogé tous les voisins, on a activé notre réseau parmi la communauté américano-croate, mais personne ne le connaissait. Je ne sais pas où aller. Une idée ? »

Il leva les yeux au ciel.

« Rien à dire. »

Affaire n° 6 : Marco Antonio Napolitano, 18 ans, a récemment fini le lycée. Il vivait avec ses parents et sa sœur à Little Italy. Sa mère a découvert la carte dans sa chambre, et l'image du cercueil l'a rendue hystérique. Sa famille l'a cherché en vain toute la journée. La police a retrouvé son corps un peu plus tard dans la chaufferie de leur immeuble. Il avait une aiguille plantée dans le bras, et à côté de lui, toute la panoplie pour se faire une injection d'héroïne. L'autopsie a montré qu'il avait fait une over-dose, mais sa famille et ses amis insistent sur le fait qu'il n'était pas drogué, ce que corrobore l'absence de marques d'injection sur le corps. Il était déjà connu des services de police pour des vols à la tire et de petites infractions de ce genre, mais ce n'était pas un voyou. La seringue portait deux ADN différents, le sien et celui d'un autre individu non identifié, de sexe masculin, ce qui montre qu'ils se sont shootés à deux, en utilisant le même matériel. On a également retrouvé deux types d'empreintes digitales sur la seringue et la cuillère, celles du défunt et d'une autre personne. Ces empreintes ont été entrées dans le fichier du FBI, mais cela n'a rien donné, ce qui élimine par consé-quent les cinquante millions de personnes présentes dans la base de données.

« OK, fit Will. Voilà un lien possible. »

Nancy le voyait elle aussi. Ragaillardie, elle se lança :

« Oui, écoutez ça : le tueur est un drogué qui tue Elizabeth en essayant de lui voler des stupéfiants. Il en veut à Marco, alors il lui donne une surdose d'héroïne. Par ailleurs, il a des comptes à régler avec Myles, qui est son fournisseur.

— Et David ?

— Cela ressemble à une agression classique pour se procurer de l'argent, ce qui est assez typique des drogués, là encore. »

Will hocha la tête avec un sourire exaspéré :

« C'est quand même un peu faible. »

Il écrivit : « Peut-être un drogué. »

« Très bien, dernier point. Notre homme ne fait plus rien pendant deux semaines, puis reprend ses activités le 11 juin. Pourquoi ? Est-ce qu'il est fatigué ? Occupé ailleurs ? Parti quelque part ? À Las Vegas, peut-être ? »

Questions rhétoriques. Elle l'observait, tandis qu'il réfléchissait.

« On a examiné toutes les contredanses données sur les grands axes ouest-est entre Vegas et New York dans l'intervalle qui sépare la date inscrite par la poste sur les cartes et celle des meurtres, et on n'a rien trouvé, c'est bien ça ?

— Tout à fait, affirma-t-elle.

— Et on a la liste des passagers sur tous les vols directs et indirects entre Vegas et New York aux dates qui nous intéressent, c'est bien ça ?

— Tout à fait.

— Et qu'est-ce que ça nous apprend ?

— Pour l'instant, rien. Nous avons quelques milliers de noms que nous confrontons régulièrement avec ceux des bases de données des victimes. Jusqu'ici, aucun résultat.

— Et on a vérifié le casier de tous les passagers ?

— Will, c'est la douzième fois que vous me le demandez ! »

Il n'avait nulle intention de faire des excuses :

« Parce que c'est important ! Et sortez-moi une liste de tous les passagers qui ont un nom de famille hispanique. Passez-moi le dossier suivant, c'est là que j'entre en scène », dit-il en désignant une pile posée par terre, près de la fenêtre.

Affaire n° 7 : Ida Gabriela Santiago, 78 ans, tuée par un cambrioleur d'une balle de calibre 22 dans l'oreille. Comme le pensait Will, elle n'avait pas été violée, et en dehors de ses empreintes à elle et celles de ses proches, il n'y avait rien. Son sac à main avait disparu, et on ne l'avait pas retrouvé. Une trace de pas devant la fenêtre de la cuisine indiquait des chaussures de taille 46, dont le dessin de la semelle correspondait à un modèle de baskets très répandu, des Reebok DMX 10. Étant donné la profondeur de l'empreinte et le degré d'humidité du sol, les techniciens du labo estimaient que le suspect devait peser dans les soixante-seize kilos, à peu près comme celui de Park Avenue. Ils avaient cherché des liens, en particulier avec Consuela Lopez, mais il n'y avait *a priori* aucun rapport entre les deux femmes.

Restait l'affaire n° 8 : Lucius Jefferson Robertson, l'homme qui était littéralement mort de peur. Il n'y avait pas grand-chose à en dire.

« Voilà, c'est tout. Pourquoi ne résumez-vous pas la situation, partenaire ? » Très sérieuse, Nancy parcourut ses dernières notes et jeta un coup d'œil sur les « Observations décisives » :

« Eh bien je dirais que notre suspect est un Hispanique qui mesure un mètre soixante-dix-huit pour soixante-seize kilos, c'est un drogué qui s'est rendu coupable d'agressions sexuelles, il conduit une voiture bleue, possède un couteau, un calibre 22 et un 38, il fait la navette entre New York et Las Vegas en voiture ou en avion, et préfère tuer dans la semaine pour se reposer le week-end.

— Tu parles d'un profil ! dit enfin Will en ébauchant un sourire. Très bien, poursuivons. Comment choisit-il ses victimes, et qu'en est-il de ces putains de cartes postales ?

— Ne jurez pas ! lança-t-elle en agitant son carnet dans sa direction. Peut-être les victimes sont-elles liées, mais peut-être pas. Chaque crime est différent. C'est comme s'il s'en remettait exprès à la chance. Peut-être les victimes sont-elles aussi choisies au hasard. Il leur envoie des cartes postales pour nous montrer qu'il y a un lien, et que c'est lui qui décide qui va mourir. Il a lu les articles sur le tueur de l'Apocalypse dans les journaux, et passe son temps à regarder les reportages à la télé, ce qui lui donne un sentiment de toute-puissance auquel il est devenu accro. Il est très intelligent et très pervers. Voilà notre homme. »

« Eh bien, vous êtes vraiment une flèche, agent Lipinski, non ? »

Il se leva, s'émerveillant du bien-être qu'on éprouvait à ne pas avoir mal à la tête et à se sentir prêt à avaler un repas.

Elle attendait son approbation, mais il mit le doigt sur la faille :

« Il y a juste un petit problème avec votre synthèse : je n'en crois pas un mot. Le seul supercriminel à ma connaissance capable d'échafauder un truc aussi brillant, c'est Lex Luthor, et la dernière fois que je l'ai vu, c'était dans une BD. Bon, je fais ma pause-déjeuner. Venez me chercher pour la conférence de presse. »

Il la congédia tout en lui lançant un clin d'œil, et l'observa qui s'en allait. Elle était beaucoup mieux physiquement, nota-t-il.

Comme les choses traînaient en longueur, les journaux se contentaient désormais d'un seul article par semaine sur l'affaire Apocalypse. Au départ, les papiers étaient quotidiens, mais ce rythme n'était pas tenable. Pourtant, c'était un événement capital, qui intéressait davantage les masses que tous les autres faits divers à sensation. Tous les soirs, sur les chaînes du câble, des experts, des avocats, d'anciens membres du FBI et des forces de l'ordre épluchaient les faits dans leurs moindres détails, revenant sans cesse sur leurs théories préférées. Depuis quelque temps, émergeait une idée générale : le FBI ne faisait aucun progrès, donc le FBI était incompétent.

La conférence de presse avait lieu dans une salle du Hilton. Quand Will et Nancy arrivèrent à leur place, près d'une entrée de service, la pièce était aux trois quarts remplie de journalistes et de photographes, et les grosses légumes du FBI montaient sur scène. Il y eut un signal, et les projecteurs de la télévision s'allumèrent : on était en direct.

Le maire, très chic, imperturbable, se présenta sur le podium :

« Il y a six semaines que cette enquête a commencé. Le point positif est qu'il n'y a pas eu de nouvelles victimes depuis dix jours. Bien qu'il n'y ait pas encore eu d'arrestation, les enquêteurs professionnels de la ville et de l'État de New York, comme des agences fédérales, ont beaucoup travaillé de façon fructueuse, en explorant de multiples pistes et théories. Toutefois, nous ne pouvons nier qu'il y a eu huit meurtres commis dans cette ville, et que les habitants ne se sentiront pas totalement en sécurité tant que le tueur n'aura pas été mis hors d'état de nuire. Benjamin Wright, le responsable du FBI à New York, va répondre à vos questions. »

Grand, mince, la cinquantaine, Wright était un Afro-Américain arborant une fine moustache, des cheveux coupés très court, et de fines lunettes cerclées de métal qui le faisaient ressembler à un professeur. Il se leva et lissa les plis de sa veste de costume croisé. Il était à l'aise face aux caméras, et s'adressa directement à la rangée de micros.

« Comme l'a dit monsieur le maire, le FBI travaille de concert avec les forces de police municipale et d'État afin de résoudre cette affaire. C'est de très loin l'enquête criminelle la plus sérieuse de toute notre histoire en matière de tueur en série. Bien que nous n'ayons pas encore arrêté de suspect, nous poursuivons nos efforts sans relâche, et je voudrais que les choses soient claires : nous trouverons l'assassin. Nos ressources ne sont pas limitées. Nous concentrons toutes nos énergies sur cette affaire. Ce n'est pas une question de nombre d'enquêteurs, c'est une question de temps. À présent, je vais répondre à vos questions. »

Les membres de la presse s'agitèrent comme des fourmis qu'on aurait dérangées. Ils devinaient qu'ils n'auraient rien de nouveau à se mettre sous la dent. Les reporters de la télévision, dans leur grande mansuétude, laissaient la première charge offensive à leurs infortunés collègues de la presse écrite, tâcherons aux mains maculées d'encre.

Question : Y a-t-il du nouveau concernant les tests toxicologiques pratiqués sur Lucius Robertson ?

Réponse : Non. Certains examens des tissus nécessitent quelques semaines.

Q : A-t-on essayé de savoir s'il avait contracté la maladie du charbon ou inhalé de la ricine ?

R : Oui. Dans les deux cas, la réponse est négative.

Q : Si tout est négatif, qu'est-ce qui a tué Lucius Robertson ?

R : On ne le sait pas encore.

Q : Ce manque de clarté ne risque-t-il pas de troubler le public ?

R : Quand nous connaîtrons la cause de sa mort, nous la rendrons publique.

Q : La police de Las Vegas coopère-t-elle ?

R : Oui.

Q : A-t-on identifié toutes les empreintes sur les cartes postales ?

R : La plupart. On est encore à la recherche de certains employés de la poste.

Q : A-t-on une piste au sujet de l'homme à la capuche présent sur le lieu où Swisher a été assassiné ?

R : Aucune.

Q : Les balles retrouvées sur les lieux des crimes correspondent-elles à des armes répertoriées ?

R : Non.

Q : Comment savoir s'il ne s'agit pas d'un complot d'al-Qaida ?

R : Aucun indice ne laisse penser qu'il puisse s'agir de terrorisme.

Q : Une médium de San Francisco s'est plaint que le FBI refusait de lui parler malgré son insistance. Elle pense qu'un homme aux cheveux longs du nom de Jackson est impliqué.

R : Le FBI s'intéresse à toutes les pistes crédibles.

Q : Êtes-vous conscients du fait que les gens se sentent frustrés par l'absence de progrès de l'enquête ?

R : Nous partageons cette frustration, mais nous restons confiants quand au dénouement de cette enquête.

Q : Pensez-vous qu'il va y avoir d'autres meurtres ?

R : J'espère que non, mais nous n'avons aucun moyen de le savoir.

Q : Le FBI a-t-il établi un profil du tueur de l'Apocalypse ?

R : Pas encore. Nous y travaillons.

Q : Pourquoi cela prend-il aussi longtemps ?

R : En raison de la complexité de l'affaire.

Will se pencha et murmura à l'oreille de Nancy :
« Quelle perte de temps ! »

Q : Avez-vous mis sur le coup les meilleurs enquêteurs ?

R : Oui.

Q : Les médias pourraient-ils interroger directement l'agent spécial en charge de l'enquête ?

R : Je peux répondre à toutes vos questions.

« Ah, là, ça devient intéressant », fit Will.

Q : Pourquoi ne pouvons-nous rencontrer cet agent ?

R : Il essaiera de se rendre disponible lors de la prochaine conférence de presse.

Q : Est-il présent dans la salle, actuellement ?

R : …

Wright regarda Sue Sanchez qui était assise au premier rang, la suppliant de tout faire pour contrôler ses agents. Elle se retourna, et avisa Will, sur le côté ; elle ne pouvait guère que le foudroyer des yeux.

Elle me prend pour un électron libre, songea Will. Eh bien, montrons-lui qu'elle a raison. Après tout, je suis l'agent spécial chargé de l'affaire. Je n'en voulais pas au départ, mais à présent je suis dedans jusqu'au cou. Ils me veulent, ils vont m'avoir.

« Je suis là ! », s'écria-t-il en levant la main.

Il avait eu affaire à la presse des douzaines de fois au cours de sa carrière, aussi était-il rodé et pas du tout intimidé par la présence des caméras.

Nancy vit l'expression horrifiée de Sanchez et, par réflexe, elle essaya de saisir son coéquipier par la manche. Trop tard. Il avait déjà bondi sur le podium avec entrain. Les reporters de la télévision se jetèrent sur lui.

Benjamin Wright ne put rien faire, à part déclarer :

« Très bien, l'agent spécial Will Piper va répondre à certaines de vos questions. Allez-y, Will. »

Ils se croisèrent, et Wright lui murmura à l'oreille :

« Soyez bref, et faites gaffe. »

Will passa la main dans ses cheveux et prit sa place. L'alcool et ses effets secondaires étaient à présent loin derrière lui, et il se sentait bien, plein d'ardeur. On va leur donner ce qu'ils veulent, songea-t-il. Il était photogénique : grand gaillard blond aux larges épaules, avec une fossette au menton et des yeux d'un bleu magnifique. Dans la salle de contrôle d'une chaîne de télévision, quelqu'un s'écria : « Faites-moi un gros plan sur ce mec ! »

La première question fut la suivante :

« Comment s'écrit votre nom ?

— P-I-P-E-R, comme piper les dés. »

Les journalistes se penchèrent en avant sur leur chaise. Étaient-ils en direct ? Certains anciens murmuraient à leurs jeunes collègues :

« Je me souviens de ce gars-là, il est connu. »

Q : Depuis combien de temps travaillez-vous au FBI ?

R : Dix-huit ans, deux mois et trois jours.

Q : Pourquoi tenez-vous un compte aussi précis ?

R : Je suis attentif aux détails.

Q : Quelle est votre expérience en matière de tueurs en série ?

R : J'ai passé toute ma carrière à traiter ce genre d'affaire. J'ai dirigé huit enquêtes, dont celles concernant le violeur d'Asheville et le tueur de White River à Indianapolis. Plus six autres enquêtes. Nous les avons tous attrapés, et nous aurons aussi celui-là.

Q : Pourquoi n'avez-vous pas encore établi le profil du tueur ?

R : Croyez-moi, nous avons essayé, mais il échappe aux critères habituels. Tous les meurtres sont différents. Il n'y a pas de modèle récurrent. Sans les cartes postales, il serait impossible de trouver un fil conducteur.

Q : Quelle est votre théorie ?

R : Je pense que nous avons affaire à un homme très intelligent et très pervers. Je n'ai aucune idée de ce qui le motive. Il cherche à attirer l'attention, ça, c'est sûr, et grâce à vous, il y réussit.

Q : Vous pensez que nous avons tort de couvrir l'affaire ?

R : Vous n'avez pas le choix. Je me contente d'énoncer un fait.

Q : Comment allez-vous l'attraper ?

R : Il n'est pas parfait. Il laisse des indices derrière lui, que je ne vous révélerai pas pour des raisons évidentes. Nous l'aurons.

Q : Selon vous, va-t-il encore frapper ?

R : Laissez-moi vous répondre ceci : d'après moi, il est en ce moment même devant sa télévision, alors, écoute-moi bien, car c'est à toi que je m'adresse.

Will regardait à présent droit vers la caméra. Ah, ces yeux bleus !

« Je vais finir par t'avoir et te mettre sous les verrous. Ce n'est qu'une question de temps. »

Wright, qui rongeait son frein, poussa presque Will hors du champ des caméras.

« Très bien, je crois que ça suffit pour aujourd'hui. Nous vous informerons de l'heure et du lieu de la prochaine conférence de presse. »

Les journalistes se levèrent, et une journaliste du *Post* s'écria par-dessus le brouhaha ambiant : « N'oubliez pas de nous ramener l'agent Piper comme *piper les dés* ! »

Le 941, Park Avenue était un cube de brique massif de douze étages datant d'avant-guerre. Le rez-de-chaussée et le premier étage étaient plaqués d'un beau granit blanc, et le hall d'entrée orné avec goût de marbre et de chintz. Will était déjà venu pour retracer les derniers pas de David Swisher depuis la porte de l'immeuble jusqu'à l'endroit précis où il avait été assassiné dans la 82e Rue. Il avait parcouru ce trajet dans les mêmes ténèbres qui précèdent l'aube, s'était couché par terre, à l'emplacement exact où était tombée la victime afin de visualiser la dernière image qu'elle avait eue sous les yeux avant que son cerveau s'éteigne. Un bout d'asphalte sale ? La grille noire protégeant une fenêtre ? L'aile d'une voiture garée là ? Le jeune chêne qui poussait sur un carré de terre tassée ?

L'arbre, avec un peu de chance.

Comme il s'y attendait, Helen Swisher prit Will de haut. Elle n'avait pas fait le moindre effort pour les aider au cours des dernières semaines, ne répondant pas au téléphone, prétextant un emploi du temps très chargé, des déplacements en dehors de New York.

« Mais c'est la femme d'une victime, merde alors ! avait-il dit à Nancy d'un ton agacé. Ce n'est pas un suspect ! Elle pourrait quand même coopérer un peu plus ! »

Sue Sanchez lui faisait des compliments sur sa prestation « Je suis l'homme de la situation » devant les caméras, quand l'épouse en question l'avait appelé sur son portable pour lui dire d'être ponctuel, car elle n'avait guère de temps à lui accorder. Enfin, cerise sur le gâteau, elle les accueillit dans l'appartement 9B avec un air condescendant, comme s'ils venaient chercher son tapis persan pour le nettoyer.

« Je ne vois pas ce que je pourrais vous dire que je n'aie déjà dit à la police », déclara Helen Swisher.

Elle les fit passer sous une voûte palladienne, pour les introduire dans le salon, immense pièce s'ouvrant sur Park Avenue. Will se raidit en découvrant le décor et le mobilier : cette splendeur représentait le salaire de toute une vie, avec ses meubles de famille extravagants, ses lustres et ses tapis, dont chacun valait bien le prix d'une voiture haut de gamme.

« C'est pas mal, chez vous, déclara-t-il en relevant les sourcils.

— Merci, répondit-elle avec indifférence. David aimait lire le journal du dimanche ici. Je viens de mettre cet appartement en vente. »

Ils s'assirent et elle se mit tout de suite à tripoter le bracelet de sa montre, signalant que leur temps était compté. Will dressa en hâte son profil : elle était séduisante à sa manière, mise en valeur par une coupe de cheveux impeccable et un tailleur de grand couturier. Swisher était juif, elle était sans doute issue d'une vieille et riche famille protestante. Un banquier et une avocate qui ne s'étaient pas rencontrés grâce à leurs connaissances, mais au cours de leurs activités professionnelles. Cette fille-là n'était pas froide : c'était un iceberg. L'absence visible de chagrin ne voulait pas dire qu'elle n'était pas attachée à son mari – elle l'aimait sûrement – mais elle était incapable de montrer ses sentiments. Si Will avait dû intenter un procès à quelqu'un, une personne qu'il détestait vraiment, c'est elle qu'il aurait engagée.

D'ailleurs, elle ne regardait que lui. Nancy aurait aussi bien pu être invisible. Les subordonnés, comme les associés dans le cabinet très sélect de cette brillante avocate, étaient secondaires, ils faisaient partie des meubles. C'est seulement quand Nancy ouvrit son carnet de notes qu'elle réagit à sa présence en fronçant les sourcils.

Will songea qu'il était inutile de manifester une quelconque sympathie. Il n'en avait pas envie et, de toute façon, elle n'en avait cure. Sans transition il lui demanda :

« Connaissez-vous un homme de type hispanique qui conduit une voiture bleue ?

— Dieu du ciel ! Votre enquête se limite donc à ça ?

— Pouvez-vous me répondre ? répéta-t-il en ignorant sa réaction.

— Le seul Hispanique que je connaisse est Ricardo, il venait promener notre chien. Je ne sais pas s'il possède une voiture.

— Pourquoi "venait" ?

— J'ai donné le chien de David. C'est assez amusant, l'un des infirmiers de l'hôpital Lenox Hill qui s'est occupé de lui, ce matin-là, s'est entiché de son chien.

— Puis-je avoir les coordonnées de Ricardo ? demanda Nancy.

— Bien sûr, répondit-elle en faisant la moue.

— Si vous aviez un employé pour promener votre chien, pourquoi est-ce votre mari qui l'a sorti le matin du meurtre ? interrogea Will.

— Ricardo ne venait que l'après-midi, quand nous étions au bureau. Le reste du temps, c'est David qui le sortait.

— À la même heure tous les matins ?

— Oui. Vers 5 heures.

— Qui connaissait ses habitudes ?

— Le portier de nuit, j'imagine.

— Votre mari avait-il des ennemis ? Le genre de personne qui aurait pu vouloir l'éliminer ?

— Bien sûr que non ! Les banquiers d'affaires ont des adversaires, c'est normal, mais David ne s'occupait que de transactions standard sans risque. Il n'était pas agressif, affirma-t-elle comme si c'était un défaut.

— Avez-vous reçu la liste des dernières victimes ?

— Oui, je l'ai regardée.

— Et ? »

Elle fit la grimace :

« Bien entendu, ni David ni moi ne connaissons quiconque sur cette liste ! »

Ça y est : il avait compris pourquoi elle se montrait si peu coopérative. Outre le fait d'avoir perdu un compagnon fiable, être associée à l'affaire Apocalypse lui était insupportable. Tout cet étalage était bien trop vulgaire. En effet, la plupart des victimes étaient de modestes anonymes. Le meurtre de David était mauvais pour son image, pour sa carrière. Ses partenaires, issus des meilleurs milieux, devaient murmurer dans son dos quand ils allaient pisser entre eux, ou arpenter le green. Au fond d'elle-même, elle devait en vouloir à David de s'être fait trancher la gorge.

« Las Vegas, lâcha-t-il soudain.

— Las Vegas ? répéta-t-elle d'un air soupçonneux.

— Qui David connaissait-il à Las Vegas ?

— Il s'est posé la même question quand il a vu d'où venait la carte, la veille de sa mort. Il ne se souvenait de personne en particulier, et moi non plus.

— Nous avons tenté en vain d'obtenir la liste de ses clients auprès de sa banque, fit alors Nancy.

— À qui vous êtes-vous adressés ? demanda Helen à Will.

— Au bureau du conseil d'administration.

— Je connais très bien Steve Garner. Je l'appellerai si vous voulez.

— Cela nous serait très utile. »

La sonnerie inadéquate du portable de Will retentit alors, et, sans prononcer le moindre mot d'excuse, il répondit. Il écouta son interlocuteur pendant quelques secondes, puis se leva pour s'éloigner afin de ne pas être entendu. Il se dirigea vers l'autre bout de la pièce, jusqu'à un groupe de chaises et de canapés, laissant les deux femmes plongées dans un silence embarrassant.

Pour se donner contenance, Nancy se mit à feuilleter son carnet, afin d'avoir l'air occupée ; on aurait dit un phacochère devant une lionne. L'avocate se contentait de regarder sa montre, comme si ces deux intrus pouvaient soudain disparaître par magie.

Will raccrocha et revint vers elles.

« Merci. Nous devons vous quitter. »

C'était tout. Poignées de main rapides. Ils se retrouvèrent dehors. Regards froids, pas de sentiments.

« Quelle femme sympathique, fit Will dans l'ascenseur.

— Une vraie harpie, acquiesça Nancy.

— On va à City Island.

— Pourquoi ?

— Victime n° 9. »

Elle leva la tête vers lui si vite qu'elle faillit se froisser un muscle.

L'ascenseur s'ouvrit sur le hall.

« Le vent a tourné, partenaire. On dirait bien qu'il n'y aura pas de victime n° 10. La police tient un suspect, Luis Camacho, 32 ans, Hispanique, un mètre soixante-treize, soixante-douze kilos.

— Non !

— Apparemment, il est steward. Et devinez sur quelle ligne il vole ?

— Las Vegas ?

— Gagné ! »

6 julius 777

Isle De Wiht,
Royaume De Wessex[1]

Conjonction.

Le mot résonnait dans sa tête et, quand il était seul, il arrivait parfois jusqu'à ses lèvres, ce qui le faisait trembler.

Il était préoccupé par cette conjonction, comme ses frères, mais s'estimait plus affecté que les autres – ce qui était pure spéculation, car nul ne discutait ouvertement de ce genre de sujet.

Bien sûr, tout le monde savait depuis longtemps que ce septième jour viendrait, mais le sentiment d'une menace imminente s'était accru de façon considérable après l'apparition de la comète, au mois de maius, et à

1. Au cours des âges, l'île de Wight, au sud de l'Angleterre, a changé plusieurs fois de nom. Appelée Vectis par les Romains, elle fut baptisée Wiht par les envahisseurs germaniques. Elle devint île de Wight après l'invasion de l'Angleterre par Guillaume le Conquérant. Avant cette conquête – qui unifia l'Angleterre – le pays était divisé en plusieurs royaumes, dont, au sud-ouest, celui du Wessex. *(N.d.T.)*

présent, deux mois plus tard, on distinguait toujours sa queue de feu à travers le ciel nocturne.

Le prieur Josephus s'était réveillé avant que la cloche sonnât les laudes. Il repoussa sa rude couverture, se leva, se soulagea dans son pot de chambre, puis s'aspergea le visage d'un peu d'eau fraîche dans une bassine. Une chaise, une table, une paillasse à même le sol de terre battue, ainsi était meublée sa cellule dépourvue de fenêtre ; sa tunique blanche de laine crue et ses sandales de cuir étaient ses seuls biens en ce bas monde.

Et il était heureux.

Arrivé dans sa quarante-quatrième année, son crâne commençait à se dégarnir, et son corps à s'empâter, en raison de son goût pour la cervoise bien charpentée que produisait la brasserie de l'abbaye. Sa calvitie facilitait l'entretien de sa tonsure et, chaque mois, la tâche était aisée pour Ignatius, le barbier chirurgien, qui le renvoyait en tapotant son crâne dénudé avec un clin d'œil fraternel.

Josephus était entré au monastère à l'âge de 15 ans. En tant qu'oblat, il avait dû se cantonner aux parties les plus reculées du monastère jusqu'à la fin de son initiation, lorsqu'il était enfin devenu membre à part entière de la communauté. Dès son arrivée, il avait su qu'il passerait toute sa vie en ces lieux, qu'il mourrait entre ces murs. Son amour pour Dieu et les liens fraternels tissés avec les autres moines étaient si forts que, souvent, il versait des larmes de joie, tempérées par la seule culpabilité de savoir quelle était sa fortune en comparaison des âmes nombreuses et misérables qui peuplaient cette île.

Il s'agenouilla près de sa couche et, suivant la tradition mise en œuvre par saint Benoît lui-même, commença sa journée spirituelle par la prière du Seigneur afin que, comme l'avait écrit le saint, « les épines du scandale susceptibles d'apparaître » fussent épargnées à la communauté.

Pater noster, qui es in caelis :
Sanctificetur Nomen Tuum ;
Adveniat Regnum Tuum ;
Fiat voluntas Tua...

Il acheva et se signa, alors que retentissait la cloche de l'abbaye. Attachée dans le beffroi par une lourde corde, elle avait été fabriquée vingt ans plus tôt par Matthias, le forgeron de la communauté, ami cher à Josephus, mort depuis longtemps de la vérole. Le son mélodieux du battant contre les pans d'acier lui rappelait toujours le rire franc de cet homme aux joues rubicondes. Il commençait à songer à son ami, quand le mot « conjonction » s'imposa à lui.

Il y avait des corvées à terminer avant les laudes : en tant que prieur, il devait superviser le travail des novices et des jeunes moines. À l'extérieur, régnait une agréable fraîcheur. La nuit était d'un noir d'encre, et l'air humide était empreint d'une odeur marine. À l'étable, les vaches avaient le pis gonflé de lait, et il eut la bonne surprise de constater que les jeunes hommes étaient déjà bien engagés dans leur tâche.

« La paix soit avec vous, mes frères. »

Il passa parmi eux, touchant l'épaule de chacun. Soudain, il s'arrêta, pétrifié : il y avait là sept vaches et sept hommes.

Sept.

Le chiffre mystérieux de Dieu.

Ce chiffre figurait partout dans le livre de la Genèse : sept ciels, sept trônes, sept sceaux, sept églises. Les murs de Jéricho étaient tombés au septième jour du siège. Dans l'Apocalypse, sept esprits de Dieu étaient envoyés sur la Terre. Sept générations séparaient David de la naissance de Jésus-Christ, le Seigneur.

À présent, on était à la veille du septième jour du septième mois de l'an de grâce 777, en conjonction avec l'arrivée de la comète que Paulinus, l'astronome de l'abbaye, avait par prudence nommée Cometes Luctus, la comète de la lamentation.

Enfin, il y avait le problème de Santesa, l'épouse d'Ubertus, le tailleur de pierre, dont la grossesse arrivait à son terme.

Comment les autres pouvaient-ils demeurer si placides ?

Au nom de Dieu, qu'allait donc leur apporter le jour suivant ?

La nouvelle église de l'abbaye de Wiht était encore un vaste chantier, source d'une immense fierté pour toute la communauté. Le lieu de culte des origines, en bois et chaume, construit un siècle plus tôt, était un bâtiment solide qui avait bien résisté aux rafales des vents du large et aux assauts des tempêtes. L'histoire de l'église et de l'abbaye était fort documentée, car certains des frères les plus âgés en avaient connu les fondateurs. En vérité, dans sa jeunesse, l'un d'eux, le vieil Alric, à présent trop infirme pour quitter sa cellule, ne fût-ce que pour la messe, avait même rencontré Birinus, l'ardent évêque de Dorchester.

Birinus était un Franc, arrivé dans le Wessex en 634, après avoir été nommé évêque par le pape Honorius, avec pour mission de convertir les mécréants saxons de l'ouest. Très vite, il devint arbitre dans la guerre civile qui déchirait cette terre oubliée de tous. Il tenta de forger une alliance entre le grossier roi des Saxons de l'Ouest, Cynegils, et le roi de Northumbrie, Oswald, personnage beaucoup plus fréquentable car chrétien. Toutefois, ce dernier refusait de conclure un pacte avec un incroyant, aussi Birinus, sentant que s'offrait à lui une chance formidable, convainquit le souverain barbare de se convertir et, au nom du Christ, versa lui-même l'eau du baptême sur sa tignasse crasseuse.

S'ensuivit une alliance avec Oswald, puis une paix durable. Par gratitude, Cynegils fit don de Dorchester à Birinus en guise de siège épiscopal, et il en devint le bienfaiteur. L'évêque, quant à lui, se mit en devoir de fonder des abbayes dans la tradition de saint Benoît à travers les régions du Sud. Quand la charte de création de l'abbaye de Wiht fut établie en 686, année de la grande épidémie de peste, la dernière des îles du grand archipel entra dans le giron de la chrétienté. Cynegils légua à l'Église six mille acres de bonnes terres irriguées par des ruisseaux, sur une île dont l'accès était facile depuis les rivages du Wessex.

À présent, il revenait à Aetia, le nouvel évêque de Dorchester, de faire passer l'argent des bourses des maisons royales dans celle de l'Église. Il avait réussi à persuader le roi Offa de Mercie du bénéfice spirituel que la gloire de l'abbaye de Wiht ferait rejaillir sur lui – le passage du bois à la pierre était un hymne au Seigneur. « Car en vérité, le prestige demeure plus longtemps sous forme de pierre que de bois », avait murmuré l'homme d'Église au souverain.

Dans une carrière située non loin de l'abbaye, des tailleurs de pierre italiens travaillaient donc depuis deux ans, découpant des blocs de calcaire qui étaient ensuite emportés sur des chars à bœufs jusqu'au chantier. Là, des maçons les élevaient les uns au-dessus des autres, érigeant peu à peu les murs de l'église en s'appuyant sur la vieille structure en bois de l'édifice ancien. Tout le jour, retentissait le martèlement métallique des ciseaux sur la pierre, cessant seulement pendant l'office, quand les moines se rendaient dans le sanctuaire pour la prière ou la contemplation silencieuse.

Sur le chemin de l'église, Josephus passa par le dortoir et ouvrit sans bruit la porte d'Alric pour s'assurer que le vieillard avait bien passé la nuit. Il fut rassuré en l'entendant ronfler, et murmura une prière au-dessus du vieux corps recroquevillé, avant de s'éclipser sans bruit pour rejoindre le sanctuaire par l'escalier de nuit.

Une douzaine de chandelles à peine éclairaient l'édifice, mais leur lumière suffisait à prévenir tout accident. Là-haut, dans les ténèbres, le prieur distingua les silhouettes des chauves-souris, fusant entre les poutres. Les frères formaient deux rangs face à face, de part et d'autre de l'autel, attendant patiemment l'arrivée de l'abbé. Josephus vint prendre place près de Paulinus, petit moine nerveux. S'ils n'avaient point entendu alors s'ouvrir la lourde porte principale, peut-être eussent-ils échangé quelque salut furtif. Cependant, l'abbé arrivait, et ils gardèrent le silence.

L'abbé Oswyn était un homme imposant, aux longs membres et aux larges épaules, qui pendant une bonne partie de sa vie avait dominé ses frères d'une tête, mais que l'âge avait cassé en deux, tordant sa colonne vertébrale jusqu'à la plier. Ainsi donc, ses yeux étaient en permanence tournés vers le sol désormais et, depuis quelques années il lui était impossible de les lever vers les cieux. Avec le temps, son humeur s'en était trouvée affectée, ce qui avait inexorablement jeté un voile d'ombre sur toute la communauté.

Les moines entendirent son pas traînant qui frottait sur le plancher. Comme à l'accoutumée, il avançait tête baissée, et la lueur des chandelles se reflétait sur son crâne brillant et sa frange impeccable.

Avec lenteur, il grimpa jusqu'à la chaire, grimaçant sous l'effort, et s'installa en haut, sous le ciborium de noyer poli.

Il posa les mains à plat sur le bois frais et lisse de la tablette, puis de sa voix nasale, haut perchée, il commença :

« *Aperi, Domine, os meum ad benedicendum nomem sanctum tuum.* »

Les moines priaient et chantaient, appelaient et répondaient, leurs voix se mêlaient et emplissaient le sanctuaire. Combien de milliers de fois Josephus avait-il prononcé ces prières ? Pourtant, aujourd'hui, il éprouvait le besoin fervent d'en appeler à la miséricorde du Christ, à son pardon, et ses yeux se mouillèrent de larmes quand il récita le dernier verset du psaume 148 :

« *Alleluja, laudate Dominum de caelis, alleluja, alleluja !* »

C'était une journée belle et douce, et l'abbaye bourdonnait d'activité. Josephus traversa la pelouse fraîchement fauchée du cloître pour commencer sa tournée du matin, au cours de laquelle il inspectait les activités les plus importantes de la communauté. D'après le dernier recensement, il y avait quatre-vingt-trois âmes à l'abbaye, sans compter les journaliers, et chacun escomptait voir le prieur au moins une fois par jour. Or, Josephus ne faisait pas les choses au hasard : il suivait un itinéraire quotidien bien défini et connu de tous.

Il commençait par les maçons, afin de mesurer l'avancée des travaux. Ce matin-là, il nota avec inquiétude qu'Ubertus manquait à l'appel. Il se mit en quête de son fils aîné, Julianus, grand gaillard très jeune dont la peau tannée luisait de sueur. Ainsi apprit-il que Santesa était sur le point d'accoucher, et qu'Ubertus reviendrait quand tout serait terminé.

« Mieux vaut que ce soit aujourd'hui que demain, pas vrai ? Enfin, c'est ce que les gens disent. »

Josephus acquiesça avec solennité, et demanda qu'on le tînt informé de la naissance du bébé. Il passa ensuite au cellier, pour inspecter les réserves de viande et de légumes ; puis au grenier, pour s'assurer que les souris ne nichaient point dans le blé. À la brasserie, il dut s'arrêter pour goûter chaque tonneau, et comme il n'était pas sûr de lui, dut recommencer l'opération. Ensuite, il s'en fut aux cuisines, voisines du réfectoire, pour voir si tout était en ordre du côté des moniales et des novices. Après cela, ce fut au tour du lavatorium, où il vérifia que de l'eau propre alimentait bien les auges où les membres de la communauté procédaient à leurs ablutions, et enfin les fosses d'aisance, qu'il inspecta tout en retenant sa respiration.

Au potager, il alla voir si les moines parvenaient à empêcher les lapins de s'attaquer aux jeunes plants. Puis il longea l'enclos des chèvres pour se rendre dans son bâtiment préféré, le scriptorium, où Paulinus veillait sur six frères penchés vers leur écritoire, recopiant avec art la *Règle* de saint Benoît et la sainte Bible.

Josephus aimait par-dessus tout ce lieu en raison de son silence et de la noblesse de sa vocation, mais aussi parce que Paulinus était pieux et d'une parfaite érudition. Si l'on avait une question concernant les cieux, les saisons ou n'importe quel autre phénomène naturel, il était toujours là pour fournir une interprétation subtile et patiente. L'abbé interdisait les conversations futiles, mais Paulinus était une excellente source de propos sérieux, ce que Josephus goûtait fort.

Le prieur se glissa dans le scriptorium en prenant soin de ne point rompre la concentration des copistes. Le silence était seulement troublé par le grattement des plumes sur le parchemin. Il fit un signe de tête à Paulinus, qui lui répondit en esquissant un sourire. Faire preuve d'une plus grande complicité eût été déplacé, toutes les manifestations d'affection étant réservées au Seigneur. Paulinus lui fit signe de sortir.

« Je te souhaite une bonne journée, mon frère, fit Josephus en plissant les yeux dans la lumière de midi.

— À toi de même. Ainsi donc, demain est le jour du Jugement dernier, murmura-t-il avec inquiétude.

— Oui, oui. Il est enfin arrivé.

— Cette nuit, j'ai longuement observé la comète.

— Et ?

— Quand minuit vint, elle se fit plus brillante, et devint rouge. De la couleur du sang.

— Que cela signifie-t-il ?

— Je crois que c'est un mauvais présage.

— On m'a dit que le travail a commencé chez Santesa », ajouta Josephus avec espoir.

Paulinus croisa les bras sur sa robe et une moue sceptique se dessina sur sa bouche.

« Et tu crois que parce qu'elle a donné naissance par neuf fois déjà, cet enfant viendra au monde dans la hâte ? Qu'il naîtra le sixième jour de ce mois plutôt que le septième ?

— Eh bien, on peut l'espérer.

— Elle était de la couleur du sang », insista l'astronome.

Le soleil avait atteint son zénith, et Josephus se dépêcha de terminer son inspection quotidienne avant que la communauté s'assemblât de nouveau dans le sanctuaire pour l'office de sexte. Il longea d'un pas rapide le dortoir des moniales, et entra dans la salle capitulaire, où les rangées de bancs étaient vides à présent, attendant l'heure où l'abbé lirait un chapitre de la *Règle* de saint Benoît. Un moineau y était entré et battait des ailes, affolé, aussi Josephus laissa-t-il les portes ouvertes pour qu'il pût ressortir. Derrière, il frappa à la porte de la pièce adjacente, les appartements privés de l'abbé.

Oswyn était assis à sa table d'étude, penché sur sa bible. Des rais d'or tombaient du vitrail de la fenêtre, frappant la table selon un angle parfait qui semblait nimber le livre saint d'un vif halo orange. Le vieil homme se redressa de manière à voir le prieur :

« Ah, Josephus. Où en sommes-nous, ce matin ?

— Tout va bien, mon père.

« — Et la construction de notre église ? Où en est la deuxième voûte du mur est ?

— Elle est presque achevée. Toutefois, Ubertus, le tailleur de pierre, est absent ce matin.

— Est-il souffrant ?

— Non, son épouse va mettre au monde un enfant.

— Ah, oui, je m'en souviens. »

Il attendait que le prieur lui en dît plus, mais celui-ci garda le silence.

« Cette naissance vous causerait-elle du souci ? reprit Oswyn.

— Le moment est plutôt mal venu.

— Le Seigneur nous protégera, prieur Josephus, vous pouvez en être assuré.

— Oui, mon père. Je me demandais toutefois si je ne devrais point aller voir au village.

— Dans quel but ? fit sèchement l'abbé.

— Au cas où la présence d'un homme de Dieu serait nécessaire, répondit-il avec humilité.

— Vous connaissez mon opinion quant au fait de quitter notre abbaye. Nous sommes des serviteurs du Christ, Josephus, nous ne sommes point au service de l'homme.

— Oui, mon père.

— Les villageois vous ont-ils mandé ?

— Non, mon père.

— Dans ce cas, je vous prierai de ne point vous en mêler, dit-il en se levant avec peine. À présent, rendons-nous à l'office de sexte, et rejoignons nos frères et nos sœurs pour prier le Seigneur. »

Les vêpres, l'office du soir, étaient le moment préféré de Josephus, car l'abbé autorisait alors sœur

161

Magdalena à jouer du psaltérion pour accompagner la prière. Ses longs doigts pinçaient les dix cordes de l'instrument avec art, et la perfection du son alliée à la précision du rythme montrait, Josephus en était sûr, la magnificence du Tout-Puissant.

Après le service, moines et moniales regagnaient tous leur dortoir respectif, longeant les blocs de pierre, les gravats et les échafaudages laissés par les maçons italiens. Dans sa cellule, Josephus essayait de faire le vide dans son esprit pour entrer en prière, mais sa concentration était sans cesse interrompue par de petits bruits dans le lointain. Quelqu'un approchait-il de l'abbaye ? Avait-on des nouvelles de la naissance ? Il s'attendait à tout moment à entendre carillonner la clochette des visiteurs.

Il n'avait pas vu le temps passer. L'heure des complies était arrivée et le moment venu de retourner dans l'église pour le dernier office du jour. Comme il était trop soucieux, sa méditation n'avait point été satisfaisante, et il pria pour être pardonné. Quand le dernier verset du dernier psaume eut été prononcé, il observa l'abbé qui descendait avec précaution de la chaire : jamais Oswyn ne lui avait paru si frêle, si vieux.

Le sommeil de Josephus fut agité, bousculé par des rêves de comètes rouge sang, et de bébés aux yeux rutilants. Dans l'un de ces songes, les gens s'étaient rassemblés sur la place du village, appelés par le tocsin que sonnait un homme pourvu d'un bras fort, alors que l'autre était tout ratatiné. Ce sonneur affolé pleurait et, en sursaut, Josephus s'éveilla en réalisant que cet homme n'était autre qu'Oswyn.

On frappait à sa porte.

« Oui ? »

Il entendit une jeune voix répondre :

« Prieur Josephus, je suis désolé de vous réveiller.

— Entrez. »

C'était Théodore, novice qui cette nuit-là était de veille à la porte du monastère.

« Julianus, le fils d'Ubertus, le tailleur de pierre, est là. Il demande que vous l'accompagniez jusqu'à la maison de son père. Sa mère vit un accouchement difficile, et elle pourrait ne pas survivre.

— L'enfant est-il né ?

— Non, mon père.

— Quelle heure est-il, mon fils ? » Josephus posa les pieds sur le sol et se frotta les yeux.

« C'est la onzième heure, mon père.

— Nous sommes donc bientôt au septième jour. »

Le chemin du village était strié d'ornières creusées par les chars à bœufs et, en cette nuit sans lune, Josephus craignait de se tordre la cheville. Il faisait de son mieux pour suivre les longues enjambées assurées de Julianus, afin de ne point le perdre de vue et s'égarer. Une brise fraîche et légère portait à ses oreilles le froissement d'ailes des criquets et les cris des mouettes. D'ordinaire, cette musique nocturne lui eût réjoui le cœur ; en cette heure sombre, il y prêtait à peine attention.

Alors qu'ils approchaient du village des tailleurs de pierre, le moine entendit la cloche de l'abbaye sonner la prière nocturne.

Minuit.

Oswyn apprendrait son expédition, et le prieur en était sûr, cela ne lui plairait guère.

Étant donné l'heure, le village était étonnamment animé. Au loin, par les portes entrouvertes, le moine voyait des lampes briller dans les petites chaumières, des torches suivant le tracé de la route, des signes d'activité çà et là. Plus il approchait plus il était clair que la maison d'Ubertus était au centre de tout ce remue-ménage. Les villageois s'étaient regroupés autour, et leurs flambeaux projetaient de fantastiques ombres allongées. Trois hommes, tournés vers l'intérieur, encombraient la porte. Leurs dos formaient un mur qui bloquait l'entrée. Josephus entendit leurs propos enfiévrés en italien, et quelques bribes de prière en latin que les tailleurs de pierre avaient entendues dans l'église, et qu'ils avaient volées, telles des pies.

« Faites place, voici venir le prieur de l'abbaye », déclara Julianus.

Les hommes se signèrent, puis se retirèrent en s'inclinant.

Un cri fusa de l'intérieur, celui d'une femme en proie aux douleurs de l'enfantement, un cri à vous glacer le sang, qui vous transperçait jusqu'aux os. Josephus sentit ses jambes faiblir, et il murmura « Ayez pitié, mon Dieu », avant de se forcer à entrer.

La chaumière était envahie par la famille et les voisins, au point que deux personnes durent se pousser pour faire place à Josephus. Assis près de l'âtre, se trouvait Ubertus, un homme aussi dur que le calcaire qu'il taillait, effondré, la tête dans les mains.

En voyant le moine, il s'écria d'une voix brisée par la fatigue :

« Prieur Josephus, vous êtes venu, merci, mon Dieu. Je vous en supplie, priez pour Santesa ! Priez pour nous tous ! »

Entourée de femmes, son épouse gisait sur le lit, allongée sur le côté, genoux serrés contre son ventre protubérant. Sa robe remontée haut laissait apparaître ses cuisses marbrées. Son visage était cramoisi, grimaçant, presque inhumain.

Il y a en elle quelque chose d'animal, songea Josephus. Peut-être est-elle déjà la proie du démon.

Une femme dodue, en qui il reconnut l'épouse de Marcus, le chef des maçons, semblait diriger les opérations. Au pied du lit, elle regardait par intervalles réguliers sous la robe de Santesa, lui claironnant des ordres d'une voix forte. Ses cheveux étaient tressés et relevés pour ne pas lui tomber dans les yeux, et ses mains et son tablier étaient couverts d'une substance rose, gélatineuse. Le moine s'aperçut que le ventre de Santesa luisait d'un liquide rouge, et il vit alors la patte ensanglantée d'une grue sur le lit. De la sorcellerie. Il ne pouvait fermer les yeux là-dessus.

La sage-femme se retourna pour montrer au prieur qu'elle avait bien noté sa présence :

« Il se présente mal. »

Le moine s'approcha lentement et, soudain, la sage-femme souleva la robe pour lui montrer un minuscule pied pourpre, surgissant du corps de la mère infortunée.

« C'est un garçon ou une fille ? »

Elle reposa le tissu :

« Un garçon. »

Josephus déglutit, se signa et tomba à genoux :

« *In nomine patri, et filii, et spiritus sancti...* »

Mais malgré ses prières, il souhaitait de toute son âme que l'enfant fût mort-né.

Par une nuit de novembre, neuf mois plus tôt, le vent soufflait en rafales autour de la chaumière du tailleur de pierre. Ubertus alimenta le feu pour la dernière fois, puis il alla voir ses enfants qui dormaient par groupes de deux ou trois, à l'exception de Julianus qui était assez grand pour disposer de sa propre paillasse. Il se glissa ensuite dans son lit, près de sa femme. Elle glissait déjà vers le sommeil, épuisée au terme d'une longue journée de labeur harassant.

Ubertus tira l'épaisse couverture de laine sur son menton. Il l'avait apportée d'Ombrie dans un coffre en bois de cèdre, et il était content d'en disposer sous ce climat rigoureux. Il sentit le corps de Santesa à ses côtés et posa la main sur sa poitrine qui montait et s'abaissait doucement. Il était plein de désir, et ses besoins seraient assouvis. Diantre, il méritait bien un peu de plaisir en ce bas monde où la vie était si difficile. Sa main descendit plus bas et il écarta les jambes de son épouse.

À 34 ans, la beauté de Santesa s'était fanée. Neuf naissances en avaient eu raison. Elle était devenue bouffie, hagarde, et ses molaires pourries lui causaient des douleurs chroniques. Mais elle était vaillante, aussi quand elle prit conscience des intentions de son mari, elle soupira et se contenta de murmurer : « C'est la période du mois où il faut penser aux conséquences. »

Il savait parfaitement ce qu'elle voulait dire.

La mère d'Ubertus avait eu treize enfants : huit garçons et cinq filles. Seuls neuf d'entre eux avaient atteint l'âge adulte. Ubertus était le septième fils, charge qu'il apprit à porter en grandissant. Si jamais il avait lui-même un septième fils, selon la légende, ce garçon serait un sorcier, un suppôt des puissances du mal, un démon disaient certains. Dans leur village des collines, tout le monde connaissait la malédiction qui pesait sur le septième fils d'un septième fils, mais à vrai dire, nul n'avait jamais rencontré pareille engeance.

Dans sa jeunesse, Ubertus avait été un séducteur, et il jouait de l'image dangereuse du potentiel qui sommeillait dans ses entrailles. Peut-être avait-il usé de ce charme pour attirer Santesa, la plus jolie fille du village. En vérité, ces deux-là avaient roucoulé pendant des années, mais après la naissance de leur sixième fils, Lucius, leur vie de couple avait pris une tournure plus grave. Chacun de leurs trois bébés suivants leur avait causé moult soucis. Santesa essayait de deviner le sexe de l'enfant : elle se piquait le doigt d'une épine, et laissait tomber la goutte de sang dans un bol d'eau de source. Si elle sombrait, cela signifiait que ce serait un garçon, mais si elle flottait, alors c'était une fille. Par bonheur, à chaque naissance, elle avait eu des filles.

Ubertus vint en elle. Elle retint sa respiration et murmura : « Je prie pour que ce soit encore une fille. »

Au chevet de Santesa, en plein cœur de la nuit, la situation s'aggravait en dépit des prières de Josephus. La pauvre mère était à présent trop faible pour crier, et sa respiration se faisait courte, rapide. Le minuscule pied déjà sorti virait au bleu foncé, de ce ton de glaise que les potiers de l'abbaye affectionnaient.

Enfin, la sage-femme déclara qu'il fallait désormais prendre une décision, ou bien tout était perdu. S'ensuivit un débat passionné, qui aboutit vite à un consensus : il fallait extraire l'enfant par la force. La sage-femme l'empoignerait à deux mains par les jambes et tirerait aussi fort qu'il serait nécessaire. Selon toute probabilité, cette manœuvre serait fatale au nourrisson, mais la mère serait sauvée. Ne rien faire les condamnait tous deux à une mort certaine.

Elle se tourna alors vers Josephus pour recevoir sa bénédiction.

Il acquiesça. Il le fallait.

Ubertus se tenait au bord du lit, observant le drame qui se déroulait sous ses yeux, ses énormes bras musculeux ballants, inertes. « Je t'en supplie, Seigneur ! », s'écria-t-il, mais nul ne savait s'il priait pour son épouse ou pour son fils.

La sage-femme se mit à tirer. D'après son visage crispé, elle fournissait un gros effort. Santesa murmura quelque chose d'indistinct ; elle était à présent au-delà de la douleur.

La sage-femme lâcha l'enfant, retira ses mains pour les essuyer sur son tablier et reprendre sa respiration. Puis elle reprit les jambes du nourrisson.

Cette fois, cela bougea : lentement, elle parvint à extraire le nouveau-né. Genoux, cuisses, pénis, fesses. Soudain, il fut dehors. Le corps de sa mère expulsa la tête, et le garçon se retrouva dans les bras de la sage-femme.

C'était un gros bébé, bien proportionné, mais sans vie, le teint bleuâtre. Tous les hommes, femmes et enfants présents dans la pièce virent avec effroi le placenta sortir et choir sur le sol. C'est alors que la poitrine du nouveau-né se souleva, et qu'il inspira. Nouvelle respiration. Quelques instants plus tard, le nourrisson bleu était rose, et il vagissait comme un goret.

Au moment où la vie envahissait l'enfant, elle quittait sa mère. Elle expira son dernier souffle. Son corps était inerte.

Ubertus hurla de douleur, et arracha le garçonnet des bras de la sage-femme.

« Ce n'est pas mon enfant ! beugla-t-il. C'est le fils du démon ! »

Avec précipitation, traînant le placenta sur le sol de terre battue, il fendit la foule à coups d'épaules et sortit. Josephus resta interdit. Il bredouilla, mais aucun mot ne sortit de sa bouche.

Debout au milieu du chemin, Ubertus tenait entre ses mains dures comme pierre son fils qui s'époumonait. Alors, dans la lumière des torches des villageois, il empoigna le cordon ombilical, et brandit le bébé telle une lance.

Soudain, il écrasa le petit corps contre la terre.

« Un ! », s'écria-t-il.

Il le souleva de nouveau au-dessus de sa tête, et le frappa au sol :

« Deux ! »

Et ainsi de suite :

« Trois ! Quatre ! Cinq ! Six ! Sept ! »

Puis il lâcha la carcasse sanguinolente, broyée, et, tel un somnambule, revint à sa chaumière.

« Tout est terminé. Je l'ai tué. »

Il ne comprenait pas pourquoi personne ne faisait plus attention à lui.

En effet, tous les regards étaient désormais rivés sur la sage-femme, penchée sur la dépouille sans vie de Santesa, et qui s'affairait entre ses jambes.

L'apparition d'une tignasse rousse fut un choc.

Suivit un front.

Un nez.

Au comble de la stupeur, Josephus regardait, incrédule. Un autre enfant sortait de ces entrailles inanimées.

« *Mirabile dictu !* », marmonna-t-il.

La sage-femme fit la grimace et dégagea le petit menton, puis une épaule, et enfin un long corps grêle. C'était un autre garçon, qui sans délai se mit à respirer.

« Un miracle ! », dit un homme.

Et tout le monde répéta ses paroles.

Ubertus s'approcha en titubant, et fixa le tableau qui se présentait à lui d'un œil vitreux.

« Voici mon huitième fils ! s'exclama-t-il. Oh, Santesa, tu as fait des jumeaux ! »

Il toucha la joue du nouveau-né d'un geste prudent, comme par peur de se brûler.

Le bébé se tortillait dans les bras de la sage-femme, mais il ne pleurait pas.

Neuf mois plus tôt, quand Ubertus eut versé sa semence, celle-ci se répandit dans les entrailles de Santesa. Ce mois-là, elle avait produit non pas un, mais deux ovules.

Le second à être fertilisé donna l'enfant qui gisait à présent fracassé entre les ornières du chemin.

Le premier œuf, le septième fils, devint le nourrisson roux qui faisait à présent l'objet de tous les regards médusés.

19 mars 2009

LAS VEGAS, ÉTATS-UNIS

Enfant unique, élevé à Lexington, dans le Massachusetts, Mark Shackleton n'avait guère fait l'expérience de la frustration au début de sa vie. Attentionnés, ses parents veillaient à satisfaire chacun de ses caprices et il grandit sans vraiment savoir ce que le mot « non » signifiait. Sa vie intérieure ne connaissait pas non plus de frustrations, car son esprit rapide et analytique réglait les problèmes avec efficacité, et apprendre lui était facile.

Ingénieur dans l'aérospatiale à Raytheon, Dennis Shackleton était fier d'avoir transmis à son fils le gène des maths. Lors du cinquième anniversaire de son rejeton, une petite fête de famille fut donnée dans leur maison bien ordonnée.

À un moment, Dennis sortit une feuille blanche et un stylo en clamant : « Le théorème de Pythagore ! » Sentant posés sur lui les regards de ses grands-parents, oncles et tantes, le petit garçon se dirigea vers la table de la salle à manger où il saisit le gros crayon. Il s'installa et dessina un grand triangle rectangle, sous lequel il écrivit : $a^2 + b^2 = c^2$.

« Bravo ! s'exclama son père en remontant ses lourdes lunettes noires sur son nez. À présent, dis-moi, qu'est-ce que c'est, ça ? »

Il désignait le côté le plus long du triangle. Les grands-pères se mirent à glousser en observant le visage de l'enfant déformé par la concentration, qui finit par s'écrier :

« L'hippopotame ! »

Les premières frustrations de Mark apparurent à l'adolescence, quand il se rendit compte que son corps n'avait pas suivi le même extraordinaire développement que son esprit. Il se sentait supérieur – non, il l'était ! – aux sportifs et autres pitres qui peuplaient son lycée, mais les filles, hélas incapables de voir plus loin que ses jambes maigrichonnes et son torse frêle, ignoraient le vrai Mark, éblouissant intellectuel à la conversation fascinante, écrivain en devenir qui élaborait des histoires compliquées de science-fiction où des extraterrestres vainquaient leurs adversaires grâce à leur intelligence supérieure, et non par la force brute. Si seulement ses jolies camarades à l'opulente poitrine lui avaient parlé, au lieu de s'esclaffer sur son passage, ou bien quand sa main s'élevait, frénétique, de la rangée de devant !

La première fois que l'une d'entre elles lui dit non, il se jura que ce serait la dernière. En classe de première, il trouva en effet le courage nécessaire pour proposer à Nancy Kislik de l'accompagner au cinéma. Elle lui lança un regard étrange, et répondit avec froideur : « Non. » Ainsi se détourna-t-il de ce genre de chose pendant de longues années. Il se jeta à corps perdu dans les univers parallèles des clubs de maths et d'informatique, où il devint premier parmi les derniers, élu parmi les laissés-pour-compte. Les chiffres, eux, ne lui disaient jamais non.

Ni les ordinateurs. C'est seulement bien longtemps après avoir quitté le MIT, jeune cadre d'une compagnie de sécurité informatique, bardé de stock-options et propriétaire d'une décapotable, qu'il parvint enfin à sortir avec une simple analyste de base.

À présent, Mark arpentait sa cuisine d'un pas nerveux, se transformant peu à peu en son alter ego, Peter Benedict, un affranchi de Las Vegas, joueur hors pair, scénariste à Hollywood. Bref, très différent de Mark Shackleton, petit employé du gouvernement, fondu d'informatique. Il prit plusieurs inspirations profondes, et but le restant de son café maintenant tiède. « Aujourd'hui, c'est le grand jour ! » Il se mit en condition, priant presque… jusqu'à ce qu'il aperçoive son reflet haï dans un miroir. Mark, Peter, il n'y avait aucune différence. C'était un gringalet au nez crochu, au crâne dégarni. Il eut beau lutter, un mot détestable s'immisça malgré tout en lui : minable.

Il s'était attelé à son nouveau scénario, *Compteurs*, tout de suite après son rendez-vous chez ATI. Penser à Bernie Schwartz et ses masques africains le mettait mal à l'aise, mais après tout, ce dernier ne lui avait-il pas commandé ou presque un script sur les compteurs de cartes ? Son premier rendez-vous avec lui avait été pour Peter une expérience atroce. Il aimait son scénario avec toute l'affection qu'on éprouve pour un premier-né. Toutefois, il avait à présent un nouveau projet : il vendrait son second script, puis s'en servirait pour ressusciter le précédent. Il s'était juré de ne jamais l'abandonner.

Ainsi se jeta-t-il à corps perdu dans ce nouveau projet. Tous les soirs, en rentrant du travail, comme tous les week-ends, il enchaînait scènes d'action et dialogues, et au bout de trois mois, il avait terminé. Et le résultat lui semblait plus que satisfaisant, génial, peut-être.

Tel qu'il le voyait, le film servirait avant tout à mettre en valeur de grandes stars qui, s'imaginait-il, viendraient le voir sur le lieu du tournage – pourquoi pas le Constellation ? – pour lui dire à quel point elles aimaient les répliques qu'il leur avait peaufinées. Il y avait tout dans cette histoire : une intrigue, des rebondissements, de la séduction, tout ça gravitant dans l'univers extraordinaire des casinos, du jeu, des tricheurs. ATI en tirerait des millions, et il troquerait son existence misérable au fond d'un labo perdu au milieu du plein désert, avec ses quelque cent trente mille dollars d'économies, pour une vie nouvelle, dans une belle demeure des collines de Hollywood, où il discuterait directement avec les metteurs en scène, assisterait aux premières, et serait enfin sous les feux de la rampe. Il n'avait pas encore 50 ans. Tous les espoirs étaient permis.

Mais d'abord, il fallait que Bernie Schwartz dise oui. Le simple fait de l'appeler était déjà compliqué pour Mark. Il commençait à travailler trop tôt le matin et rentrait trop tard le soir pour pouvoir le joindre de chez lui. Or, à son bureau, les appels extérieurs étaient interdits. Quand on travaille profondément enterré sous terre, sortir passer un coup de fil est impossible. Si tant est que les portables soient autorisés ! Or, bien sûr, ils étaient interdits. Cela signifiait qu'il devait feindre d'être malade pour rester à Las Vegas afin de téléphoner à Los Angeles. Toutefois, s'il était trop souvent absent, ses supérieurs risquaient de se poser des questions et de demander qu'il soit examiné par des médecins du centre.

Il composa le numéro et attendit la formule habituelle :

« ATI, bonjour, à qui désirez-vous parler ?

— À Bernard Schwartz, s'il vous plaît.

— Je vous mets en relation, ne quittez pas. »

Depuis deux semaines, un morceau de Bach pour clavecin servait de musique d'attente. Cela calmait l'anxiété de Mark de façon mathématique, car il voyait dans sa tête se dessiner les modèles musicaux. Appeler cet homme répugnant mais incontournable était pour lui un vrai calvaire.

Le clavecin se tut :

« Bonjour, ici le bureau de Bernard Schwartz, Roz à votre service.

— Bonjour, Roz, c'est Peter Benedict. Puis-je parler à M. Schwartz ? »

Silence gêné, puis elle répondit d'un ton glacial : « Bonjour, Peter, je suis désolée, mais il n'est pas dans son bureau. »

Frustration.

« Mais Roz, ça fait sept fois que j'appelle !

— J'en suis consciente, Peter. C'est la septième fois que je vous réponds.

— Savez-vous s'il a lu mon scénario ?

— Je ne suis pas certaine qu'il s'en soit encore occupé.

— Quand j'ai appelé la semaine dernière, vous aviez dit que vous alliez vous renseigner.

— Eh bien, la semaine dernière, ce n'était pas le cas.

— Croyez-vous qu'il va le lire cette semaine ? », supplia-t-il.

Silence. Il eut l'impression d'entendre le cliquetis rapide d'un stylo à bille.

« Écoutez, Peter, vous êtes un garçon sympathique. Je ne suis pas censée vous dire ça, mais nous avons reçu l'avis de nos lecteurs concernant *Compteurs*. Il n'était pas favorable. Vous perdez votre temps en appelant ici. M. Schwartz est un homme très occupé, et il ne donnera pas suite à ce projet. »

Mark déglutit. Il serrait le téléphone si fort qu'il en eut mal à la main.

« Allô, Peter ? »

Il avait la gorge serrée.

« Merci, Roz, parvint-il à articuler. Je suis désolé de vous avoir dérangée. »

Il raccrocha et laissa ses jambes le porter jusqu'à la chaise la plus proche.

Cela commença par une larme dans son œil gauche, puis dans son œil droit. Il eut beau les essuyer, la pression montait depuis ses entrailles, jusque dans sa poitrine : elle se libéra quand son larynx émit un long sanglot sonore. Un autre suivit, et encore un autre, et ses épaules tressautaient, et il pleurait de manière incontrôlable. Comme un enfant. Un bébé. Non. *Non !*

Le ciel du désert virait au pourpre quand Mark entra au Constellation comme un somnambule, sa main droite serrant un paquet de billets dans la poche de son pantalon. Il se traîna à travers le grand hall encombré de gens, ne voyant plus que ce qu'il y avait droit devant lui, se frayant un chemin vers le Grand Astro Casino. En franchissant le seuil, il ne prit pas garde aux voix, aux mélodies et aux cliquetis métalliques des bandits manchots et des machines à poker. Il n'entendait plus que le sang qui battait dans ses tympans, tel un ressac. Fait étrange, il ne prêta pas attention aux points lumineux du planétarium, qui affichait juste au-dessus de lui les constellations du Taureau, de Persée, et du Cocher. Il prit sur la gauche, à travers des vallées de machines à sous, passa sous Orion, les Gémeaux, et poursuivit en direction de la Grande Ourse, jusqu'aux jeux de black-jack.

Il y avait une demi-douzaine de tables à cinq mille dollars, et il choisit celle où travaillait Marty, un de ses croupiers préférés. Celui-ci était du New Jersey, et portait ses cheveux ondulés attachés en catogan. Ses yeux s'allumèrent quand il le vit s'approcher.

« Bonsoir, monsieur Benedict ! J'ai justement une bonne place pour vous ! »

Mark s'assit et grommela un bonjour aux quatre autres joueurs qui affichaient tous une gravité extrême. Il sortit sa liasse de billets, et l'échangea contre huit mille cinq cents dollars de jetons. Jamais Marty ne l'avait vu jouer autant.

« Très bien ! fit-il à voix haute afin de se faire entendre du superviseur tout proche. J'espère que ça va marcher pour vous, ce soir, monsieur B. »

Mark empila ses jetons, et commença par les fixer d'un air stupide, l'esprit embrumé. Il misa les cinq cents dollars minimum et joua de façon mécanique pendant quelques minutes, sans rien perdre ni gagner. Marty remplit le sabot d'un jeu neuf et distribua une nouvelle main. Soudain, Mark sortit de sa torpeur, comme s'il avait respiré des sels, et se mit à entendre le compte qui défilait dans sa tête, tel un phare dans la brume.

Plus trois. Moins deux. Plus un. Plus quatre.

Le compte l'appelait et, comme hypnotisé, il se mit à jouer en conséquence. Pendant l'heure qui suivit, il augmenta ou baissa ses mises, descendant au minimum quand le compte était faible, pour mettre le paquet quand il était élevé. Ses gains atteignirent treize mille dollars, puis trente et un mille. Il continua, sans même s'apercevoir que Marty avait été remplacé par Sandra, une croupière au visage sévère et aux doigts jaunis par la nicotine. Une demi-heure plus tard, il remarqua à peine que celle-ci changeait les jeux de plus en plus fréquemment. Il ne savait même pas qu'il avait gagné plus de soixante mille dollars. Qu'on ne lui avait pas apporté d'autre bière. Ni que le superviseur se tenait auprès de lui avec deux gardes.

« Monsieur Benedict, auriez-vous l'amabilité de nous suivre ? »

Gil Flores arpentait son bureau à petits pas rapides, tel un tigre de Sibérie dans un numéro de Siegfried et Roy, les célèbres dresseurs de fauves. L'homme timide et humilié qui se tenait assis devant lui sentait presque sur son crâne son souffle brûlant.

« Mais putain, à quoi vous pensez ? Vous croyiez qu'on ne verrait rien, Peter ? »

Mark resta muet.

« Vous ne voulez pas me parler ? Merde alors, on n'est pas au tribunal ! C'est pas comme si vous étiez innocent jusqu'à ce qu'on ait prouvé votre culpabilité. Vous êtes coupable, mon vieux. Vous vous êtes foutu de moi, et pas qu'un peu ! »

Regard vide.

« Je crois que vous feriez mieux de me répondre. Vous avez même carrément intérêt à dire quelque chose. »

Mark avait du mal à déglutir, et il émit un bruit comique. « Je suis désolé. Je ne savais pas ce que je faisais. »

Exaspéré, Gil passa une main dans ses épais cheveux noirs, se décoiffant au passage.

« Comment est-ce qu'un type intelligent peut dire des conneries pareilles : "Je ne savais pas ce que je faisais" ?

Pour moi, ça n'a pas de sens. Bien sûr que vous savez pourquoi vous avez fait ça ! Alors, dites-le-moi ! »

Mark leva enfin les yeux vers lui et fondit en larmes.

« Ah, non, vous n'allez pas pleurer ! Je ne suis pas votre mère, nom de Dieu ! », s'exclama Flores en lui tendant une boîte de mouchoirs.

Mark en prit un et s'essuya les yeux :

« J'ai eu une grosse déception aujourd'hui. J'étais en colère. C'est pour ça que j'ai réagi comme ça. C'était stupide de ma part, je suis désolé. Vous pouvez garder l'argent. »

Flores s'était presque radouci, mais la dernière phrase le mit hors de lui :

« Je peux garder l'argent ? Vous voulez dire, l'argent que vous m'avez volé ? C'est ça votre façon de régler le problème ? Me permettre de conserver ce qui m'appartient ? »

Mark se crispa de nouveau et prit un autre mouchoir.

Sur le bureau, le téléphone se mit à sonner.

Flores décrocha et écouta un moment.

« Vous êtes sûr ? fit-il avant de s'interrompre, puis de reprendre. Très bien. Pas de problème. »

Il reposa l'engin et se posta de nouveau face à Mark, qui dut tendre le cou pour le regarder.

« Très bien, Peter, voilà comment les choses vont se passer.

— S'il vous plaît, ne me dénoncez pas à la police, supplia-t-il. Je perdrais mon boulot.

— Fermez-la et écoutez-moi. Ce n'est pas une conversation : c'est moi qui parle, et vous, vous allez m'écouter. Voilà où en sont arrivées nos relations grâce à toutes vos conneries.

— Oui, murmura-t-il.

— *Primo*, vous êtes définitivement exclu du Constellation. Si vous revenez, vous serez arrêté et nous vous traînerons devant les tribunaux. *Deuzio*, vous repartez avec vos huit mille cinq cents dollars en poche, comme à votre arrivée ce soir. Pas un centime de plus ni de moins. *Tertio*, vous avez trahi notre confiance et notre amitié, alors je veux que vous sortiez tout de suite de ce bureau et que vous foutiez le camp de ce casino. »

Mark le regarda avec un air de chien battu.

« Pourquoi est-ce que vous êtes toujours là ?

— Alors, vous n'allez pas appeler la police ?

— Mais vous m'avez écouté ou pas ?

— Et vous ne me ferez pas interdire dans les autres casinos ? »

Flores secoua la tête, stupéfait.

« Vous essayez de me donner des idées ou quoi ? Vous savez, il y a beaucoup de choses que j'aimerais vous faire, comme par exemple vous donner de bonnes raisons d'aller voir un chirurgien orthopédique. Allez, dehors Peter. Vous êtes ici *persona non grata* », fit-il avec dégoût.

Depuis le dernier étage, Victor Kemp observait cet homme abattu, qui se leva péniblement de sa chaise pour se traîner vers la porte. Grâce à d'autres écrans, il le suivit des yeux tandis qu'il se faisait raccompagner par des gardes. Il s'arrêta quelques instants sous le dôme du planétarium, tentant une dernière fois d'apercevoir la Chevelure de Bérénice, puis il traversa le hall d'entrée, le parking, et s'en fut sous la véritable voûte céleste.

Kemp se resservit un verre et sa riche voix de ténor s'éleva dans l'immense espace vide :

« Victor, on ne gagne rien à faire confiance aux gens. »

Mark se mit à parcourir lentement le Strip, cette immense artère qui traverse Las Vegas. Il n'était que 21 heures, et la ville fourmillait de monde à cette heure où les gens se préparaient pour la soirée. Il allait vers le sud, laissant le Constellation derrière lui, sans but particulier. Il essayait de ne pas songer à ce qui venait de se produire. Il était exclu. Banni. Le Constellation, c'était sa deuxième maison, et jamais plus il n'y reviendrait. Qu'avait-il donc fait ?

Il ne voulait pas rester seul chez lui, il voulait aller au bar d'un casino, là où il y avait de l'action, où ses oreilles seraient distraites par la mélodie criarde et métallique des machines à sous. Dieu merci, Flores ne l'avait pas fait interdire dans les autres casinos. Il avait sauvé les meubles. Tandis qu'il arpentait le Strip, la question était donc : où aller ? Il pouvait boire un verre n'importe où. Comme jouer au black-jack. Ce qu'il lui fallait, c'était un endroit dont l'atmosphère corresponde à son tempérament. Un lieu semblable au Constellation, avec un aspect intellectuel, même symbolique.

Il passa devant le Caesars, le Venetian, mais ils étaient trop artificiels, on se serait cru à Disneyland. Le Harras et le Flamingo le laissaient de marbre. Le Bellagio était trop flashy. Le New York New York n'était qu'un parc d'attractions. Il arrivait au bout du Strip. Le MGM Grand, peut-être. Il ne l'appréciait pas particulièrement, mais n'avait rien contre non plus. En arrivant à l'angle du Tropicana, il faillit faire demi-tour pour retourner vers le parking du MGM. C'est alors qu'il le vit, et il sut qu'il avait trouvé son nouveau havre.

Bien sûr, il l'avait déjà remarqué, des milliers de fois, puisque c'était un peu la marque de Las Vegas. Trente étages de verre noir : la pyramide du Luxor s'élevait à plus de cent mètres dans le ciel du désert. Un obélisque et une reproduction du Sphinx de Gizeh ornaient l'entrée, mais l'élément caractéristique de ce casino se trouvait au sommet : il s'agissait d'un faisceau lumineux vertical, transperçant les ténèbres, phare le plus brillant de la planète, projetant plus de quarante et un gigacandela, assez pour aveugler un pilote à l'approche de l'aéroport McCarran. Il prit donc la direction de l'édifice de verre, se délectant de la perfection mathématique des façades triangulaires. Dans son esprit se dessinèrent des pyramides et des triangles sous forme d'équations, et soudain un nom fleurit sur ses lèvres avec tendresse :

« Pythagore. »

Avant de s'installer au bar, en face du restaurant et du casino, Mark fit le tour du propriétaire. Ce n'était pas le Constellation, mais ça avait de la gueule. Il aimait bien les hiéroglyphes dessinés sur les tapis rouges, or et lapis, l'immense entrée où étaient reproduites les statues du temple de Louxor, et la qualité digne d'un musée de la reproduction du tombeau de Toutankhamon. Bien sûr, c'était kitsch, mais bon, on était à Las Vegas, pas au Louvre.

Il but une deuxième Heineken et songea à ce qu'il allait faire à présent. Il avait localisé les salles où l'on jouait gros, derrière les cloisons en verre dépoli, tout au fond. Il avait un paquet de dollars en poche et savait que, même s'il ne prêtait pas attention au compte dans sa tête, il pouvait passer quelques heures agréables aux tables de jeu. Le lendemain était un vendredi, journée de travail, et son réveil devait sonner à 5 h 30. Mais pour l'heure, il y avait quelque chose d'excitant à se retrouver dans un nouveau casino. C'était comme un premier rendez-vous, et Mark se sentait à la fois timide et impatient.

Le bar était bondé, certains attendaient une table au restaurant, des groupes poursuivaient des conversations animées, où fusaient les éclats de rire. Il s'était installé au milieu d'une rangée de trois tabourets vides, et à mesure que l'alcool lui faisait de l'effet, il se demandait pourquoi personne ne venait s'y asseoir. Était-il contagieux, radioactif ? Ces gens savaient-ils qu'il était un scénariste raté ? Avaient-ils deviné qu'il trichait aux cartes ? Même le barman s'était montré froid envers lui, ne faisant aucun effort pour obtenir un pourboire. Son moral retomba. Il vida son verre et en commanda un autre.

Plus l'alcool l'imprégnait, plus il devenait paranoïaque. Et si jamais tous ces gens connaissaient son véritable secret ? Non, ils n'en avaient pas la moindre idée, songea-t-il avec mépris. Vous autres, vous ne savez rien, fulminait-il intérieurement, vous ignorez tout. Moi, je détiens des secrets que vous n'approcherez jamais dans toute votre chienne de vie !

À sa droite, une femme d'une quarantaine d'années à l'opulente poitrine, lourdement appuyée contre le bar, poussa un cri telle une gamine, car le gros type qui se tenait à ses côtés venait de lui mettre un glaçon dans la nuque. Mark se retourna pour voir ce qui se passait et, quand il reprit sa position initiale, un homme occupait le siège de gauche :

« Si quelqu'un me faisait ce coup-là, je lui casserais la figure. »

Mark le regarda, surpris.

« Pardon, c'est à moi que vous parlez ?

— Je disais juste que si quelqu'un que je connais pas me foutait un glaçon dans le cou, il s'en prendrait une belle, vous voyez ce que je veux dire ? »

Le gros type et la femme semblaient beaucoup s'amuser tous les deux.

« À mon avis, fit Mark, ils se connaissent.

— Peut-être bien. Je disais juste ce que je ferais, moi. »

L'inconnu était mince, très musclé, il était rasé de près et avait des cheveux noirs. Ses lèvres étaient douces et charnues, sa peau huileuse, couleur noisette. Il avait un fort accent portoricain, était vêtu de façon décontractée d'un pantalon noir et d'une chemise hawaïenne large, ouverte sur le devant. Il avait de longs doigts manucurés, une grosse chevalière en or à chaque main et une chaîne autour du cou. Il ne devait pas avoir plus de 35 ans. Il tendit la main à Mark, qui la serra par politesse. Sa bague semblait aussi lourde que sa poigne.

« Luis Camacho. Ça va comme vous voulez ?

— Peter Benedict. Heu… oui, ça va. »

D'un grand geste, Luis désigna le sol.

« C'est mon endroit préféré à Vegas. J'adore le Luxor, moi. »

Mark sirotait sa bière. Il détestait ce genre de conversation insignifiante et, ce soir, ce n'était vraiment pas le moment. Un mixeur se mit en marche avec fracas.

Sans se décourager, l'inconnu continua :

« J'aime bien les murs penchés dans les chambres, vous savez, à cause de la pyramide. Je trouve ça cool, pas vous ? » Il attendait une réponse, et Mark savait que s'il s'abstenait, il risquait de se retrouver avec un poing dans la figure. « Je ne fréquente pas l'hôtel.

— Ah bon ? Vous descendez où, alors ?

— Je vis ici.

— Non ! Un mec du coin ! J'hallucine ! C'est génial ! Je viens dans cette ville deux fois par semaine, et je ne croise jamais les gens d'ici, à part ceux qui bossent. »

Le barman versa un épais liquide dans le verre de Luis. « C'est une margarita glacée, dit-il avec fierté. Vous en voulez une ?

— Non, merci. J'ai déjà une bière.

— Une Heineken. Pas mal.

— Ouais, pas mal », répéta Mark avec raideur.

Hélas, il y avait à peine touché et ne pouvait fausser compagnie à son interlocuteur si vite.

« Alors, vous faites quoi dans la vie, Peter ? »

Mark le toisa, et vit qu'une drôle de moustache blanche s'était déposée sur les lèvres de Luis. Qui serait-il ce soir ? Écrivain ? Joueur ? Informaticien ? Comme dans les machines à sous, les différentes possibilités défilaient, jusqu'à ce que le mécanisme s'arrête :

« Je suis écrivain.

— Sans blague ? Vous écrivez des bouquins ?

— Des films. Des scénarios.

— La classe ! Est-ce que j'en ai déjà vu un ? »

Mark se mit à se trémousser sur son tabouret.

« Ils ne sont pas encore sortis, mais j'ai un truc prévu avec un studio cette année.

— C'est génial, mec ! C'est quoi, un thriller ? Une comédie ?

— Surtout des thrillers. De grosses productions. »

Luis prit une longue gorgée glacée.

« Et où est-ce que vous piochez vos idées ? »

Mark répondit par un grand geste du bras :

« Partout. On est à Vegas ! Si on n'arrive pas à trouver des sujets ici, inutile de chercher ailleurs.

— Ouais, je comprends. Peut-être que je pourrais lire un de vos trucs. Ce serait cool. »

Le seul moyen que Mark trouva pour changer de sujet fut de lui poser à son tour une question :

« Et vous, Luis, vous faites quoi ?

— Je suis steward. Sur US Air. Je bosse sur la ligne New York-Las Vegas. Je fais la navette.

— Et ça vous plaît ? poursuivit Mark par automatisme.

— Ouais, ça va. Le vol dure six heures, alors je passe régulièrement la nuit ici, et ça me plaît, ouais. Je pourrais être mieux payé, mais j'ai des avantages et tout ça, et en général, les gens nous traitent avec respect. »

Luis avait vidé son verre. Il fit signe au barman de lui remettre la même chose. « T'es sûr que je peux pas t'en offrir un, ou bien une Heineken ?

— Merci, je ne vais pas tarder à rentrer.

— Et sinon, tu joues ?

— Parfois. Au black-jack.

— Ça, moi, j'aime pas trop. Je préfère les machines. Mais bon, je suis steward, faut que je fasse attention. Mon truc, c'est que je me limite à cinquante dollars. Si je perds tout, je m'arrête. »

Il se tut un instant. Il semblait tendu. Puis reprit : « Et toi, tu joues gros ?

— De temps en temps. »

Une autre margarita arriva. Luis semblait vraiment nerveux à présent, et il passa sa langue sur ses lèvres pour les humecter. Il sortit son portefeuille et paya avec une carte bancaire. Le cuir était fin, mais bien tendu, et son permis de conduire glissa sur la carte bancaire. Sans y prêter attention, il posa son portefeuille dessus, et but une longue gorgée de margarita.

« Dis donc, Peter, fit-il enfin. Et si tu pariais sur moi, ce soir ? »

Mark ne comprit pas la question.

« Comment ça ? »

La main de Luis glissa sur le comptoir de bois lisse pour se poser avec douceur sur celle de Mark.

« Tu as dit que tu n'avais jamais visité les chambres, là-haut. Je pourrais te montrer la mienne ? »

Mark fut pris de vertige. Il était au bord de la syncope. Il risquait de tomber de son tabouret, tel un ivrogne de comédie. Il sentit son cœur se mettre à cogner, sa respiration se faire courte et rapide. Sa poitrine était comme enserrée dans un étroit corset. Il se redressa, retira sa main, et bredouilla :

« Vous croyez que…

— Eh, mec, je suis désolé. J'ai pensé que, peut-être, tu aimais les mecs. C'est pas grave. »

Puis, baissant la tête, Luis murmura :

« De toute façon, mon mec à moi, John, il serait ravi d'apprendre que je me suis pris un râteau. »

Comment ça, pas grave ? pensa Mark avec fureur. Putain, mais si, c'est grave ! Très grave, même, espèce de sale pédé ! Et je veux pas entendre parler de ton salopard de copain ! Fous-moi la paix ! Une bordée d'injures fusa dans sa tête, tandis que déferlait en lui une cascade de sensations viscérales : vertige, nausée, panique. Il songea qu'il ne pourrait pas se lever pour repartir sans s'écrouler à terre. Les bruits du restaurant et du casino disparurent ; il n'entendait plus qu'un martèlement dans sa poitrine.

Luis s'inquiéta en voyant son interlocuteur écarquiller les yeux et lui lancer un regard fou.

« Eh, mec, du calme. T'es sympa. Je veux pas t'embêter. Bon, je vais aller pisser, et quand je reviens, on reprendra la discussion. Oublie l'histoire de la chambre, OK ? »

Mark ne répondit pas. Il resta immobile, essayant de reprendre le contrôle de lui-même. Luis attrapa son portefeuille. « Je reviens. Tu surveilles mon verre ? »

Il tapota l'épaule de Mark et lui dit gentiment : « Allez, c'est bon, tout va bien. »

Il vit disparaître le steward derrière un mur, ses hanches minces bien serrées dans son pantalon. Cette vision fondit toutes ses émotions en une seule : la rage. Sa température grimpa. Ses tempes se mirent à battre. Il essaya de se rafraîchir en vidant le reste de sa bière.

Au bout d'un moment, s'estimant capable de se lever, il déplia ses jambes avec précaution. Il fit un pas. Ses genoux tenaient bon. Il voulait s'en aller en hâte, sans se faire remarquer, aussi posa-t-il un billet de vingt dollars sur le bar, puis un de dix, par précaution. Le second atterrit sur une carte. C'était le permis de conduire de Luis. Mark jeta un coup d'œil alentour, puis il le prit.

Luis Camacho
189, Minnieford Avenue, City Island, New York, 10464
Date de naissance 12-01-77

Il le remit à sa place et s'enfuit. Nul besoin de l'écrire. Il l'avait déjà mémorisé.

Après avoir quitté le Luxor, il rentra chez lui. Il possédait une jolie maison de plain-pied ornée de stucs blancs, au toit de tuiles orange, dans une petite impasse tranquille. Il y avait un carré de pelouse devant, une terrasse derrière, jouxtant la cuisine, protégée par une clôture haute préservant l'intimité. L'intérieur était celui d'un célibataire peu soucieux des choses. Quand il travaillait dans le privé, à Menlo Park, il avait acheté de coûteux meubles contemporains, minimalistes, aux angles aigus, dans des teintes primaires, parfaits pour un appartement moderne. Hélas, dans une maison de style espagnol, cela faisait recyclé, inadapté. C'était donc un intérieur sans âme, presque entièrement dépourvu d'œuvres d'art ou de décoration, voire de touches personnelles.

Ce soir-là, Mark ne se sentait bien nulle part. Il avait les nerfs à vif, ses émotions étaient comme un bain acide. Il essaya de regarder la télévision, mais au bout de quelques minutes, l'éteignit avec dégoût. Il attrapa ensuite un magazine, qu'il jeta sur la table basse, où il percuta une petite photo encadrée, qui bascula. Il la ramassa et la regarda : ses camarades de chambrée de première année. C'était la femme de Zeckendorf qui avait pris cette photo lors de la réunion des vingt-cinq ans, avant de la lui adresser en souvenir.

Il se demandait pourquoi il l'avait posée là. Ces gens ne signifiaient plus rien pour lui, à présent. En fait, il les méprisait. Surtout Dinnerstein, dont il était le bouc émissaire, et qui avait transformé le traumatisme ordinaire de l'étudiant timide débarquant à l'université en torture constante à force de le ridiculiser. Zeckendorf ne valait guère mieux. Will, lui, était différent, mais d'une certaine façon il l'avait déçu davantage encore.

Sur la photo, Mark était de marbre, esquissant un sourire forcé, le bras de Will passé autour des épaules. Will Piper, le garçon à qui tout réussissait. Mark avait passé toute sa première année d'études à observer avec envie combien tout venait à lui facilement : les filles, les amis, le bon temps. Will faisait preuve d'une grâce de gentleman envers tout le monde, y compris Mark. Quand Dinnerstein et Zeckendorf commençaient à s'en prendre à lui, Will détournait leur attention par une plaisanterie, ou les repoussait de son énorme main. Pendant des mois, il avait rêvé que Will lui propose de partager encore une chambre l'année suivante, ainsi aurait-il pu continuer de baigner dans son aura solaire. Puis au printemps, à mi-parcours du second semestre, un incident s'était produit.

Un soir, il essayait de dormir, tandis que les trois autres s'amusaient dans la pièce commune, buvant de la bière, en écoutant de la musique à fond. Exaspéré, il avait hurlé à travers la porte :

« Bande de connards, j'ai un exam demain matin !

— Est-ce que ce petit trou du cul nous a traités de connards ? s'exclama Dinnerstein.

— Je crois bien que oui, confirma Zeckendorf.

— Il faut faire quelque chose !

— Fous-lui la paix », rétorqua Will en baissant le son.

Une heure plus tard, tous trois étaient ivres : faits, beurrés, ronds comme des queues de pelle – le genre d'état propice aux mauvaises bonnes idées.

Un gros rouleau de scotch à la main, Dinnerstein, accompagné de Zeckendorf, se glissa dans la chambre de Mark. Ce dernier avait le sommeil lourd, aussi les deux compères n'eurent-ils aucun mal à le ficeler sur son lit, enroulant le ruban adhésif comme les bande-lettes d'une momie. Will les observa depuis la porte, souriant bêtement, sans rien faire pour les arrêter.

Quand ils eurent terminé, ils recommencèrent à boire et à rire dans la pièce commune, jusqu'à ce que le sommeil les terrasse.

Le lendemain matin, quand Will ouvrit la porte de la chambre, Mark était saucissonné dans son lit, immobilisé dans un cocon gris. Des larmes coulaient sur son visage rougi. Il tourna la tête vers son camarade. La haine et la trahison brillaient dans ses yeux.

« J'ai raté mon examen. Et je me suis pissé dessus. »

Will coupa le scotch avec son couteau suisse, et Mark l'entendit lui murmurer des excuses malgré sa gueule de bois. Jamais plus ils ne se parlèrent.

Will avait poursuivi son ascension vers la gloire en faisant des choses admirables, tandis que Mark avait continué son petit bonhomme de chemin dans l'ombre. Soudain, il se souvint de ce que Dinnerstein avait dit à son propos, ce soir-là, à Cambridge : le plus célèbre profileur de tueurs en série de l'histoire. Infaillible. Que disaient les gens de lui ? Il ferma très fort les yeux.

Dans les ténèbres se dessinait quelque chose. Des idées se formaient, et grâce à sa vivacité d'esprit, elles prenaient corps à toute vitesse. Tandis que ces pensées cristalli-saient, une autre partie de son cerveau essayait de les dissoudre, afin qu'elles n'aient pas de conséquence.

Il secoua la tête si fort qu'il eut mal. Une douleur sourde, battante. C'était une pulsion primitive, comme un enfant très jeune cherche à se défaire des mauvaises pensées en se disant à lui-même : Arrête de penser à ça !

Arrête !

Stupéfait, il se leva, réalisant qu'il venait de crier.

Il sortit sur la terrasse pour se calmer en observant les étoiles. Mais il faisait frais pour la saison, et des écharpes de brume obscurcissaient les constellations. Il retourna dans la cuisine et but une autre bière, assis sans grand confort sur le tabouret haut de son coin repas. Plus il essayait de brider son esprit, plus il était envahi par la colère et le dégoût qui montaient en lui, tel un tsunami.

Quelle journée d'enfer, se dit-il. Quelle putain de journée de merde !

Il était minuit passé. Soudain, il pensa à un moyen de se sentir mieux et attrapa son portable dans sa poche. Il n'y avait qu'une manière de soigner une telle épidémie. Il reprit sa respiration et se mit en quête d'un numéro. La sonnerie retentit.

« Allô ! fit une voix féminine.

— Allô, c'est Lydia ?

— Qui la demande ?

— C'est Peter Benedict, du Constellation, tu sais l'ami de M. Kemp.

— La zone 51 ! s'exclama-t-elle. Salut, Mark !

— Tu te souviens de mon vrai nom. »

C'était un bon début.

« Bien sûr ! Tu es l'ami des ovnis ! J'ai arrêté de travailler à l'aéroport, si jamais tu m'as cherchée.

— Ouais, j'ai remarqué que tu n'étais plus là.

— J'ai trouvé une meilleure place dans une clinique sur le Strip. Je suis réceptionniste. Ils défont les vasectomies, là-bas. J'adore !

— C'est chouette.

— Et toi, qu'est-ce qui t'amène ?

— Eh bien, je me demandais si tu étais libre ce soir.

— Chéri, je suis désolée, j'aimerais bien. Je suis en route pour le Four Seasons où j'ai rendez-vous, ensuite il faut que j'aille dormir pour conserver mon teint de rose. Je commence tôt, demain matin. Je regrette.

— Moi aussi.

— Pauvre chou ! Rappelle-moi bientôt, promis ? En prenant rendez-vous un peu à l'avance, je suis sûre qu'on y arrivera.

— Bien sûr.

— Passe le bonjour à nos amis, les petits hommes verts, OK ? »

Il demeura longtemps assis, vaincu, laissant ses pensées tournoyer, succombant au plan qui peu à peu prenait possession de son esprit. D'abord, il lui fallait remettre la main sur quelque chose. Qu'avait-il fait de cette carte ? Il se souvenait l'avoir gardée, mais où était-elle ? Il se mit à chercher avec précipitation, fouillant dans tous les recoins possibles, jusqu'à ce que finalement il la découvre dans son armoire, sous une pile de chaussettes propres.

NELSON G. ELDER
P-DG des assurances Desert Life.

Son ordinateur portable se trouvait au salon. En hâte, il entra sur Google le nom de Nelson G. Elder, et se mit à absorber toutes les informations possibles comme une éponge. Sa compagnie, Desert Life, était cotée en Bourse, et l'action atteignait sa valeur la plus faible depuis cinq ans. Sur le forum de discussion, les investisseurs écrivaient des messages au vitriol. Nelson Elder n'était guère apprécié de ses actionnaires, et beaucoup d'entre eux formulaient des propositions très claires sur ce qu'il pourrait faire des huit millions six cent mille de dollars de son parachute doré. Mark se rendit ensuite sur le site de la compagnie et parcourut les archives financières. Il étudia des écrans entiers d'informations légales et comptables. Comme il avait une petite expérience en Bourse, il avait l'habitude de ce genre de document. Bientôt il eut une idée assez précise de l'identité de la compagnie Desert Life et de son état de santé.

Il referma son portable. En un éclair, son projet prit corps, jusque dans les moindres détails. Il ferma les yeux devant cette perfection.

Je vais le faire, songea-t-il avec une détermination farouche. Bien sûr que je vais le faire ! Des années de frustration s'étaient accumulées tel un magma en fusion. C'en était fini de cette vie où il était toujours à côté de la plaque. De ces wagons de jalousie, de désirs inassouvis. De ces années passées, écrasé sous le poids de la bibliothèque. Le Vésuve se réveillait ! Il regarda de nouveau la photographie de leurs vingt-cinq ans et posa un œil glacial sur la belle gueule de Will. Et toi aussi, songea-t-il, va te faire foutre.

Tous les voyages commencent quelque part. Celui de Mark débuta en fouillant avec fureur les tiroirs de sa cuisine, surtout celui des vieux accessoires d'ordinateur, plein à ras bord. Une fois qu'il eut trouvé ce qu'il cherchait, il s'écroula sur son lit.

À 7 h 35, le lendemain matin, il ronflait doucement à quinze mille pieds d'altitude. Il était rare qu'il s'endorme pendant le court trajet jusqu'à la zone 51, mais il s'était couché très tard. Au-dessous de lui, la terre était jaune, parcourue de profondes crevasses. De là-haut, la crête d'une longue chaîne de collines ressemblait à la colonne vertébrale d'un reptile décharné. Le 747 n'était en vol que depuis douze minutes en direction du nord-ouest quand il amorça sa descente. On aurait dit un sucre d'orge sur le ciel bleu poudreux, long vaisseau blanc rayé de rouge de la tête à la queue, couleurs de la défunte compagnie Western Airlines, conservées par l'entreprise EG & G, sous contrat avec le ministère de la Défense, pour la navette au départ de Las Vegas. Les appareils étaient enregistrés comme propriété de la Navy.

En descendant vers la base militaire, le copilote lança ce message :

« RATE 4 demande autorisation d'atterrir à Groom Lake, piste 24 gauche. »

RATE. Code radio pour Réseau aérien pour le transport des employés. Un drôle de nom. Évidemment, tous les employés l'appelaient le RATÉ.

Mark se réveilla en sursaut quand les roues touchèrent le sol. L'avion freina brutalement, et, d'instinct, il poussa sur ses talons pour soulager la pression sur sa ceinture. Il releva le petit volet de son hublot et plissa les yeux en regardant les étendues arides brûlées de soleil. Il était mal à l'aise, éprouvait une sensation d'étouffement et des nausées ; il se demanda si cela se voyait.

« Je croyais que j'aurais besoin de te réveiller. »

Mark se tourna vers le passager du fauteuil d'à côté. C'était un type des archives russes, il s'appelait Jacobs et était affligé d'un imposant postérieur.

« Pas besoin, répondit Mark du ton le plus neutre possible. Je suis opérationnel.

— Je ne t'avais jamais vu dormir en vol, jusqu'ici. »

Jacobs travaillait-il réellement aux archives ? Mark haussa les épaules. Ne tombe pas dans la paranoïa. Bien sûr que oui, il bosse là-bas. Les gens de la sécurité, ils sont fins et musclés, ils ne se trimballent pas un gros cul comme lui.

Avant d'être autorisés à rentrer sous terre, au cœur des profondeurs fraîches de la terre, les six cent trente-cinq employés du bâtiment 34 de Groom Lake – appelé d'ordinaire l'aile Truman – devaient se soumettre à un détestable rituel quotidien : le déshabillage-scanner. Quand le bus les déposait devant l'espèce de hangar, hommes et femmes se séparaient. Dans chaque section du bâtiment, se trouvaient de longues rangées de vestiaires, rappelant un peu les lycées des petites villes. Mark s'empressa de rejoindre le sien, à mi-chemin. La plupart de ses collègues au contraire prenaient leur temps, retardant le moment du scanner le plus possible. Mais aujourd'hui, il était pressé de descendre.

Il composa la combinaison du code, se mit en sous-vêtements, et rangea ses habits dans son placard. Une combinaison olive, propre, avec son nom brodé sur la poche poitrine, était posée sur le banc, bien pliée. Il l'enfila. Il y avait bien longtemps que les employés n'étaient plus autorisés à porter leurs vêtements de ville à l'intérieur du complexe. Livres, magazines, stylos, téléphones, portefeuilles, tout était sagement rangé sur des étagères. Mark se hâta vers la fouille.

Deux gardes encadraient le magnétomètre, deux jeunes types tondus de près, dépourvus d'humour, qui faisaient défiler les employés avec des gestes d'automates. Mark s'apprêtait à se faire contrôler. Il avisa Malcolm Frazier, le chef de la sécurité, la tête chercheuse qui, tout près de là vérifiait le déroulement des contrôles matinaux. C'était un type énorme, effrayant, au corps musclé de façon grotesque, surmonté d'une tête rectangulaire, tel un méchant de dessin animé. Mark n'avait échangé avec lui que de vagues paroles au cours des ans, bien que les gardes aient accès à certains de ses protocoles. Dans ces moments-là, Mark se cachait derrière sa supérieure, et la laissait gérer l'échange avec Frazier et son équipe. C'était un ancien militaire des forces spéciales, et son visage renfrogné, gonflé de testostérone, déclenchait chez l'informaticien une peur ridicule. Par habitude, il évitait de le regarder. Ce jour-là, en particulier, il baissa la tête quand il sentit les yeux acerbes du chef des gardiens se poser sur lui.

La fouille avait un seul but : empêcher tout enregistrement ou photographie de quitter les lieux. Le matin, les employés passaient à travers le portail habillés. En fin de journée, ils repassaient nus, car aucun magnétomètre ne pouvait détecter le papier. Cet endroit représentait une zone neutre, rien n'y entrait, rien n'en sortait.

L'aile 34 était le bâtiment le plus secret des États-Unis. Y travaillaient des employés sélectionnés par les recruteurs du ministère de la Défense, qui n'avaient pas la plus petite idée de la nature du travail pour lequel ils auditionnaient les candidats. Ils connaissaient seulement les compétences requises. Lors du deuxième ou du troisième entretien, ils étaient autorisés à révéler que l'emploi en question concernait la zone 51 – avec l'accord express de leurs supérieurs. À chaque fois, on leur posait l'incontournable question : « Vous voulez dire là où on garde les ovnis et les extraterrestres ? » Ce à quoi la réponse officielle était : « Il s'agit d'un complexe d'État top secret, où ont lieu des travaux extrêmement importants pour la défense du pays. Voilà tout ce que je peux vous dire à présent. Toutefois, les personnes qui seront embauchées feront partie d'un très petit groupe d'employés de l'État qui sauront tout des activités de recherche de la zone 51. »

On leur faisait ensuite l'article en ces termes : vous ferez partie d'une équipe d'élite composée de chercheurs et de scientifiques, parmi les plus brillants du pays. Vous aurez accès à la technologie informatique la plus avancée au monde. Vous connaîtrez les secrets d'État les mieux protégés, informations dont seule une poignée de membres du gouvernement connaît l'existence. Afin de compenser les pertes de salaire subies lorsque vous quitterez votre entreprise ou votre université, vous serez logé gratuitement à Las Vegas, jouirez d'un abattement fiscal fédéral, et les études de vos enfants seront subventionnées.

Sur l'échelle des arguments de recrutement, ce dernier constituait une proposition en or. Toutefois, la plupart des candidats étaient suffisamment intrigués pour se jeter dans l'arène par simple curiosité. S'ensuivait une batterie de tests et recherches s'échelonnant sur six à douze mois, au cours desquels chaque aspect de leur vie était décortiqué par les agents spéciaux du FBI et les profileurs du ministère de la Défense. C'était un processus lourd : sur cinq candidats qui se soumettaient aux tests, en moyenne un seul était admis, obtenant l'accès aux informations sensibles, AIS, en matière de renseignements spéciaux.

Ceux qui avaient obtenu l'AIS étaient alors conviés à un entretien au Pentagone avec le conseiller général adjoint du bureau de la marine. Depuis sa fondation par James Forrestal, la zone NTS 51 était une opération menée par la Navy. Or, chez les militaires, ce genre de tradition a la vie dure. L'avocat de la marine, qui n'avait aucune idée des activités de la zone 51, présentait ensuite un contrat qu'il repassait dans les moindres détails avec le candidat, y compris les très graves pénalités qui résulteraient de tout manquement, et en particulier d'une rupture de la clause de confidentialité.

Comme si la menace de vingt ans de prison à Leavenworth ne suffisait pas, une fois à l'intérieur du complexe, la rumeur était transmise aux nouveaux employés que des barbouzes à la solde du gouvernement se chargeaient de faire disparaître ceux d'entre eux qui avaient la langue trop bien pendue. « À présent, pouvez-vous me dire quelle sera la nature de mon travail ? », demandait-on invariablement à l'avocat. « Pas si vous voulez continuer à vivre », répondait-il.

Car une fois le contrat bien compris et verbalement accepté, de nouvelles mesures de sécurité étaient appliquées : le programme d'accès spécial, ou PAS-NTS 51, encore plus difficile à obtenir que le simple AIS. C'est seulement quand les dernières barrières étaient levées, le PAS accordé et le contrat signé, que la nouvelle recrue était emmenée à la base de Groom Lake, où elle apprenait l'incroyable vérité de la bouche du chef du personnel. Celui-ci, contre-amiral de la Navy, impassible, vissé à son bureau au beau milieu du désert tel un canard hors de sa mare, regrettait de ne pas avoir touché cent dollars à chaque fois qu'il avait entendu cette réplique : « Merde alors ! Si je m'attendais à ça ! »

Une fois passé le magnétomètre sans déclencher l'alarme, Mark souffla. Malcolm Frazier et ses gardiens n'y avaient vu que du feu. L'ascenseur n° 1 attendait. Lorsqu'il s'y trouva une douzaine de personnes, les portes se refermèrent et il descendit six étages plus bas, traversant une série de couches de béton armé et d'acier, jusqu'à ce qu'il ralentisse pour s'arrêter au laboratoire de recherche expérimentale. La crypte se situait vingt mètres plus bas, la température et le taux d'humidité en étaient méticuleusement contrôlés. À la fin des années 1980, des milliards de dollars avaient été investis dans une nouvelle protection antisismique et un absorbeur de chocs résistant aux explosions nucléaires, technologie achetée aux Japonais qui étaient à la pointe du progrès en matière de protection de ce genre.

Rares étaient les employés qui se rendaient dans la crypte. Toutefois, il existait une tradition à la zone 51. Le jour de son arrivée, le nouveau venu y descendait par un ascenseur spécial, accompagné du directeur exécutif.

La bibliothèque.

Des gardes armés, l'air féroce, flanquaient les portes d'acier. Une fois les codes saisis, les lourds pans métalliques s'ouvraient en silence. Ensuite, la nouvelle recrue pénétrait dans le saint des saints, énorme chambre baignée d'une douce lumière, aussi tranquille et sombre qu'une cathédrale, et restait pétrifiée d'effroi devant ce qu'elle découvrait.

Aujourd'hui, un seul membre du groupe de sécurité algorithmique auquel appartenait Mark se trouvait dans l'ascenseur. C'était un mathématicien d'une cinquantaine d'années, portant le nom improbable d'Elvis Brando, sans aucun rapport ni avec l'un ni avec l'autre.

« Comment ça va, Mark ?

— Pas mal, et toi ? », répondit-il d'un air dégagé malgré une forte nausée.

Le sous-sol était inondé de néons. Le bruit le plus léger rebondissait sur le sol nu et les murs bleus, comme ceux d'un asile. Le bureau de Mark était situé près d'une grande pièce centrale qui servait aussi de salle de conférence, où s'asseyaient les techniciens de second ordre. C'était petit et étriqué, un vrai placard par comparaison avec le bureau spacieux et aéré de son dernier boulot dans le privé, en Californie, avec vue sur les pelouses entretenues du campus et les bassins qui reflétaient le ciel. Mais sous terre, l'espace était limité, et il avait de la chance d'avoir un bureau pour lui tout seul. Les meubles étaient en plaqué peu coûteux. En revanche, son fauteuil était un modèle ergonomique très cher, seul luxe permis au laboratoire. On passait beaucoup de temps assis dans la zone 51.

Mark alluma son ordinateur et s'identifia sur le réseau par un mot de passe, deux empreintes digitales et son empreinte rétinienne. Le logo désinvolte de la marine apparut sur l'écran d'accueil. Il jeta un coup d'œil à la pièce commune. Elvis était déjà penché sur son poste de travail dans son bureau, qui se trouvait en diagonale par rapport à celui de Mark. Personne d'autre n'avait encore passé les contrôles et, plus important encore, sa supérieure, Rebecca Rosenberg, était en vacances.

En réalité, Mark n'avait pas à se soucier des autres. Dans la vie courante, comme au bureau, c'était un solitaire. En général, ses collègues lui fichaient la paix. Il ne s'intéressait guère aux ragots et ne bavardait pas avec les autres. Au déjeuner, il se trouvait une place tranquille dans la vaste cantine et mangeait en lisant un des magazines à disposition. Douze ans plus tôt, à son arrivée à la base, il avait fait de gauches tentatives pour se mêler aux autres. Un jour, on lui avait demandé s'il était parent de Shackleton, l'explorateur de l'Antarctique. Il avait répondu oui pour se faire mousser, et s'était lancé dans une invraisemblable histoire de famille, dont aurait fait partie un grand-oncle anglais. Il n'avait pas fallu longtemps à un des as du renseignement pour retrouver sa généalogie et mettre à jour son mensonge.

Depuis douze ans, il travaillait ici, et il faisait du bon boulot. À l'université, puis dans les entreprises high-tech de la Silicon Valley qui l'avaient embauché, il s'était fait une réputation d'expert en matière de sécurité des données : il faisait autorité dans le domaine de la protection contre les accès non autorisés. Voilà pourquoi il avait très vite été recruté à Groom Lake. Réticent, au début, il avait fini par être séduit par l'idée d'effectuer un travail secret et vital, sorte de contrepoint à la monotonie de sa vie sans attache ni mystère.

À la zone 51, il inventait des codes d'accès extraordinaires visant à vacciner le système contre les virus et autres intrusions, trouvait des algorithmes qui auraient été considérés par le gouvernement et les firmes industrielles comme de nouveaux standards en or – s'il avait pu les publier. Au sein de son équipe, le vocabulaire courant comprenait des expressions comme : systèmes de sécurité publics et privés, port sécurisé, protocole Kerberos et système de détection d'intrusion. Il avait entre autres responsabilités celle de gérer les serveurs et de détecter les tentatives d'intrusion par les háckers, aussi bien depuis l'intérieur du complexe que de l'extérieur.

Les gardiens par ailleurs transmettaient à son équipe des listes de personnes interdites. Il y en avait une par employé, comprenant les membres de la famille, les amis, les voisins, les collègues du conjoint, etc. L'un des algorithmes de Mark permettait de détecter toute tentative d'un employé de la base d'accéder aux informations de la liste interdite, et il était bien établi que se faire prendre aurait des conséquences fort désagréables. Personne n'avait oublié qu'à la fin des années 1970, un analyste ayant tenté des recherches sur sa fiancée croupissait toujours au fond d'une prison fédérale.

Mark éprouva soudain une terrible crampe intestinale. Il serra les dents, quitta son bureau en hâte et se rendit au pas de course aux toilettes les plus proches. De retour à son bureau, peu après, il se sentit soulagé. Il tenait à présent quelque chose dans son poing gauche. Quand il fut sûr que personne ne l'observait, il ouvrit la main et laissa tomber dans le premier tiroir de son bureau un morceau de plastique gris en forme de cartouche.

Il alla dans la salle commune, se mouvant tel l'homme invisible parmi ses collègues qui discutaient bruyamment de leurs projets de week-end. Dans le placard à outils, il prit le fer à souder, et d'un pas nonchalant retourna à son bureau, dont il ferma la porte avec discrétion.

En l'absence de Rosenberg, le risque d'être interrompu était proche de zéro, aussi se mit-il à l'ouvrage. Dans un autre tiroir se trouvaient des câbles gainés de plastique. Il en choisit un, muni d'une prise USB, et à l'aide d'une petite pince, cassa net l'embout métallique. Il était prêt pour la cartouche grise.

Une minute plus tard il avait terminé. Il avait réussi à souder la connexion métallique à la cartouche, fabriquant ainsi une clef de quatre gigabits au fonctionnement parfait, capable de stocker trois millions de pages de données – arme plus dangereuse dans la zone 51 qu'une kalachnikov.

Il remit sa clef dans son tiroir et passa le reste de la matinée à composer des codes. Un peu plus tôt, au cours du bref trajet menant à l'aéroport de Las Vegas, il avait tout mis au point dans sa tête, et à présent ses doigts dansaient sur le clavier. C'était un programme de camouflage, destiné à couvrir ce qu'il s'apprêtait à pirater lors de sa propre intrusion dans son système de détection réputé impénétrable. À l'heure du déjeuner, il avait terminé.

Quand la pièce commune et les bureaux adjacents se furent vidés, il passa à l'action, activant son nouveau code. Tout se déroula comme prévu : c'était 100 % indétectable. Une fois certain de ne pouvoir être repéré, il se brancha sur la base de données la plus secrète de tous les États-Unis.

Il tapa un nom : Camacho, Luis, né le 12-01-1977 – il retint sa respiration. L'écran répondit. Raté !

Bien sûr, il avait d'autres idées en tête. En deuxième place venait le « petit ami » : John. Il supposait que le retrouver serait un jeu d'enfant. Toujours protégé par son camouflage, il ouvrit le portail de la zone 51 sur une base de données comportant toutes les factures téléphoniques émises par les fournisseurs d'accès américains.

Il croisa le prénom John avec l'adresse, 189, Minnieford Avenue, City Island, New York, et il obtint un nom complet : John William Pepperdine, ainsi qu'un numéro de sécurité sociale. Quelques clics plus tard, il avait sa date de naissance. Un jeu d'enfant, songea-t-il. Armé de ces renseignements, il revint à la première base de données.

Là, il n'en crut pas ses yeux. Le résultat dépassait ses espérances. C'était parfait !

Allez, Mark, grouille-toi, songea-t-il. Tu l'as eu, alors maintenant, dégage ! Ses collègues allaient bientôt revenir de leur pause-déjeuner, et il avait assez pris de risques comme ça. Avec soin, il inséra sa nouvelle clef USB sur le port.

Il lui fallut quelques secondes pour télécharger les données voulues. Quand il eut terminé, il dissimula ses traces avec grand soin, ferma son nouveau programme, tandis qu'il remettait en route le système de détection. Il acheva l'opération en arrachant l'embout métallique de la cartouche grise, pour la ressouder sur le câble. Puis il rangea tous les composants dans son tiroir, sortit de son bureau et, d'un pas tranquille, retourna ranger le fer à souder dans le placard de la salle commune.

Quand il eut refermé l'armoire, ce grand costaud d'Elvis Brando lui barrait la route. Il était si proche que Mark sentit son haleine parfumée au chili.

« Tu as sauté le déjeuner ?

— Oui, je crois que j'ai attrapé une gastro.

— Tu devrais peut-être aller à l'infirmerie. Tu es en sueur. »

Mark porta la main à son front transpirant, et sentit que sa combinaison était trempée au niveau des aisselles.

« Ça va aller. »

Une demi-heure avant la fin de sa journée de travail, Mark se rendit de nouveau aux toilettes. Il ferma bien à clef, et retira deux objets de sa poche : la clef en forme de cartouche, et un préservatif ratatiné. Il glissa le morceau de plastique dans la capote, puis retira ses vêtements. Ensuite, il serra les dents, et enfila dans son anus le plus grand secret de la planète.

Cette nuit-là, assis sur son canapé, il perdit la notion du temps. Son ordinateur portable avait beau lui brûler les cuisses, ses yeux lui piquer, il ne pouvait s'en détacher. Il fouilla la base de données piratée, la mélangea comme un paquet de cartes, effectuant vérification sur vérification, notant des listes à la main, puis les relisant encore et encore jusqu'à être enfin satisfait.

Il œuvrait en toute impunité, mais quand bien même il aurait été connecté, son ordinateur personnel était protégé contre toute tentative d'intrusion. Ses mains et ses doigts étaient les seules parties de son corps en mouvement. Pourtant, quand il eut fini, il était presque hors d'haleine. Sa propre audace l'électrisait : il aurait voulu pouvoir faire étalage de son ingéniosité auprès de quelqu'un.

Petit, quand il obtenait une bonne note ou résolvait un problème mathématique, il courait en informer ses parents. Sa mère était morte d'un cancer. Son père s'était ensuite remarié avec une femme acariâtre, et il s'était montré très déçu quand Mark avait quitté le privé pour travailler pour le gouvernement. Ils ne se parlaient plus guère. De plus, ce n'était pas le genre d'information qu'il pouvait partager avec qui que ce soit.

Soudain, il eut une idée qui le fit crier de joie.

Pourquoi pas ?

Qui le saurait ?

Il ferma la base de données, la verrouillant d'un mot de passe, puis ouvrit le fichier de son premier scénario, son ode au destin à la Thornton Wilder, méprisée par ce vil crapaud de Hollywood. Il fit défiler le texte en effectuant quelques changements. Chaque fois qu'il cliquait sur « remplacer », il riait de plaisir, tel un petit garçon coquin détenant un terrible secret.

23 juin 2009

City Island, New York, États-Unis

Quand Will était petit, son père l'emmenait pêcher, parce que c'était son boulot de père. Il le réveillait avant l'aube en le secouant. L'enfant devait s'habiller, grimper dans le pick-up, et ils quittaient Quincy pour Panama City. Dans une marina populaire, son père louait à l'heure un bateau de près de neuf mètres de long. Ils parcouraient une dizaine de milles dans le golfe, vers le sud. Le trajet, depuis la chambre plongée dans l'obscurité jusqu'aux eaux poissonneuses miroitantes, se déroulait presque sans un mot. Will observait son père qui pilotait le bateau, son grand corps nimbé d'orange dans le soleil levant, et il se demandait comment cet homme pouvait demeurer aussi hermétique face à la beauté naturelle de cette sortie en mer dans le calme matinal des flots scintillants. Au bout d'un moment, celui-ci écrasait son mégot et déclarait quelque chose comme : « C'est bon, on va pouvoir commencer à appâter. » Il sombrait ensuite dans un silence renfrogné qui pouvait durer des heures, jusqu'à ce qu'un vivaneau ou un thazard noir morde à l'hameçon et qu'il se mette à hurler ses ordres.

Il franchit le pont de City Island, le regard fixé sur Eastchester Bay. Dès qu'il aperçut la première marina, la forêt de mâts oscillant sous la brise plus forte de l'après-midi, il se mit à penser à son père. City Island était une oasis minuscule et insolite. Officiellement, elle faisait partie du Bronx, mais d'un point de vue géoculturel, elle s'apparentait davantage à Fantasy Island. Ce petit bout de terre rappelait toujours aux visiteurs d'autres lieux et d'autres temps, car il ressemblait si peu à la ville, de l'autre côté du pont.

Pour les Indiens Siwanoy, pendant des siècles, l'île avait représenté une réserve prospère de poissons et d'huîtres. Pour les colons européens, c'était un port et un chantier de construction navale. Pour les habitants d'aujourd'hui, une enclave des classes moyennes, constituée de modestes maisons familiales, se mêlant aux belles demeures d'armateurs victoriens, dont le front de mer était parsemé de yacht-clubs destinés aux riches visiteurs. Avec son dédale de ruelles, dont certaines rappelaient des chemins de campagne, ses myriades d'impasses s'ouvrant sur l'océan, l'incessant criaillement des mouettes, et l'odeur iodée du rivage, elle évoquait les vacances, les refuges de l'enfance, loin de la métropole new-yorkaise.

Nancy s'aperçut qu'il restait bouche bée.

« Vous êtes déjà venu ici ?

— Non, et vous ?

— Quand j'étais petite, on venait y pique-niquer en famille. Maintenant, il faut prendre à gauche, sur Beach Street », fit-elle en regardant le plan.

Minnieford Avenue n'était pas une avenue au sens classique du terme, cela ressemblait plus à un chemin vicinal et, cette fois encore, l'endroit était mal choisi pour mener une enquête aussi importante. Les véhicules de la police et des urgences, les camions de la télévision, tous bloquaient l'accès comme un caillot dans une artère. Will s'engagea dans la longue et unique file de voitures coincées, et annonça à regret à Nancy qu'il faudrait finir à pied. Il stationnait devant une sortie de garage, et s'attendait à subir les foudres du type épais en débardeur qui lui faisait signe. Mais il se contenta de lui dire :

« Vous êtes sur l'affaire ? »

Il acquiesça.

« Je suis un ancien de la police de New York. J'ai pris ma retraite. Vous inquiétez pas. Je surveille votre Explorer. Je bouge pas d'ici. »

Le téléphone arabe avait bien fonctionné. Toutes les forces de police savaient que City Island était désormais l'épicentre de l'affaire Apocalypse. Les médias aussi avaient été prévenus, et la situation virait à l'hystérie collective. La petite maison vert jaune était encerclée par une horde de journalistes, contenus par un cordon d'agents des forces de l'ordre du quarante-cinquième arrondissement. Sur les trottoirs bondés, les reporters de la télévision cherchaient le meilleur angle de vue afin que leur cameraman puisse les filmer devant la maison. Accrochés à leur micro, ils discouraient, chemise et veste flottant tels des drapeaux dans le vent d'ouest.

Quand Will repéra la maison, il eut un flash, imaginant les photos qui allaient faire le tour du monde si jamais l'endroit se révélait être le repaire du tueur. La maison de l'Apocalypse. Une modeste construction à un étage datant des années 1940, aux tuiles arrondies, aux volets blancs écaillés, à la véranda branlante, sous laquelle étaient posés un barbecue, deux bicyclettes et des chaises en plastique. Il n'y avait pas de jardin à proprement parler : en se penchant par la fenêtre, un bon cracheur aurait pu atteindre les trois autres maisons qui l'entouraient. Il y avait juste assez de place pour deux voitures : une Honda Civic beige, coincée entre le mur et la clôture du voisin et, devant, une vieille BMW rouge, série 3, là où aurait pu se trouver un carré de pelouse.

Avec lassitude, Will consulta sa montre. La journée avait été longue, et il y avait peu de chance qu'elle s'achève de sitôt. Il risquait d'attendre encore plusieurs heures avant de s'envoyer un verre, et cela commençait vraiment à lui manquer. Mais quel bonheur ce serait de clore l'affaire dès à présent, puis de se laisser glisser vers la retraite, en étant sûr d'arriver chaque jour au bar au plus tard à 17 h 30 ! Cette pensée lui fit presser le pas, forçant presque Nancy à courir.

« Prête pour une soirée rock and roll ? », s'écria-t-il.

Avant qu'elle ait pu répondre, une reporter hyper-sexy de Channel Four le reconnut suite à la conférence de presse, et interpella son cameraman :

« À droite ! C'est Piper, comme piper les dés ! »

La caméra zooma sur Will.

« Agent Piper ! Pouvez-vous nous confirmer que le tueur de l'Apocalypse a bien été capturé ? »

L'instant d'après, toutes les caméras étaient braquées sur les deux agents du FBI, soudain encerclés par une meute aux aguets.

« Continuez d'avancer », fit-il entre ses dents.

Son équipière sur les talons, il fendit la foule.

Dès qu'ils eurent franchi la porte, ils se retrouvèrent sur la scène du crime. La pièce principale était un vrai bain de sang. On l'avait bouclée, interdite, parfaitement préservée. Nancy et Will durent regarder par la porte ouverte, comme s'ils étaient au musée. Le corps d'un homme mince aux yeux ouverts gisait à demi sur un grand fauteuil jaune. Sa tête reposait sur un accoudoir, bel et bien fracassée, crâne et cuir chevelu fendus, un croissant de dure-mère luisant dans les derniers rayons dorés du soleil. Son visage, enfin ce qui en restait, était un amas de chair à vif gonflée, duquel émergeaient des parties d'os et de cartilage ivoire. Ses bras, quant à eux, étaient brisés, et disposés dans une position impossible selon les lois de l'anatomie.

Will se mit à lire la pièce comme à livre ouvert. Du rouge partout sur les murs, des dents éparpillées sur le tapis, comme du pop-corn après une fête agitée. Il conclut que l'homme était mort sur le fauteuil, mais que l'agression avait commencé ailleurs. La victime se trouvait près de la porte quand elle avait reçu le premier coup, un crochet sous le menton qui avait projeté sa tête en l'air, éclaboussant le plafond de sang. Il avait été frappé de façon répétée. Il s'était mis à tituber, à vaciller, essayant en vain de se soustraire aux atteintes sans répit d'un instrument contondant. Il ne s'était pas laissé faire, c'est sûr. Will essaya d'interpréter son regard. Il avait déjà vu ces yeux écarquillés d'innombrables fois. S'agissait-il de l'ultime émotion ? De la peur ? De la colère ? La résignation ?

Un autre détail frappa Nancy.

« Vous voyez ça ? Sur le bureau. Je crois que c'est la carte postale. »

L'officier de la police locale le plus gradé s'appelait Brian Murphy, c'était un capitaine zélé avec le petit doigt sur la couture du pantalon. Lorsqu'il se présenta, son torse athlétique se gonfla de fierté sous sa chemise bien repassée. Ce meurtre était un tournant dans sa carrière, et le défunt, un certain John William Pepperdine, se serait certainement offusqué de voir l'enthousiasme que sa mort déclenchait chez lui.

À leur arrivée, Will et Nancy craignaient que la police locale du quarante-cinquième arrondissement n'ait pollué la scène du crime, mais c'était inutile, car Murphy s'était occupé de tout en personne. Pas trace de gros mou sur le retour du genre Chapman. Will fit compliment au capitaine pour sa clairvoyance en matière de préservation des lieux, ce qui eut sur lui le même effet qu'une caresse sur le flanc d'un chien accompagné d'un « Brave bête ». Désormais, Murphy lui était dévoué à la vie à la mort, et la tête lui tournait presque quand il leur exposa le déroulement des choses : ses agents avaient répondu à l'appel en urgence d'un voisin qui avait entendu des hurlements ; en débarquant, ils avaient découvert le corps et la carte postale ; enfin ils avaient trouvé l'agresseur, Luis Camacho, recroquevillé derrière la cuve à mazout au sous-sol, couvert de sang. Le type avait voulu tout déballer sur-le-champ, et Murphy avait eu la bonne idée de le filmer tandis qu'il lui lisait ses droits d'une voix monocorde. Et de conclure avec une pointe de dédain que l'arrestation avait été un jeu d'enfant.

Will l'écouta avec calme, mais Nancy se montra impatiente :

« A-t-il confessé les autres meurtres ?

— Pour être honnête, je ne me suis pas aventuré jusque-là. Je n'ai pas voulu empiéter sur vos plates-bandes. Vous voulez le voir ?

— Le plus tôt possible, fit Will.

— Alors, suivez-moi.

— Il est toujours là ? demanda-t-il en souriant de satisfaction.

— J'ai voulu vous faciliter la tâche. Je ne pense pas que vous ayez envie d'aller ratisser le Bronx, pas vrai ?

— Putain, capitaine Murphy, vous êtes cinq étoiles.

— N'hésitez pas à le dire au commissaire ! »

La première chose qui vint à l'esprit de Will quand il vit Luis Camacho, c'est qu'il correspondait trait pour trait au profil qu'ils avaient esquissé : peau mate, taille moyenne, corpulence légère, autour de soixante-douze kilos. En voyant les lèvres de Nancy se crisper, il comprit qu'elle pensait la même chose que lui. Le prévenu était assis à la table de la cuisine, les mains menottées dans le dos, tremblant. Il portait un jean et un T-shirt marqué JUST DO IT maculés de sang séché. C'est lui, aucun doute, songea-t-il. Regardez-moi ce type, couvert du sang d'un autre homme, comme s'il s'agissait d'un rituel tribal.

La cuisine était proprette et bien en ordre. Sur les étagères étaient rangés des tas de pots remplis de gâteaux, de bocaux de pâtes de différentes formes, de sets de table avec des montgolfières, et un service de porcelaine décoré de fleurs. Un joli petit intérieur. Très gay, pensa Will. Il se pencha sur Luis Camacho, jusqu'à ce que celui-ci relève la tête et le regarde enfin.

« Monsieur Camacho, je suis l'agent spécial Will Piper, et voici l'agent spécial Lipinski. Nous appartenons au FBI et nous avons quelques questions à vous poser.

— J'ai déjà raconté aux flics ce que j'ai fait », murmura-t-il.

Dans les interrogatoires, Will était redoutable. Il se servait de son allure imposante pour menacer le prévenu, puis s'adressait à lui avec une certaine douceur, amplifiée par son léger accent du Sud. L'autre ne savait plus à qui il avait affaire, et Will savait parfaitement en jouer.

« Oui, c'est très bien. Cela va beaucoup vous faciliter les choses. Mais nous voudrions élargir l'enquête à présent.

— Ah, vous voulez parler de cette carte que John a reçue ? C'est bien ça ?

— Tout à fait. Cette carte nous intéresse. »

Luis secoua la tête d'un air lugubre et ses larmes se mirent à couler :

« Qu'est-ce qui va m'arriver ? »

Will pria un des policiers présents d'essuyer ses pleurs.

« Au final, la décision reviendra à un jury, mais si vous continuez à coopérer avec nous, je pense que cela aura un impact positif sur le verdict. Je sais que vous avez déjà parlé avec ces officiers, mais j'aimerais que vous nous parliez de votre relation avec M. Pepperdine, et que vous nous racontiez ce qui s'est passé ici aujourd'hui. »

Will le laissa s'exprimer librement, orientant le monologue par moments, tandis que Nancy prenait ses notes habituelles. Ils s'étaient rencontrés dans un bar en 2005. Pas un bar gay, mais ils se plaisaient et s'étaient revus plusieurs fois. Le steward portoricain du Queens avait un caractère de feu ; le libraire de City Island, lui, était un membre de l'Église épiscopale, coincé sur le plan émotionnel. Il avait hérité sa confortable maison de ses grands-parents, et y avait accueilli ses différents petits amis au cours des années. Passé son quarantième anniversaire, il avait dit à ses proches que Luis serait son dernier grand amour. Il ne s'était pas trompé.

Leur relation s'était révélée houleuse, en raison des infidélités du steward. John exigeait la fidélité. Luis en était incapable. De temps en temps John l'accusait de le tromper, ce que les navettes entre New York et Las Vegas rendaient très facile. Luis était justement rentré la veille au soir, mais au lieu de revenir à City Island, il était allé à Manhattan avec un homme d'affaires rencontré dans l'avion qui l'avait invité à dîner dans un grand restaurant, avant de le ramener chez lui à Sutton Place. Luis s'était glissé dans le lit de John à 4 heures du matin, et s'était réveillé à 13 heures avec la gueule de bois. Il était alors descendu d'un pas mal assuré pour se faire du café, s'attendant à se retrouver seul.

Or, ce jour-là, John n'était pas allé travailler, il ne s'était même pas coiffé et, le teint cireux, il était resté prostré dans le salon, épave émotionnelle, tremblant d'angoisse, le propos presque incohérent. Où était passé Luis ? Avec qui ? Pourquoi n'avait-il pas répondu à ses appels en urgence et ses SMS ? Pourquoi l'avait-il ainsi abandonné ce jour-là entre tous ? L'autre avait répondu en haussant les épaules, l'interrogeant sur ce qui pouvait bien le mettre dans cet état. Est-ce qu'on n'avait pas le droit d'aller boire un coup avec des potes après sa journée de travail ? C'était minable. « Tu me trouves minable ! s'était écrié John. Regarde ça, espèce de salope ! » Il s'était précipité à la cuisine d'où il était revenu en tenant entre ses doigts une carte postale. « C'est la carte de l'Apocalypse, connard, et dessus, il y a mon nom et la date d'aujourd'hui ! »

Luis y avait jeté un coup d'œil et répondu que c'était sûrement une mauvaise blague. C'était peut-être des représailles de la part de cet employé qu'il venait de licencier. Et d'ailleurs, John avait-il appelé la police ? Non. Il avait bien trop peur. Ils avaient continué de se quereller pendant un moment, puis le portable de Luis, sur la console de l'entrée, avait entonné de manière théâtrale *Oops ! I did it again*, le tube de Britney Spears. John avait bondi en hurlant :

« Putain, c'est qui ? »

À la vérité, il s'agissait du type de Sutton Place, mais Luis avait nié de manière peu convaincante.

John avait vu rouge, et, d'après son compagnon, cet homme d'habitude posé avait perdu tout contrôle de lui-même. Il avait saisi une batte de softball en aluminium qui depuis dix ans croupissait sur la terrasse, abandonnée après qu'il se fut déchiré le tendon d'Achille lors d'une compétition à Pelham. Maniant l'objet comme une lance, John l'avait enfoncé dans l'épaule de Luis en lui hurlant des obscénités. Son compagnon lui avait demandé de poser la batte, en vain. Il avait à son tour perdu l'esprit et, l'instant d'après, la masse métallique était entre ses mains et le sang commençait à asperger la pièce.

Will l'écoutait avec un malaise grandissant, car ces aveux sonnaient juste. Mais bon, il n'était pas infaillible. Il s'était fait embobiner par le passé et, visiblement, ça recommençait. Il n'attendit pas que le prévenu cesse de pleurer pour lui assener avec agressivité et sans crier gare :

« Avez-vous tué David Swisher ? »

Luis le regarda, stupéfait. D'instinct, il voulut lever les bras en guise de protestation, mais ses poignets étaient entravés par les menottes.

« Non ! »

« — Avez-vous tué Elizabeth Kohler ?

— Mais non !

— Avez-vous tué Marco Napolitano ?

— Arrêtez ! s'exclama Luis en se tournant vers Nancy. Mais de quoi est-ce qu'il parle ? »

En guise de réponse, Nancy poursuivit :

« Avez-vous tué Myles Drake ? »

Luis ne pleurait plus. Il renifla en la dévisageant.

« Avez-vous tué Milos Covic ? continua-t-elle.

— Consuela Lopez ? reprit Will.

— Ida Santiago ?

— Lucius Robertson ? »

Le capitaine Murphy souriait, impressionné par le feu roulant des questions.

Luis secouait la tête avec vigueur :

« Non ! Non ! Non ! Non ! Vous êtes dingues ! Je vous ai dit que j'avais tué John, et c'était bien de la légitime défense, mais je n'ai pas tué ces gens-là ! Vous me prenez pour le tueur de l'Apocalypse, c'est ça ? Vous le pensez vraiment ? Allons donc, revenez sur terre !

— C'est bon, Luis, je vous entends. Calmez-vous. Vous voulez un verre d'eau ? dit Will. Alors, depuis combien de temps faites-vous la navette entre New York et Las Vegas ?

— Ça fait presque quatre ans.

— Vous avez un agenda avec vos vols notés ?

— Ouais, bien sûr. C'est là-haut, sur la commode. » Nancy partit le chercher en hâte.

« Ça vous arrive de poster des cartes, à Las Vegas ?

— Non !

— Je vous ai bien entendu nous dire que vous n'aviez pas tué ces gens, mais à présent, dites-moi, Luis, est-ce que vous en connaissez certains ?

— Bien sûr que non !

— Ni Consuela Lopez ou Ida Santiago ?

— Mais qu'est-ce que vous imaginez ? Que parce qu'elles sont latinos, je devrais les connaître ? Vous vous foutez de moi ? Vous savez combien il y a d'Hispaniques à New York ? »

Will poursuivait sans relâche :

« Avez-vous vécu à Staten Island ?

— Non.

— Vous y avez travaillé ?

— Non.

— Vous avez des amis, là-bas ?

— Non.

— Vous y êtes déjà allé ?

— Peut-être bien une fois, par ferry.

— Quand était-ce ?

— Quand j'étais môme.

— Quel genre de voiture avez-vous ?

— Une Civic.

— C'est la beige qui est garée devant ?

— C'est ça.

— Vos amis ou parents ont-ils une voiture bleu foncé ?

— Non, je ne pense pas.

— Possédez-vous une paire de Reebok DMX 10 taille 46 ?

— Est-ce que j'ai une tête à porter des baskets d'ado ?

— Est-il arrivé que quelqu'un vous demande de poster pour lui des cartes depuis Las Vegas ?

— Non !

— Vous reconnaissez avoir tué John Pepperdine ?

— Oui, en légitime défense.

— Avez-vous déjà tué auparavant ?

— Non !

— Savez-vous qui a tué les autres victimes ?

— Non ! »

Will mit soudain fin à l'interrogatoire, partit à la recherche de Nancy, qu'il trouva sur le palier de l'étage. Il avait un mauvais pressentiment et, en avisant la grimace de la jeune femme, ses craintes se confirmèrent. Munie de gants de latex, elle feuilletait un agenda noir de l'année 2008.

« Alors ?

— Si cet agenda dit la vérité, nous avons un gros problème. À part aujourd'hui, au moment de chaque autre meurtre, il était à Las Vegas ou en transit. Je n'arrive pas à y croire, Will. Je ne sais plus quoi dire.

— Merde. Voilà ce qu'il faut dire, conclut-il en s'adossant au mur avec lassitude. Parce que cette affaire, c'est franchement de la merde.

— Peut-être l'agenda est-il truqué ?

— Pour le savoir, il suffit de consulter les plannings de la compagnie aérienne. De toute façon, on sait bien que ce n'est pas lui, le tueur de l'Apocalypse.

— En tout cas, c'est bien lui qui a tué la victime n° 9, ça, c'est sûr. »

Il acquiesça :

« Bien, partenaire, voilà ce qu'on va faire. »

Nancy posa l'agenda de Luis et ouvrit son carnet pour noter ses instructions. « Vous ne buvez pas, n'est-ce pas ?

— Pas vraiment.

— Très bien, vous allez donc pouvoir m'assister. Nous allons finir notre service dans cinq minutes. Votre mission consiste à m'accompagner dans un bar, à me parler pendant que je me saoulerai, puis à me reconduire chez moi. Ça vous va ? »

Elle le fixa d'un air réprobateur.

« Si c'est ce que vous voulez. »

Il vidait ses verres à toute vitesse, obligeant la serveuse à d'incessantes allées et venues entre leur table et le bar. Tout en sirotant un soda *light* avec une paille coudée, Nancy l'observait qui s'enivrait peu à peu. Le Harbor Restaurant surplombait la baie, et les eaux calmes s'obscurcissaient à mesure que le soleil déclinait. Il avait repéré l'endroit avant de quitter l'île, en se disant à mi-voix :

« Doit bien y avoir un bar, là-dedans. »

Il n'était pas encore assez ivre pour ne pas s'apercevoir que Nancy était mal à l'aise, ainsi obligée de boire un verre après le boulot en compagnie de son supérieur, qui justement jouissait d'une réputation d'alcoolique et de crapule. La jeune femme était si embarrassée de se trouver là qu'elle ne cessait de se trémousser sur son siège. Comme elle se taisait, il prit un malin plaisir à dresser pour elle un profil douteux. Elle devait se sentir très importante, à l'aider ainsi à se torcher à la va-vite. De toute façon, elle était bel et bien en train de tomber amoureuse de lui. Il le voyait dans ses yeux, surtout le matin, quand elle entrait dans son bureau. Elles succombaient toutes au bout du compte. Il ne se vantait pas, c'était la simple vérité.

En cet instant, elle devait à la fois le haïr et le désirer. Il faisait cet effet-là aux femmes.

Dans la lueur de la lampe à pétrole posée sur la table, son corps se ramollissait comme un moulage en terre pas encore cuit, oublié dehors par une chaude journée. Ses traits s'affaissèrent, ses épaules s'arrondirent, et il s'enfonça dans la banquette de vinyle brillant.

« Vous êtes censée me parler, bredouilla-t-il. Et vous restez assise là, à me regarder.

— Vous voulez qu'on parle de l'affaire ?

— Putain, tout sauf ça.

— Alors de quoi ?

— Pourquoi pas de base-ball ? Vous préférez les Mets ou les Yankees ?

— Je ne m'intéresse pas vraiment au sport.

— Évidemment…

— Désolée. »

Par la fenêtre, elle suivit des yeux les lumières d'un bateau à moteur qui filait au loin, jusqu'à ce qu'il soit hors de vue. Tête baissée, il jouait avec les glaçons dans son verre, créant un tourbillon du bout du doigt. Quand le verre fut vide, il fit un vague geste en direction de la jeune serveuse.

Les traits de Nancy étaient flous. Il essaya de se concentrer pour qu'elle redevienne bien nette.

« Ça vous plaît pas, d'être là, hein ?

— Pas vraiment. »

Elle sursauta quand il tapa du poing sur la table trop fort, faisant se retourner les autres clients.

« Vous êtes honnête. J'aime ça. »

Il prit une poignée de cacahuètes qu'il se mit à mastiquer à grand bruit, puis il lécha le sel sur sa paume grasse.

« Les femmes, quand elles commencent à être honnêtes avec moi, en général, c'est trop tard, dit-il en grognant comme s'il avait dit quelque chose de drôle. OK, partenaire, dites-moi, qu'est-ce que vous feriez si vous étiez pas là à faire du baby-sitting ?

— Eh bien, je ne sais pas, j'aiderais à préparer le dîner, je lirais, j'écouterais de la musique. Vous savez, Will, dit-elle comme pour s'excuser, je ne suis pas une personne très passionnante.

— Et vous lisez quoi ?

— J'aime bien les biographies, les romans. »

Il feignit de s'intéresser :

« Avant, je lisais beaucoup. Aujourd'hui, je passe mon temps à picoler devant la télé. Et vous savez ce que ça fait de moi ? »

Elle secoua la tête.

« Un homme ! gloussa-t-il. Un connard d'*homo sapiens* du XXIe siècle ! »

Il engouffra des cacahuètes dans sa bouche, puis avec arrogance croisa les bras sur sa poitrine, tout en arborant un large sourire. Devant le visage impénétrable de Nancy, il comprit qu'il allait trop loin, mais il s'en fichait.

Il prenait une bonne cuite, et tant pis si ça ne lui plaisait pas. La serveuse portait une petite croix en or qui se balançait entre ses gros seins quand elle se baissait pour poser un nouveau scotch devant Will. Il lorgna sa poitrine.

« Eh, tu viens chez moi, et on regardera la télé en buvant un verre. »

Mais Nancy en avait assez.

« Je suis navrée. Vous pouvez nous apporter l'addition ? dit-elle à la serveuse qui repartait en hâte. Will, on s'en va, lui dit-elle d'un ton sec. Il faut rentrer, maintenant.

— Est-ce que c'est pas ça que je viens de dire ? »,
bafouilla-t-il.

Dans sa poche, l'*Hymne à la joie* retentit. Il réussit à
extraire le portable de sa veste, plissant les yeux pour
lire le nom de la personne qui téléphonait.

« Et merde. Je crois pas qu'il faut que je lui parle
maintenant, dit-il en tendant l'engin à Nancy. C'est
Helen Swisher », chuchota-t-il comme si son interlocu-
trice pouvait déjà l'entendre.

La jeune femme prit la communication :

« Allô ! »

Will se leva et d'un pas incertain s'en alla aux toilettes. Quand il revint, Nancy avait payé l'addition et
l'attendait debout à côté de la table. Elle le jugea assez
conscient pour entendre la nouvelle :

« Helen Swisher vient d'avoir la liste des clients de
David par sa banque. Il avait bien travaillé avec
quelqu'un à Las Vegas.

— Ah, ouais ?

— En 2003, il a conclu une affaire avec une compagnie d'assurances du Nevada qui s'appelle Desert Life.
Son client était le P-DG, il s'appelle Nelson Elder. »

En regardant Will, on aurait pu croire qu'il se tenait
sur le pont d'un navire en pleine tempête. Titubant, il
s'écria d'une voix de stentor :

« Très bien. J'y vais. Je m'en vais parler à ce Nelson
Elder, et je vais dégotter ce putain de tueur. Ça vous va
comme plan ?

— Donnez-moi les clefs de la voiture, fit-elle d'un
ton acerbe qui transperça son brouillard d'alcool.

— Eh, faut pas être méchante avec moi, l'implora-
t-il. On est partenaires ! »

Sur le parking, ils furent enveloppés par de douces bouffées de brise iodée et par l'odeur de la mer à marée basse.

D'ordinaire, ces sensations auraient suffi pour plonger la jeune femme dans une rêverie suave et insouciante, mais à la voir, elle semblait plutôt au fond d'un trou noir, affublée de ce coéquipier, qui se traînait derrière elle, semblable à la créature de Frankenstein, marmonnant des paroles inintelligibles.

« M'en vais à Vegas, chérie, ouais, à Las Vegas. »

17 septembre 782

ISLE DE WIHT, ROYAUME DE WESSEX

Le temps des moissons était venu : c'était sans doute la période préférée de Josephus, quand le jour se faisait tiède, les nuits fraîches et agréables, et que l'air se gorgeait des senteurs de la terre, des pommes mûres, du blé et de l'orge fauchés. Il remerciait la providence pour les bienfaits de la nature. Les frères allaient pouvoir reconstituer les réserves de grain, presque épuisées, et remplir les barriques de chêne de cervoise fraîche. Il avait beau abhorrer la gloutonnerie, il supportait mal de limiter sa consommation de cervoise, restriction hélas inévitable à partir du mois d'août.

Il y avait trois ans que l'église de pierre avait remplacé le vieil édifice de bois. Le clocher carré, effilé, grimpait si haut que, à l'approche de l'île, les bateaux s'en servaient comme point de repère. À l'extrémité orientale du bâtiment, le chœur possédait des fenêtres basses, de forme triangulaire, qui laissaient filtrer une merveilleuse lumière sur le sanctuaire durant les offices diurnes. La nef, assez vaste pour la communauté actuelle, offrait au monastère la possibilité de se développer pour accueillir un nombre accru de serviteurs de Dieu. Souvent, Josephus faisait pénitence car l'idée d'avoir participé à tout cela lui causait de la fierté. Certes, sa connaissance du monde était limitée, mais il considérait que l'abbaye de l'isle de Wiht faisait partie des plus grands sanctuaires de la chrétienté.

Les maçons travaillaient dur, ces temps-ci, car ils achevaient le nouveau chapitre. Josephus et Oswyn avaient décidé que ce serait ensuite au tour du scriptorium, dont l'extension devenait plus que nécessaire. En effet, les bibles, les règles des saints et les *Épîtres de saint Pierre* à l'encre d'or, produites par les copistes du monastère étaient très estimées, et on disait même que certains exemplaires avaient franchi les mers pour arriver en Hibernia, en Francie et jusqu'en Lombardie.

Le milieu de la matinée approchait et Josephus sortit du lavatorium pour se rendre au réfectoire, où il trouverait un quignon de pain bis, du mouton rôti, du sel et un pichet de cervoise. Déjà son estomac en grognait d'aise. Oswyn avait imposé une règle très stricte à l'abbaye où n'était autorisé qu'un seul repas par jour. Affaiblir les désirs de la chair devait renforcer la vie spirituelle de la congrégation. Au terme d'une longue période de méditation et de jeûne, que le frêle abbé ne pouvait hélas guère se permettre, il avait eu cette révélation, qu'il avait annoncée à la communauté dûment rassemblée dans le chapitre.

« Chaque jour nous devons jeûner, de même que chaque jour nous devons manger. Il nous faut gratifier notre corps avec une plus grande parcimonie. »

Ainsi avaient-ils tous maigri.

Josephus entendit qu'on l'appelait. Guthlac, un rude gaillard, jadis soldat, accourut en faisant claquer ses sandales sur le chemin.

« Frère prieur, Ubertus le tailleur de pierre est à la porte du monastère. Il souhaite vous parler sur-le-champ.

— J'allais justement me restaurer. Ne penses-tu point qu'il peut attendre ?

— Il a dit que c'était urgent, répondit Guthlac en s'éloignant en hâte.

— Et où vas-tu comme ça ? l'interpella Josephus.

— Au réfectoire, frère prieur. Prendre mon repas. »

Le tailleur de pierre avait franchi les portes du monastère et attendait près de l'hospice, maison basse, en bois, garnie de simples paillasses, où l'on accueillait visiteurs et voyageurs. Il semblait pétrifié, comme si ses pieds avaient pris racine dans le sol. De loin, Josephus crut qu'il était seul, mais en s'approchant, il avisa derrière l'épais tailleur de pierre de minuscules jambes.

« Que puis-je faire pour vous, Ubertus ?

— Je vous ai amené le mioche. »

Le moine ne comprit point.

Le tailleur de pierre se retourna, saisit l'enfant et le lui présenta. C'était un tout petit garçon, pieds nus, fin comme une brindille, aux cheveux d'un roux flamboyant. Il portait une chemise crasseuse, déchirée, révélant une poitrine étroite aux côtes apparentes. Ses chausses étaient trop longues, legs de ses frères qu'il ne remplissait pas encore. Sa peau fine était d'un blanc de parchemin, ses prunelles vertes, d'une grande fixité, telles des pierres précieuses, et son petit visage délicat, aussi immobile que les pierres de son père. Ses lèvres roses étaient si serrées qu'elles en étaient blanches, et son menton crispé.

Josephus avait entendu parler de cet enfant, mais il ne l'avait jamais rencontré. Sa présence le mit tout de suite mal à l'aise. Il dégageait une sorte de folie froide, comme si sa petite vie encore brute n'avait jamais été bénie par la chaleur de Dieu. Il s'appelait Octavus, le huitième, ainsi que l'avait baptisé son père la nuit de sa naissance. À l'inverse de son jumeau, abomination de la nature dont on avait eu la sagesse de se débarrasser, son existence serait bienheureusement ordinaire, n'est-ce pas ? En effet, le huitième fils d'un septième fils n'était qu'un gamin parmi d'autres, même s'il était né le septième jour du septième mois de l'an de grâce 777 après la naissance du Seigneur. Ubertus priait pour qu'il devînt tailleur de pierre, fort et puissant comme son père et ses frères.

« Pourquoi me l'amenez-vous ?

— Je veux que vous vous occupiez de lui.

— Pourquoi m'occuperais-je de votre fils ?

— Parce que moi, je peux plus.

— Pourtant vous avez des filles capables de prendre soin de lui et assez de pain pour nourrir votre famille.

— Il a besoin du Christ. Et le Christ, il est là.

— Le Christ est partout.

— Oui, frère prieur, mais ici, il est plus puissant qu'ailleurs. »

Le garçon tomba à genoux et se mit à tracer des petits cercles sur le sol. Mais son père le rattrapa par les cheveux et le remit debout sans ménagement. L'enfant fit la grimace mais n'émit aucun bruit, malgré la brutalité du geste.

« Ce mioche a besoin du Christ, répéta le père. Je veux qu'il se consacre à la vie religieuse. »

Josephus avait entendu parler du garçon : on racontait qu'il se comportait de manière étrange. Muet, absorbé dans son monde à lui, il ne manifestait aucun intérêt pour ses frères, ses sœurs, ni les autres gamins du village. Nourri au sein, il tétait peu et, même à 5 ans, mangeait sans appétit. Au fond de lui-même, Josephus, qui avait assisté à cette naissance extraordinaire, n'était guère surpris de voir ce qu'il était devenu.

L'abbaye accueillait régulièrement des enfants, bien que cette pratique ne fût guère encouragée car elle pesait sur les ressources du monastère et détournait les moniales de leurs autres tâches. Les villageois avaient tendance à déposer aux portes du sanctuaire leurs rejetons invalides ou à l'intelligence déficiente. Si sœur Magdalena avait eu le choix, elle les aurait tous renvoyés dans leur famille, mais le prieur avait pitié des créatures de Dieu les plus infortunées.

Celle-ci, toutefois, paraissait inquiétante.

« Mon garçon, sais-tu parler ? », s'enquit Josephus.

Le regard rivé sur les signes qu'il avait dessinés par terre, Octavus ne lui prêtait aucune attention.

« Il cause pas », expliqua Ubertus.

Avec douceur, le prieur saisit le menton du gamin et releva son petit visage.

« As-tu faim ? »

Le regard sombre du garçon errait de-ci, de-là.

« Connais-tu le Christ, ton Sauveur ? »

Josephus ne détecta pas la moindre lueur de reconnaissance sur ses traits figés. Octavus paraissait être une *tabula rasa*, un parchemin vierge où rien n'était écrit.

« Alors, frère prieur, vous le prenez ? », implora son père.

Josephus lâcha le menton de l'enfant, qui aussitôt retourna par terre et, du bout de son doigt sale, se remit à faire ses petits dessins.

À présent, de grosses larmes roulaient sur le visage taillé à la serpe d'Ubertus.

« Pour l'amour de Dieu ! »

Sœur Magdalena était une femme austère que personne n'avait jamais vue sourire, même quand elle jouait de son psaltérion, dont elle tirait une divine musique. Elle avait dépassé les 50 ans et vécu la moitié de son existence au monastère. Sous son voile, d'épaisses tresses grises, et sous sa robe, un robuste corps de vierge, aussi impénétrable qu'une armure. Elle n'était cependant pas dépourvue d'ambition, sachant bien que sous la *Règle* de saint Benoît, une femme pouvait accéder à la position d'abbesse si l'évêque en décidait ainsi. En tant que doyenne des moniales de l'abbaye, ce n'était pas impossible. Hélas, Aetia, l'évêque de Dorchester, la saluait à peine quand il venait au monastère pour célébrer Noël et les Pâques. Elle était certaine que ses réflexions sur la manière dont elle pourrait améliorer la gestion de l'abbaye n'étaient point le fruit de la vanité, mais qu'elles résultaient de son désir de rendre l'abbaye plus pure, plus efficace.

Souvent, elle allait voir Oswyn pour l'informer de ses soupçons de gaspillage, d'excès, voire de fornication. Le vieil abbé l'écoutait avec patience, soupirant dans sa barbe, puis transmettait ces doléances à Josephus. Oswyn était de plus en plus torturé par son dos, infirmité qui ne lui laissait aucun répit. Les plaintes de sœur Magdalena au sujet de la consommation de cervoise ou des prétendus regards salaces, guignant les vierges dont elle avait la charge, ne faisaient qu'ajouter à son inconfort. Il laissait au prieur le soin de régler les problèmes matériels, afin de pouvoir se consacrer au service du Très-Haut, qu'il voulait honorer en menant à bien de son vivant la reconstruction complète de l'abbaye.

Magdalena n'aimait pas les enfants, nul ne l'ignorait. L'impureté de leur conception la troublait, et ils requéraient à ses yeux trop de soins. Elle méprisait Josephus, qui leur ouvrait le sanctuaire, surtout aux très jeunes et aux estropiés. Or, elle était responsable de neuf mioches de moins de 10 ans, qu'elle jugeait pour la plupart incapables de travailler assez pour gagner leur pitance. Aussi poussait-elle les moniales à les faire trimer dur, les chargeant d'aller chercher de l'eau, du bois pour le feu, de laver plats et ustensiles, ainsi que de changer la paille des matelas pour limiter les infestations par les poux. Plus tard, ils se consacreraient aux études religieuses, mais tant que leur esprit n'avait point été discipliné par le labeur, elle les considérait comme des bons à rien.

Octavus, la dernière erreur en date de Josephus, la mettait hors d'elle. Il était en effet incapable d'obéir aux ordres les plus élémentaires. Il refusait de vider un pot, ou de mettre une bûche dans la cheminée de la cuisine. Il n'allait pas se coucher, à moins qu'on le traînât au lit, ni ne se levait, si on ne l'arrachait à sa couche. Les autres enfants se gaussaient de lui, le traitaient de tous les noms. D'abord, Magdalena l'avait pris pour une forte tête, aussi l'avait-elle châtié à coups de bâton. Puis, elle s'était lassée de ce genre de punition car cela n'avait aucun effet sur lui, ne lui arrachant ni cri ni larmes. De plus, dès qu'elle en avait fini, chaque fois, le garçon se saisissait du bâton pour se mettre à dessiner des formes sur le sol de terre battue de la cuisine.

À présent que l'automne cédait le pas à l'hiver, elle ne faisait plus du tout attention à lui, l'abandonnant à son sort. Par chance, il avait un appétit de moineau et ne pesait guère sur leurs réserves.

Par un froid matin de décembre, Josephus quitta le scriptorium pour se rendre à la messe. Durant la nuit, la première tempête de l'hiver avait fait rage, laissant derrière elle un blanc manteau, si éclatant dans le soleil que c'en était aveuglant. Le prieur se frotta les mains pour les réchauffer puis se hâta car ses orteils commençaient à geler.

Octavus était accroupi au bord du chemin, pieds nus, vêtu de ses pauvres hardes. Le prieur le rencontrait souvent en différents endroits de l'abbaye. À l'accoutumée, il posait la main sur l'épaule de l'enfant, murmurait une courte prière pour qu'il guérît de sa maladie, puis vaquait à ses occupations. Ce jour-là, avisant le garçonnet, il craignit qu'il ne gelât sur place si l'on n'y prenait garde. Il regarda autour de lui, à la recherche d'une moniale, mais l'endroit était désert.

« Octavus, s'exclama-t-il, rentre donc à l'intérieur ! Il ne faut pas rester ainsi pieds nus dans la neige ! »

L'enfant tenait une brindille à la main et, comme d'habitude, il dessinait des formes. Ce jour-là, pourtant, on lisait une espèce d'excitation sur ses traits délicats et indifférents. La neige lui offrait un immense espace vierge où gribouiller.

Josephus, qui le surplombait, s'apprêtait à le prendre dans ses bras, quand il s'arrêta net, écarquillant les yeux.

Non, cela ne pouvait être !

Le prieur mit une main devant ses yeux pour se protéger de la réfraction de la lumière, et ses craintes se confirmèrent.

Il se rua vers le scriptorium d'où, un instant plus tard, il ressortit en tirant furieusement par la manche Paulinus, malgré ses protestations.

« Qu'y a-t-il, Josephus ? s'écria le frêle moine. Pourquoi ne me dis-tu point de quoi il s'agit ?

— Regarde ! Dis-moi ce que tu vois. » Octavus avait continué de dessiner dans la neige. Au-dessus de lui, les deux hommes examinaient ses gribouillis. « C'est impossible ! fit Paulinus entre ses dents.

— Pourtant, c'est bien là ! » Sur la couche poudreuse apparaissaient des lettres :

S-I-G-B-E-R-T-D-E-T-I-S

« "Sigbert de Tis ?"

— Attends, il n'a point terminé, fit le prieur tout excité. Regarde : "Sigbert de Tisbury".

— Mais comment cet enfant saurait-il écrire ? s'interrogea Paulinus, blanc comme un cierge et trop effrayé pour frissonner.

— Je l'ignore. Dans son village, nul ne sait écrire. Et les moniales ne le lui ont certainement point enseigné. En vérité, il est même considéré comme faible d'esprit. »

Or, le garçon continuait de manier sa brindille :

18 12 782 Natus

Paulinus se signa.

« Par Notre-Seigneur ! Il sait aussi les chiffres ! Le dix-huitième jour du douzième mois de l'an de grâce 782. C'est aujourd'hui !

— *Natus* signifie naissance », murmura Josephus.

Paulinus effaça du bout du pied les lettres et les chiffres.

« Amène-le ! » Ils attendirent que les autres moines eussent quitté le scriptorium pour se rendre à la messe, puis ils installèrent l'enfant devant un pupitre de copiste. Paulinus posa devant lui une feuille de parchemin vierge et lui donna une plume.

Aussitôt, Octavus se mit à gratter le parchemin, guère gêné de ne rien voir s'y inscrire.

« Non, lui dit le moine. Attends. Regarde. »

Il trempa l'extrémité de l'instrument dans un encrier en céramique et le lui rendit. Le garçon se remit à dessiner, mais cette fois, la plume laissa une trace. Il parut découvrir les lettres noires et un grognement guttural sortit de sa poitrine. C'était la première fois qu'il émettait un son.

Cedric de York 18 12 782 Mors

« De nouveau la date d'aujourd'hui, fit Paulinus à voix basse. Mais cette fois il a noté *mors*, la mort.

— C'est de la sorcellerie », se lamenta Josephus en reculant, jusqu'à ce que son dos heurte un autre pupitre.

L'encre vint à manquer, alors Paulinus prit la main de l'enfant et lui fit tremper la plume. Sans rien manifester, Octavus se remit à écrire, mais cette fois en commençant par un gribouillis.

呼 延 . *18 12 782 Natus*

Les deux hommes hochèrent la tête, déconcertés.

« Ce ne sont point des lettres normales, mais une fois encore apparaît cette date », commenta Paulinus.

Son compagnon tressaillit soudain, réalisant qu'ils allaient être en retard pour la messe, péché impardonnable.

« Dissimule le parchemin et l'encre, et laissons le garçon dans un coin. Viens, Paulinus, hâtons-nous. Nous prierons le Seigneur pour qu'il nous aide à comprendre ce que nous venons de voir et nous le supplierons qu'il nous purifie de tout mal. »

Cette nuit-là, les deux moines se retrouvèrent dans la brasserie glaciale autour d'une épaisse chandelle. Josephus avait besoin d'une pinte de cervoise pour calmer ses nerfs et son estomac, quant à Paulinus, il espérait réussir à distraire un peu son vieil ami. Ils s'assirent sur des tabourets, et s'approchèrent jusqu'à ce que leurs genoux se touchent presque.

Le prieur se considérait comme un homme simple, qui comprenait l'amour de Dieu et la *Règle* de saint Benoît de Nursie que tous les serviteurs de Dieu se devaient de respecter. Toutefois, il savait que Paulinus était un lettré, un penseur, qui avait lu de nombreux textes sur la terre et le ciel. Si quelqu'un pouvait expliquer ce dont ils avaient été témoins, c'était bien lui.

Cependant, Paulinus semblait perplexe. Au lieu de lui offrir une explication, il proposa à son compagnon de mener l'enquête, et les deux hommes réfléchirent à la meilleure façon de procéder. Ils tombèrent d'accord pour garder secrètes les capacités de l'enfant, car en effet, à quoi servirait d'inquiéter la communauté avant que Paulinus eût réussi à déchiffrer le dessein de Dieu ?

Quand Josephus eut fini sa cervoise, son compagnon reprit la chandelle. Il s'apprêtait à la souffler lorsqu'il livra au prieur le fond de sa pensée :

« Tu sais, rien ne prouve qu'à la naissance des jumeaux, le septième né fut nécessairement le septième fils conçu par Dieu. »

Ubertus traversait la campagne du Wessex, porteur d'une mission que lui avait confiée le prieur Josephus. Il ne se sentait guère taillé pour ce genre de tâche, mais il était l'obligé de Josephus et ne pouvait rien lui refuser.

Le lourd animal suait entre ses jambes et réchauffait son corps assailli par le froid mordant de ce jour de décembre. Il était piètre cavalier car les tailleurs de pierre étaient habitués au rythme lent des chars à bœufs. Aussi serrait-il les rênes de toutes ses forces, jambes crispées contre les flancs de sa monture, qu'il chevauchait tant bien que mal. Le cheval était un animal robuste que le monastère conservait sur la côte pour ce genre d'occasion. Un passeur avait conduit Ubertus de la plage de galets de l'isle de Wiht jusque sur les rives du Wessex. Josephus lui avait commandé de faire vite, sa mission ne devait point excéder deux jours, ce qui l'obligeait à presser sa monture.

À mesure que les heures avançaient, le ciel virait au gris ardoise, comme les petites falaises rocheuses du littoral. Le tailleur de pierre avançait au pas à travers la campagne gelée où se succédaient des champs en friche séparés par de petits murets de pierre, et de minuscules villages semblables au sien. De temps à autre, il croisait un paysan à l'air morne, se traînant à pied ou monté sur une mule flegmatique. Il se méfiait des voleurs, mais à la vérité, ses seuls biens de valeur étaient le cheval et les quelques pièces que Josephus lui avait remises pour le voyage.

Il arriva à Tisbury entre chien et loup. C'était une petite ville prospère, avec plusieurs maisons de bois de bonne taille et une multitude d'habitations modestes alignées le long de la grand-rue. Sur le pré central, dans l'obscurité, apparaissaient des moutons pelotonnés les uns contre les autres. Aux abords, se dressait une petite église de bois, solitaire, froide et sombre. À côté, un cimetière, et une tombe fraîchement creusée. Il se signa. L'air était rempli de la fumée des cheminées, et Ubertus fut distrait par l'odeur de viande rôtie et de graisse brûlée qui flottait dans l'atmosphère.

C'était jour de marché, aussi demeurait-il encore sur la place des charrettes et étalages de légumes dont les propriétaires étaient allés à la taverne boire un coup ou jouer aux dés. Ubertus à son tour s'arrêta devant la porte de l'auberge. Un garçon vint à lui, pour lui proposer de surveiller son cheval. En échange d'une pièce, l'enfant emmena l'animal manger une ration d'avoine et boire dans une auge.

Quand le tailleur de pierre entra dans l'établissement tiède et bondé, ses sens furent assaillis par le bruit des voix chargées d'alcool et des odeurs de cervoise rancie, de sueur et de pisse. Il s'approcha du feu de tourbe pour y réchauffer ses doigts engourdis, puis avec son fort accent italien, il commanda un pichet de vin. Comme la ville accueillait un marché, les habitants avaient l'habitude des étrangers, et ils traitèrent Ubertus avec curiosité et gaieté. Un groupe d'hommes l'invita à sa table, et très vite il fut entraîné dans une conversation animée où on le questionna sur l'endroit d'où il venait, et sur ce qui l'amenait à Tisbury.

En moins d'une heure, il avait vidé trois pots de vin et obtenu les informations qu'il cherchait.

De coutume, sœur Magdalena circulait à travers l'abbaye d'un bon pas, ni trop lent, car c'eût été une perte de temps, ni trop hâtif, car cela eût laissé croire qu'il existait en ce monde des tâches plus importantes que la contemplation de Dieu.

Aujourd'hui, elle courait, en serrant un objet dans la main.

Quelques jours plus cléments avaient réduit la neige à l'état de croûtes de glace éparses, et les chemins passants ne glissaient plus.

Josephus et Paulinus demeuraient en silence dans le scriptorium, seuls. Ils avaient fait sortir les copistes pour recevoir en toute discrétion Ubertus, qui s'en revenait de sa mission, recru de fatigue et de froid.

Le tailleur de pierre était déjà reparti, accompagné de lugubres remerciements et de la bénédiction des moines.

Bien que simple, son rapport ne laissait aucun doute.

En ce dix-huitième jour du mois de décembre, trois jours plus tôt, un enfant était né dans la ville de Tisbury, chez Wuffa le tanneur et sa femme Eanfled.

On l'avait nommé Sigbert.

Bien qu'aucun d'eux ne l'eût avoué, ils n'étaient pas surpris par la nouvelle. Ils s'y attendaient, car la situation était déjà tellement extravagante qu'elle ne pouvait guère le devenir davantage : en effet, avait-on déjà vu un garçon muet, né d'une femme morte, sachant écrire des noms et des dates sans jamais l'avoir appris ?

Après le départ d'Ubertus, Paulinus déclara :

« Ce garçon est bien le septième fils, il n'y a aucun doute. Il possède un grand pouvoir.

— Est-ce pour faire le bien ou le mal ? », demanda le prieur en tremblant.

Son ami le regarda, l'air sceptique, sans répondre.

C'est alors que, sans prévenir, sœur Magdalena fit irruption.

« Frère Otto m'a dit que je vous trouverais ici », dit-elle le souffle court en claquant la porte derrière elle.

Les deux moines échangèrent des regards de conspirateurs.

« C'est exact ma sœur. Quelque chose vous causerait-il du souci ?

— Ceci ! »

Elle leur tendit avec brusquerie un parchemin roulé.

« L'une des moniales a trouvé ceci dans le dortoir des enfants, sous la paillasse d'Octavus. Il l'a volé au scriptorium, cela ne fait aucun doute. Pouvez-vous me

le confirmer ? » Josephus déroula le parchemin et, avec
Paulinus, l'inspecta.

Kal ba Lakna	21 12 782	Natus
Flavius de Napoli	21 12 782	Natus
СИМЕОН	21 12 782	Natus
יملת	21 12 782	Mors
Juan de Madrid	21 12 782	Natus

Le prieur leva les yeux : c'était bien l'écriture resserrée du petit garçon.

« C'est de l'hébreu, je reconnais les caractères, lui
chuchota son ami en désignant la quatrième ligne. En
revanche, j'ignore l'origine du précédent.

— Eh bien ? demanda la moniale. Confirmez-vous
que cet enfant a bien volé ceci ?

— Asseyez-vous, s'il vous plaît, soupira Josephus.

— Je ne souhaite point m'asseoir, frère prieur, je
souhaite connaître la vérité afin de punir Octavus avec
la sévérité qui s'impose.

— Je vous prie de vous asseoir. »

Avec réticence, elle prit place sur l'un des bancs.
« En effet, ce parchemin a sans doute été volé, commença
Josephus.

— Ah, le scélérat ! Mais quel est donc ce texte ?
Cette liste me paraît bien étrange.

— Elle contient des noms.

— En plusieurs langues, ajouta Paulinus.

— Quelle est sa fonction, et pourquoi Oswyn est-il
cité ? continua-t-elle d'un air soupçonneux.

— Oswyn ? fit le prieur, interloqué.

— Oui ! Sur la seconde page ! »

Josephus retourna la feuille.

Oswyn of Vectis 21 12 782 Mors

Il blêmit.

« Par tous les saints ! »

Paulinus se leva et se retourna pour dissimuler son désarroi.

« Lequel des frères a donc écrit ceci ? les pressa Magdalena.

— Aucun d'entre eux, ma sœur, répondit le prieur.

— Mais alors qui est-ce ?

— C'est lui. Octavus. »

Josephus essaya en vain de compter le nombre de fois où la moniale se signa tandis qu'ils lui racontaient ce qu'ils savaient de l'enfant et de ses aptitudes miraculeuses. Quand enfin ils en eurent terminé et qu'il n'y eut plus rien à ajouter, ils échangèrent des regards inquiets.

« Ceci est l'œuvre du malin, c'est manifeste, dit-elle en rompant le silence.

— Il existe une autre explication, répondit Paulinus.

— Laquelle ?

— Que ce soit l'œuvre de Dieu, fit-il en choisissant ses mots avec soin. Bien entendu, nous ne pouvons douter que le Seigneur choisit quand faire naître un enfant et quand rappeler à Lui une âme. Dieu sait tout. Il entend la voix du misérable qui Le sollicite dans ses prières, Il voit l'oiseau qui tombe du ciel. Ce garçon, qui par sa naissance et son comportement, ne ressemble à nul autre, comment savoir s'il n'est point le messager du Très-Haut, envoyé pour écrire la venue et le départ de ses enfants sur Terre ?

— Mais c'est peut-être le septième fils d'un septième fils ! gronda Magdalena.

— Bien sûr, nous connaissons les croyances qui
entourent pareil être. Seulement nul n'en a jamais rencontré. Et qui pourrait prétendre en avoir vu un qui soit
né le septième jour du septième mois de l'an de grâce
777 ? Nous ne pouvons affirmer que ses pouvoirs relè-
vent du malin.

— En ce qui me concerne, fit avec espoir Josephus,
je ne vois point quelles conséquences néfastes pourraient avoir les dons de ce garçon. »

La moniale passa soudain de la peur à la colère :
« Si ce que vous dites est vrai, alors notre cher abbé
mourra ce jour. Je prie le Seigneur qu'il n'en soit point
ainsi. Comment pouvez-vous affirmer qu'il ne s'agisse
là de l'œuvre du démon ? s'écria-t-elle en se levant et
en arrachant le manuscrit des mains des moines. Je n'ai
point de secrets pour notre abbé. Il doit être mis au
courant sur-le-champ, et lui seul décidera du sort de ce
garçon. »

Elle était très déterminée, et les deux hommes ne
cherchèrent point à l'arrêter.

Ils allèrent tous les trois trouver Oswyn après none,
l'office de l'après-midi, et l'accompagnèrent à ses
appartements du chapitre. Là, dans la lumière grise de
cette journée d'hiver mêlée au rougeoiement des
braises de l'âtre, ils lui narrèrent toute l'histoire,
chacun essayant de déchiffrer le visage chenu et crispé
du vieillard que son dos déformé contraignait à demeurer
penché vers la table.

Il écouta. Examina le parchemin, s'arrêta un moment
pour réfléchir en découvrant son propre nom. Il posa

243

des questions, médita les réponses. Enfin, il signifia que la séance était levée en tapant du poing sur la table.

« Je pense que rien de bon ne peut sortir de tout ceci. Au pire, c'est l'œuvre du démon. Au mieux, c'est une sévère distraction de la vie religieuse de notre communauté. Nous sommes ici pour servir Dieu de tout notre cœur et de toutes nos forces. Ce garçon risque de nous détourner de cette mission. Nous devons donc le renvoyer. »

Magdalena eut du mal à réprimer un soupir de satisfaction en entendant ces mots.

Josephus se racla la gorge :

« Son père ne le reprendra pas. Il n'a nulle part où aller.

— Cela ne nous concerne point, répéta l'abbé. Renvoyez-le.

— Mais il fait froid, implora le prieur. Il ne survivra pas à la nuit.

— Le Seigneur y pourvoira et décidera de son sort. À présent, laissez-moi méditer sur le mien. »

Ce fut à Josephus d'accomplir la volonté d'Oswyn. À la tombée de la nuit, il mena l'enfant par la main jusqu'aux portes du monastère. Une jeune moniale au cœur tendre l'avait vêtu d'épaisses chaussettes de laine, d'une chemise supplémentaire et d'une petite cape. Une bise glaciale cinglait de la mer, abaissant la température à zéro degré.

Le prieur déverrouilla la porte et l'ouvrit en grand. Une rafale les frappa de plein fouet. Le moine poussa doucement l'enfant.

« Tu dois t'en aller, Octavus. Mais n'aie crainte, Dieu te protégera. »

244

Le garçon ne se retourna pas, affrontant le néant des ténèbres avec son habituelle indifférence. Être ainsi obligé de traiter une créature du Seigneur avec tant de dureté brisait le cœur de Josephus, car en vérité, il savait qu'en le renvoyant cette nuit-là, il condamnait ce petit être à mourir de froid. De plus, ce n'était pas un enfant ordinaire, mais le dépositaire d'un don extraordinaire qui, si Paulinus voyait juste, n'émanait point des feux de l'enfer mais peut-être du royaume des cieux. Néanmoins, le moine était un serviteur obéissant, qui faisait d'abord allégeance à Dieu, dont le désir au sujet de ce garçon n'était pas clair, puis à son abbé, dont l'opinion sur le sujet était en revanche tout à fait limpide.

Le prieur frémit et referma la porte du sanctuaire.

La cloche sonna les vêpres. La congrégation se rassembla dans l'église. Sœur Magdalena, son psaltérion contre sa poitrine, se délectait de sa victoire sur Josephus, qu'elle méprisait pour son bon cœur.

L'esprit de Paulinus était en proie aux tourments théologiques : les pouvoirs d'Octavus étaient-ils l'œuvre du Tout-Puissant ou du diable ? Les yeux du prieur étaient pleins de larmes en songeant à ce misérable enfant livré seul en pâture à la nuit et au froid. Le confort et la chaleur de sa propre position lui causaient une intense culpabilité. Pourtant, Oswyn avait raison sur un point : le petit garçon le détournait de ses devoirs religieux.

Tous étaient aux aguets, attendant en vain le pas traînant de l'abbé. Josephus voyait moines et moniales s'agiter, nerveux, car tous savaient la ponctualité parfaite d'Oswyn.

Au bout de quelques minutes, inquiet, le prieur murmura à Paulinus :

« Nous devons aller voir. »

Ils quittèrent l'église, tous les regards dirigés vers eux. Une rumeur emplit bientôt le sanctuaire, à laquelle Magdalena mit fin aussitôt en posant un doigt sur ses lèvres, accompagné d'un « Chut ! » sifflant.

La chambre d'Oswyn était sombre et froide, le feu éteint. Ils le trouvèrent recroquevillé sur sa couche, vêtu de ses habits de cérémonie, la peau aussi fraîche que l'atmosphère. Dans sa main droite, il serrait le parchemin où était écrit son nom.

« Dieu de miséricorde ! s'exclama Josephus.

— La prophétie… », souffla son ami en tombant à genoux.

Les deux hommes récitèrent de courtes prières, puis se relevèrent.

« Il faut en informer l'évêque, dit Paulinus.

— Au matin j'enverrai un messager à Dorchester, acquiesça le prieur.

— En attendant qu'il se soit prononcé, le sort de l'abbaye est désormais entre tes mains, mon frère. » Josephus se signa en enfonçant profondément le doigt dans sa poitrine.

« Va informer sœur Magdalena de ce qui s'est passé et demande-lui de conduire les vêpres. Je serai très vite à vos côtés, mais d'abord, je dois faire quelque chose. »

Josephus se rua jusqu'à la porte du monastère qui grinça sur ses gonds en s'ouvrant.

Le garçon n'était plus là.

Il courut sur le chemin, criant son nom à tue-tête.

Il aperçut alors un petit tas au bord du sentier.

Octavus n'était pas allé bien loin. Il était tranquillement assis dans l'obscurité glaciale, grelottant au bord d'un champ. Le moine le prit avec tendresse dans ses bras et le ramena jusqu'à la porte.

« Tu peux rester parmi nous, mon enfant. Le Seigneur en a décidé ainsi. »

25 juin 2009

LAS VEGAS

Will commença à draguer l'hôtesse avant même le décollage. Il était toujours sur le coup lorsqu'ils atteignirent trente-quatre mille pieds d'altitude. Il faut dire qu'elle était tout à fait son genre : blonde, plantureuse, les lèvres charnues. Une mèche lui glissait sans cesse devant l'œil, qu'elle renvoyait chaque fois sur le côté. Au bout d'un moment, il s'imagina allongé à son côté, tous deux nus, remettant lui-même la mèche en arrière. Un soupçon de culpabilité inexplicable l'envahit quand Nancy fit irruption dans ses pensées, pleine de reproches. Mais qu'est-ce qu'elle venait foutre dans ses fantasmes ? Il la repoussa de toutes ses forces, et revint à l'hôtesse.

Il avait respecté la procédure standard sur les vols intérieurs pour pouvoir embarquer avec son arme de service. Ainsi était-il monté avant tout le monde pour s'installer sur un siège, côté allée, au niveau des ailes. Ce costaud, en pantalon kaki et veste sport, avait tout de suite plu à Darla, l'hôtesse. Aussi se pencha-t-elle vers lui.

« Salut, FBI », roucoula-t-elle. Elle avait deviné sa fonction d'après la procédure de sécurité.

« Salut.

249

— Je vous sers quelque chose avant qu'on soit envahis ?

— C'est du café qu'on sent depuis là-bas ?

— Il arrive tout de suite. On a un officier de la police de l'air au 7C, aujourd'hui, mais vous êtes beaucoup plus important que lui.

— Vous pouvez lui dire que je suis là ?

— C'est déjà fait. »

Plus tard, tandis qu'elle servait les boissons, il lui sembla qu'à chaque passage elle frôlait son bras ou son épaule. Peut-être était-ce son imagination, se dit-il en s'assoupissant, bercé par le ronron des réacteurs. À moins que...

Il se réveilla en sursaut, désorienté – sensation plutôt agréable. Aux vastes champs verts s'étalant à perte de vue, il comprit qu'ils survolaient le centre du pays. Des éclats de voix parvenaient depuis la queue de l'appareil. Il défit sa ceinture, se retourna et, d'un coup d'œil, identifia le problème : trois jeunes Anglais, occupant toute une rangée de sièges, trois copains de beuverie partis pour une bonne biture, se chauffant avant d'arriver à Vegas. Le visage rouge, ils gesticulaient tel un monstre à trois têtes devant un frêle steward qui refusait de leur servir une autre bière. Sous les yeux des passagers inquiets, le premier des trois – un gros tas de muscles – se leva pour hurler de toutes ses forces à la figure du steward :

« Mais putain, t'as entendu mon pote ! Y veut une autre bière ! »

Darla remonta l'allée en hâte pour voler au secours de son collègue, tout en cherchant Will du regard. Au siège 7C, l'officier de la police de l'air ne bougeait pas. C'était la procédure standard : surveiller le cockpit au cas où il s'agirait d'une diversion. L'agent, un jeune type blême d'inquiétude, rongeait son frein. Sûrement son premier véritable incident de bord, songea Will en se penchant dans l'allée pour mieux l'examiner.

Puis, un bruit sourd, crâne contre crâne : un coup de boule.

« T'avais qu'à pas me faire chier, espèce d'enculé ! vociféra l'assaillant. T'en veux encore ? »

Will ne vit pas l'agression, mais en mesura les conséquences. Le steward poussa un hurlement et se retrouva à terre, un flot de sang sortant de son front ouvert. En voyant son collègue blessé, Darla ne put retenir un cri.

L'officier de la police de l'air et Will se levèrent comme un seul homme, parfaitement coordonnés, tels des coéquipiers qui auraient répété la manœuvre ensemble bien des fois. Dans l'allée, l'officier dégaina son arme et s'écria :

« Agents fédéraux ! Asseyez-vous et posez vos mains sur le siège de devant ! »

Will sortit sa plaque, et tout en la tenant bien haut au-dessus de sa tête, avança sans hâte vers la queue de l'appareil.

« Mais putain, qu'est-ce qu'y a ? s'exclama l'Anglais en le voyant s'approcher. Eh, mec, nous, on veut juste qu'il nous serve à boire. »

Darla aida son collègue à se relever puis le ramena vers l'avant, passant en trombe auprès de Will, qui lui lança un clin d'œil rassurant. Arrivé à cinq rangs du perturbateur, il s'arrêta et s'adressa à lui d'une voix lente et posée :

« Asseyez-vous immédiatement et posez vos mains sur la tête. Vous êtes en état d'arrestation. Les vacances sont terminées… mec ! »

Les copains de l'Anglais avaient beau le supplier d'obtempérer, l'autre refusait avec obstination. Rouge, les tempes battantes, il pleurait de rage et de crainte.

« Non, j'm'assoirai pas ! Non, j'm'assoirai pas ! », répétait-il en boucle.

Will rangea son badge et dégaina son arme, vérifiant bien la sécurité. Les passagers soudain prirent peur ; une femme obèse avec un bébé se mit à sangloter, ce qui déclencha une réaction en chaîne. Will essayait de paraître aussi méchant que possible, pour masquer le fait qu'il était mal réveillé.

« C'est votre dernière chance si vous voulez que les choses ne se terminent pas trop mal. Asseyez-vous et mettez les mains sur la tête.

— Sinon quoi ? hasarda le type au nez plein de mucus. Tu vas me tirer dessus et faire un putain de trou dans la carlingue ?

— Nous utilisons des munitions spéciales, mentit Will avec sécheresse. La balle va venir se planter dans ton crâne et transformer en bouillie ce qui te sert de cervelle. »

À cette distance, un tireur d'élite qui avait passé sa jeunesse à prendre pour cible des écureuils dans la brousse de Panhandle pouvait placer sa balle exactement où il voulait, à quelques millimètres près. Néanmoins, elle ne manquerait pas de ressortir.

Toutefois, l'autre ne pipa mot.

« Tu as cinq secondes, ajouta Will en visant désormais la tête. Pour être honnête, à ce stade, ça ne me dérange pas du tout de te descendre. J'en ai déjà pour une semaine de paperasse. »

L'un des copains du type s'écria :

« Arrête de déconner, Sean ! Assieds-toi ! »

Il le tira par l'ourlet de son polo, pourtant, l'Anglais hésita encore quelques secondes avant de se soumettre. Une fois assis, il posa avec docilité les mains sur la tête.

« Sage décision », conclut Will.

Darla revint en courant, apportant des menottes de plastique et, avec l'aide des voisins, ils attachèrent les trois amis. Will baissa alors son arme et la glissa dans sa veste, puis il fit signe à l'officier :

« Tout est sous contrôle. »

En soufflant, il revint vers sa place, sous les applaudissements de tous les passagers. Il se demanda s'il parviendrait à se rendormir.

Le taxi démarra. C'était le soir, pourtant la chaleur du désert était encore violente et Will apprécia l'air climatisé.

« Je vous emmène où ? demanda le chauffeur.

— Qui de nous deux a la meilleure chambre ? », fit Will.

Darla lui donna un coup de coude dans les côtes :

« Une chambre réservée par la compagnie ou par le gouvernement, c'est du pareil au même. »

Puis elle se pencha à son oreille pour lui murmurer :

« Mais mon chou, je ne pense pas qu'on y fera très attention. »

Ils traversaient la zone aéroportuaire de McCarran en direction du Strip, quand Will remarqua dans un hangar en retrait trois 737 blancs, sans aucune inscription, à l'exception de quelques bandes rouges.

« C'est quelle compagnie, ça ?

— C'est les navettes de la zone 51, répondit Darla. Ce sont des appareils militaires.

— Tu plaisantes ?

— Elle plaisante pas du tout, interrompit le chauffeur de taxi. C'est le secret le plus mal gardé de tout Las Vegas. Ces zincs transportent tous les jours des centaines de scientifiques qui bossent pour le gouvernement. Là-bas, ils essayent de rafistoler des vaisseaux spatiaux. Enfin c'est ce qu'on dit.

— Quoi qu'ils fassent, gloussa Will, je suis sûr qu'ils gaspillent l'argent des contribuables. Et vous n'êtes pas obligés de me croire, mais je pense que je connais un type qui travaille là-bas. »

Nelson Elder était un accro du fitness. Chaque matin, il s'entraînait avec obstination et tenait à ce que ses cadres dirigeants fassent de même.

« Personne ne fait confiance à un assureur trop gros », disait-il.

Et surtout pas lui. Il éprouvait vis-à-vis des gens qui affichaient un certain embonpoint des préjugés à la limite de la phobie, vestige de son enfance misérable à Bakersfield, en Californie, où pauvreté et obésité cohabitaient souvent dans les caravanes voisines. Bien sûr, il n'embauchait jamais de gros, et quand il leur vendait une assurance, il s'arrangeait pour qu'ils paient le maximum.

Ce matin-là, il sentait encore sur sa peau bronzée des picotements après son jogging de cinq kilomètres suivi d'une douche brûlante. Assis dans son bureau avec vue panoramique sur les montagnes chocolat et la langue couleur aigue-marine du lac Mead, il se sentait aussi bien que possible dans sa peau d'homme de 61 ans. Son costume sur mesure seyait parfaitement à son corps robuste, et son cœur d'athlète battait à un rythme lent. Pourtant, son esprit était en ébullition, et sa tisane ne parvenait guère à le rasséréner.

Bertram Myers, le responsable des finances de Desert Life, apparut à la porte, pantelant, suant comme un bœuf. Il avait vingt ans de moins que son patron, des cheveux noirs et raides, mais il était moins sportif.

« Vous avez bien couru ? demanda Elder.

— Très bien, merci. Et vous, avez-vous fait votre jogging ?

— Bien sûr !

— Comment se fait-il que vous soyez là de si bon matin ?

— FBI. Vous vous rappelez ?

— Mon Dieu, j'avais oublié. Je saute sous la douche. Vous voulez que j'assiste au rendez-vous ?

— Non, je m'en occupe.

— Vous êtes inquiet ? Vous avez l'air soucieux.

— Je ne suis pas inquiet. Je crois que ça devrait aller.

— Tout à fait, ça devrait aller. »

Le taxi déposa Will aux bureaux de Desert Life à Henderson, banlieue dortoir au sud de Las Vegas, près du lac Mead. Elder semblait tout droit sorti d'un casting : c'était le prototype même du patron séduisant aux cheveux argentés, à l'aise avec son argent et son statut social. Enfoncé dans son fauteuil, il tenta tout de suite de décourager Will.

« Comme je vous l'ai dit au téléphone, agent spécial Piper, je ne suis pas sûr de pouvoir vous aider. Je crains que vous n'ayez fait un long voyage pour de maigres résultats.

— Ne vous inquiétez pas pour ça. Il fallait que je vienne, de toute façon.

— J'ai vu au journal télévisé que vous aviez effectué une arrestation à New York.

— Je ne suis pas en mesure de faire des commentaires sur une enquête en cours. Mais vous pouvez imaginer que si l'affaire était close, je ne serais pas là. Et si vous me parliez de vos relations avec David Swisher ? »

D'après l'assureur, il n'y avait pas grand-chose à en dire. Ils s'étaient connus six ans plus tôt lors d'un séjour du P-DG à New York. À l'époque, HSBC faisait partie des nombreuses banques qui courtisaient Desert Life dans l'espoir de l'attirer comme client et Swisher, le directeur financier, était incontournable. Elder l'avait rencontré au siège de HSBC, où il lui avait présenté sa banque.

Durant toute l'année suivante, il l'avait harcelé de coups de fil et de courriels, et sa persévérance avait payé. Quand, en 2003, Desert Life avait décidé d'émettre des titres de créance négociables afin de financer de nouvelles prises de contrôle, son patron avait choisi HSBC pour en définir le contrat de souscription.

Will lui demanda si le banquier s'était déplacé en personne à Las Vegas lors de cette procédure.

Elder était certain que non. Il se souvenait très bien qu'on lui avait envoyé des subalternes. En dehors d'un dîner à New York, pour conclure leur accord, les deux hommes ne s'étaient jamais revus.

Avaient-ils été en communication par la suite ?

L'assureur évoqua quelques appels, de temps à autre.

À quand remontait le dernier ?

À plus d'un an. Rien de récent. Ils s'envoyaient des cartes de vœux au nouvel an, mais il ne s'agissait pas d'une relation suivie. Quand il avait appris le décès de Swisher, par les journaux, Elder avait été très choqué, bien sûr.

L'entretien fut interrompu quand le portable de Will entonna Beethoven. Il présenta ses excuses et l'éteignit, non sans avoir reconnu le nom de sa correspondante.

Mais pourquoi donc Laura l'appelait-elle ?

Il reprit le fil de ses pensées et continua à poser des questions à son interlocuteur. Swisher lui avait-il jamais parlé d'une relation à Las Vegas ? D'amis ? De contacts professionnels ? Avait-il fait allusion aux casinos ou à des dettes personnelles ? À un aspect quelconque de sa vie personnelle ? Elder savait-il s'il avait des ennemis ?

La réponse invariable était non. L'assureur voulait que Will comprenne bien qu'il s'agissait d'une relation superficielle, limitée dans le temps, et purement financière. Il regrettait de ne pouvoir l'aider davantage.

Will sentit la déception l'envahir. L'entretien tournait court. Encore une impasse dans l'affaire Apocalypse. Pourtant, il y avait quelque chose dans l'attitude de son interlocuteur, une note légèrement discordante. Ne sentait-il pas en lui une tension, une feinte désinvolture ? Will ne sut pourquoi il posa la question suivante – elle lui était dictée par ses intuitions les plus profondes.

« Dites-moi, monsieur Elder, comment vont les affaires ? »

Il hésita l'espace d'un instant, et Will en conclut qu'il avait visé juste.

« Eh bien, les affaires sont florissantes. Pourquoi cette question ?

— Simple curiosité. J'aimerais vous en poser une autre : la plupart des compagnies d'assurances sont installées dans des villes comme Hartford, New York, des grands centres. Pourquoi Las Vegas ? Et pourquoi Henderson ?

— Nos racines sont ici. J'ai construit cette compagnie brique par brique. En sortant de l'université, j'ai été embauché comme agent d'assurances par une toute petite entreprise ici, à Henderson, à environ un kilomètre et demi de ce bureau. Il y avait six employés. J'ai racheté la compagnie à son propriétaire quand il a pris sa retraite, et je l'ai rebaptisée Desert Life. Aujourd'hui, nous comptons huit mille employés d'une rive à l'autre du pays.

— Très impressionnant. Vous devez être fier de vous.

— En effet, merci.

— Et le marché des assurances, disiez-vous, se porte bien. »

À nouveau, cette imperceptible hésitation.

« Eh bien, tout le monde a besoin d'une assurance. La concurrence est rude, dans notre métier, et les règles sont très strictes, mais nous avons des bases solides. »

Tout en l'écoutant, Will remarqua un pot à crayons en cuir posé sur le bureau, rempli de Pentel rouges et noirs. Il ne put résister :

« Puis-je vous emprunter un stylo ? dit-il en désignant le pot. Un noir.

— Bien sûr », répliqua l'autre, déconcerté.

C'était une pointe ultrafine. Comme par hasard.

Will saisit ensuite son dossier et en sortit une feuille protégée dans une pochette en plastique, copie recto verso de la carte reçue par Swisher.

« Pourriez-vous jeter un coup d'œil sur ceci ? »

Elder prit la feuille et mit ses lunettes.

« Ça fait froid dans le dos.

— Vous avez vu le cachet de la poste ?

— 18 mai.

— Étiez-vous à Las Vegas, ce jour-là ? »

L'irritation de l'assureur était palpable.

« Je n'en ai aucune idée, mais je serais heureux de demander à mon assistant de vérifier cela pour vous.

— Super. Combien de fois vous êtes-vous rendu à New York au cours des six dernières semaines ? » Elder fronça les sourcils et répondit d'un ton sec : « Aucune.

— Très bien. Vous pouvez me la rendre ? », demanda Will en désignant la photocopie.

L'assureur s'exécuta, et Will songea : Eh ben, mon pote, maintenant, j'ignore ce que ça vaut, mais j'ai tes empreintes.

Après le départ de l'agent du FBI, Bertram Myers entra et prit place sur le siège encore tiède.

« Comment ça s'est passé ?

— Comme prévu. Il n'avait que le meurtre de David Swisher en tête. Il m'a demandé où j'étais le jour où la carte postale a été envoyée de Las Vegas.

— Vous voulez rire !

— Pas du tout.

— J'ignorais que vous étiez un tueur en série, Nelson. » Elder desserra le nœud ferme de sa cravate Hermès. Il commençait à se détendre.

« Attention à vous, Bert, vous êtes peut-être le prochain sur la liste.

— Alors, c'est tout ? Il n'a pas posé la moindre question délicate ?

— Pas une seule. J'ignore pourquoi je me suis inquiété.

— Je croyais que vous ne vous faisiez pas de souci ?

— J'ai menti. »

Avant de reprendre le vol de nuit pour New York, Will repassa aux bureaux du FBI dans le nord de Las

Vegas. Les agents locaux tentaient d'identifier toutes sortes d'empreintes récoltées sur les cartes postales envoyées par le tueur et ils étaient parvenus à faire quelques recoupements avec des employés de la poste du bureau central de la ville. Will leur confia celles d'Elder, puis alla s'installer dans la salle de réunion pour lire le journal en attendant le résultat des analyses. Quand son estomac se mit à gargouiller, il sortit sur Lake Mead Boulevard, à la recherche d'un sandwich.

La chaleur était accablante. Ôter sa veste et relever ses manches n'eurent pas beaucoup d'effet, alors il s'engouffra dans le premier établissement venu, un endroit tranquille et climatisé où travaillait une poignée d'employés nonchalants. Tout en attendant qu'on le serve, il écouta sa messagerie et tria ses appels.

Le dernier le mit en rage. Il jura à voix haute, s'attirant un regard furieux du gérant. Une voix nasillarde l'informait que son abonnement au câble allait être coupé. Il n'avait pas payé depuis trois mois et à moins de régler ses arriérés sur-le-champ, il serait déconnecté en rentrant chez lui.

Il essaya de se souvenir quand il avait réglé ses factures pour la dernière fois. En vain. Il voyait bien la pile de courrier intacte sur le comptoir de la cuisine – il s'en fichait comme de son premier caleçon.

Il était temps d'appeler Nancy ; de toute façon, il lui devait bien ça.

« Salut, en direct de la nouvelle Sodome », fit-il pour détendre l'atmosphère.

Elle le reçut avec une certaine froideur.

« Comment ça se passe avec Camacho ? poursuivit-il.

— On a vérifié son emploi du temps. Il est impossible qu'il ait commis les autres meurtres.

— Ce n'est guère surprenant, en fait.

— Non. Comment s'est passé votre entretien avec Nelson Elder ?

— Que ce soit notre homme, j'en doute. Qu'il nous cache quelque chose, alors là, j'en suis convaincu.

— De quoi s'agit-il ?

— Je l'ignore, c'est une intuition.

— Rien de solide ?

— Il a des Pentel à pointe ultrafine sur son bureau.

— Demandez un mandat, répondit-elle d'un ton sec.

— Ouais, je vais vérifier. »

Puis, d'un air piteux, il lui demanda si elle pouvait l'aider à résoudre son petit problème de câble. Il avait une clef de chez lui, dans son bureau. Pourrait-elle passer à l'appartement, prendre la vieille facture et le rappeler pour qu'il puisse procéder à un virement immédiat avec sa carte bancaire ?

« Je m'en occupe, fit-elle.

— Merci. Ah, une chose encore. Je voulais vous demander de m'excuser pour l'autre soir. Je me suis pris une sacrée cuite. » Impossible d'y couper. Il l'entendit soupirer.

« Pas de problème. »

Il savait bien que ce n'était pas vrai, mais que pouvait-il faire de plus ? Il raccrocha, regarda sa montre. Il avait encore plusieurs heures à tuer avant de reprendre le vol de nuit pour New York. Il n'était pas joueur, aussi les casinos n'avaient-ils aucun intérêt à ses yeux. Darla était repartie depuis longtemps déjà. Bien sûr, il pouvait aller picoler, mais ça, il pouvait le faire n'importe où. Puis, il eut une idée qui lui arracha un petit sourire. Il reprit son téléphone et passa un nouvel appel.

Dès que Nancy entra dans l'appartement de Will, elle se sentit mal à l'aise.

Il y avait de la musique.

Un sac de voyage dans le salon.

Elle appela :

« Y a quelqu'un ? »

Un bruit de douche.

Plus fort :

« Y a quelqu'un ? »

L'eau s'arrêta, et elle entendit une voix émanant de la salle de bains :

« Y a quelqu'un ? »

Une jeune femme toute mouillée sortit en hésitant, enveloppée dans une serviette. Elle était blonde, mince, une vingtaine d'années, avec un incroyable naturel. Des flaques se formèrent autour de ses petits pieds parfaits. Beaucoup trop jeune, songea Nancy avec amertume, aveuglée par sa réaction épidermique face à cette inconnue – une bouffée de jalousie.

« Bonjour, fit l'inconnue. Je suis Laura.

— Et moi, Nancy. »

Un silence tendu suivit.

« Il n'est pas là.

— Je sais. Il m'a chargée de passer chercher quelque chose pour lui.

— Oh, allez-y, j'en ai pour une minute », dit Laura en retournant dans la salle de bains.

Nancy voulait trouver vite la bonne facture, puis repartir avant que l'autre ait terminé, mais elle fut trop lente et Laura trop rapide. Elle revint, pieds nus, en jean et T-shirt, les cheveux enroulés dans une serviette comme un turban. L'étroitesse de la cuisine rendait la situation inconfortable.

« C'est sa facture pour le câble, expliqua-t-elle avec maladresse.

— Ah, il est nul pour les trucs du quotidien, rétorqua Laura.

— Il est très occupé en ce moment, lâcha sa coéquipière en prenant sa défense.

— Et vous êtes ?…

— On travaille ensemble, répondit Nancy en se préparant à lâcher d'un ton acerbe la réplique suivante : Non, je ne suis pas sa secrétaire. »

Au lieu de cela, elle eut la surprise d'entendre :

« Ah ! Vous êtes flic ?

— C'est ça. Et vous êtes ?… fit-elle à son tour en imitant Laura.

— Sa fille. »

Une heure plus tard, elles étaient toujours en pleine conversation. Laura sirotait un verre de vin, Nancy, de l'eau du robinet bien glacée. Les deux femmes s'étaient découvert un lien incroyable : Will Piper.

Une fois leurs rôles bien définis, elles commencèrent à s'apprécier. Nancy était soulagée qu'il ne s'agisse pas de la petite amie de Will ; Laura l'était aussi de constater que son père avait une coéquipière tout à fait normale. Elle avait pris le train depuis Washington, ce matin-là, car elle devait se rendre à Manhattan de toute urgence. Comme elle ne parvenait pas à joindre son père pour savoir si elle pouvait dormir chez lui, supposant qu'il était absent, elle avait emporté sa propre clef.

Au premier abord, elle se montra timide, mais le deuxième verre de vin aidant, elle devint assez volubile. Les deux femmes n'avaient que six ans d'écart et, très vite, elles se découvrirent d'autres points communs. À l'inverse de son père, Laura était très cultivée, comme Nancy, avec une prédilection pour l'art et la musique. Leur musée préféré était le Metropolitan Museum of Art de New York ; leur opéra favori, *La Bohème* ; leur peintre, Monet.

Étrange, s'accordèrent-elles à dire, mais amusant.

Il y avait deux ans que Laura avait achevé ses études, et elle occupait un emploi de bureau alimentaire à temps partiel. Elle vivait à Georgetown, un quartier de Washington, avec son compagnon, étudiant en journalisme à l'American University. Malgré sa jeunesse, elle s'apprêtait à franchir ce qu'elle considérait comme un cap déterminant. En effet, un petit éditeur très prestigieux envisageait de publier son premier roman. Elle avait beau écrire depuis qu'elle était adolescente, une professeure de littérature, au lycée, lui avait bien mis en tête qu'on ne pouvait prétendre au titre d'écrivain tant qu'on n'avait pas publié son premier livre. Or, elle désirait à tout prix posséder ce titre.

Laura n'était pas sûre d'elle, elle connaissait ses défauts, pourtant ses amis et mentors l'avaient poussée à persévérer. Son manuscrit méritait d'être publié, lui avait-on dit, aussi, avec naïveté, sans agent pour la soutenir, et sans y avoir été invitée, elle l'avait envoyé à une douzaine d'éditeurs. En attendant, elle rédigeait un scénario, car elle envisageait aussi de tirer un film de son histoire. Le temps passant, elle s'était habituée à recevoir de lourdes enveloppes : son livre lui était revenu comme un boomerang accompagné d'une lettre de refus, neuf fois, dix fois, onze fois… Mais la douzième ne s'était jamais produite. À la place, elle avait reçu un appel d'Elevation Press, à New York, où l'éditeur exprimait son intérêt pour le manuscrit tout en se demandant si, sans engagement de sa part, elle consentirait malgré tout à revoir certaines choses avant de le lui soumettre à nouveau. Elle avait aussitôt accepté et repris son texte en tenant compte de ce qu'on lui avait dit. La veille, elle avait reçu un courriel de l'éditeur, l'invitant à se présenter à son bureau, ce qui la plongeait dans les affres de l'anxiété, mais était de bon augure.

Nancy était fascinée par Laura, c'était comme entrevoir une autre vie. Les Lipinski n'étaient ni auteurs ni artistes, ils étaient boutiquiers, comptables, dentistes ou agents du FBI. Elle se demandait comment l'ADN de Will avait réussi à produire une fille aussi fraîche et pleine de charme. La réponse devait se trouver du côté maternel.

En réalité, la mère de Laura – Melanie, la première femme de Will – écrivait de la poésie et animait un atelier d'écriture dans une université d'État en Floride. Ses parents, raconta-t-elle, avaient juste eu le temps de la concevoir, de la mettre au monde et de fêter avec elle son deuxième anniversaire avant que son père fiche son couple en l'air. En grandissant, elle n'avait entendu prononcer les mots « ton père » que dans des circonstances fâcheuses.

C'était un fantôme. Elle avait de ses nouvelles de manière indirecte, quand elle captait des bribes dans les conversations de sa mère, de ses tantes. Elle l'imaginait en regardant l'album de mariage, grand, les yeux bleus, souriant, figé dans sa jeunesse. Il avait quitté le département du shérif. S'était engagé au FBI, puis remarié. Il avait à nouveau divorcé. Il buvait. Draguait. C'était un salaud qu'une seule chose rachetait : il avait toujours payé la pension alimentaire de sa fille rubis sur l'ongle. Seulement il n'avait jamais ni téléphoné ni même envoyé la moindre carte au fil des années.

Un jour, à 15 ans, Laura l'avait vu au journal télévisé, interviewé au sujet d'une affreuse histoire de tueur en série. Elle avait vu le nom Will Piper s'inscrire à l'écran, reconnu les yeux bleus, la mâchoire carrée, et elle s'était mise à pleurer comme une Madeleine. Elle avait alors entrepris d'écrire des nouvelles sur lui, enfin tel qu'elle se l'imaginait. À l'université, échappant à l'influence de sa mère, elle s'était livrée à un travail de détective et l'avait retrouvé à New York. Depuis, ils entretenaient une relation hésitante, quasi filiale. C'est lui qui lui avait inspiré son roman.

Nancy s'enquit du titre.

« *Le Bulldozer*, répondit Laura.

— Pas mal ! s'exclama Nancy en riant.

— C'est dans sa nature, mais il y a aussi l'alcool, les gènes, le destin. En fait, ses parents étaient tous les deux alcooliques. Peut-être qu'il ne pouvait s'y soustraire. Et moi non plus. »

Sur ce, elle se versa un autre verre, qu'elle leva pour porter un toast. Le débit de son discours commençait à ralentir.

Nelson Elder arrivait devant l'allée de sa maison, une demeure de six chambres dans le quartier de The Hills, à Summerlin, quand son portable sonna. L'écran marquait APPEL PRIVÉ. Il répondit en garant sa grosse Mercedes devant le portail d'un de ses garages.

« Monsieur Elder ?

— Oui, qui est à l'appareil ? »

La voix semblait tendue, comme une corde sur le point de se rompre.

« Nous nous sommes rencontrés il y a quelques mois au Constellation. Je m'appelle Peter Benedict.

— Désolé, votre nom ne me dit rien.

— C'est moi qui avais pris sur le fait des tricheurs au black-jack.

— Mais oui ! Je me souviens ! L'informaticien. Je vous ai donné mon numéro de portable ? l'interrogea l'assureur, étonné.

— Oui, mentit Mark (Il n'y avait aucun numéro au monde qu'on puisse lui dissimuler.) Je ne vous dérange pas ?

— Pas du tout. Que puis-je pour vous ?

— Eh bien, monsieur, j'aimerais vous aider.

— Comment ça ?

— Votre compagnie est en difficulté, monsieur Elder, mais je peux vous sauver la mise. »

Le souffle court, d'une main tremblante, Mark reposa son téléphone sur la table. Chaque étape de son plan était certes complexe, mais c'était la première fois qu'il devait affronter directement une personne en chair et en os, et sa peur panique mettait du temps à s'estomper. Nelson Elder avait accepté de le rencontrer. Encore un geste, et il avait gagné la partie.

Soudain la sonnette de sa porte retentit, le propulsant dans des abysses d'angoisse. Les visites impromptues étaient rares, et il faillit aller se cacher dans sa chambre. Il parvint pourtant à se calmer et, d'un pas hésitant, s'approcha de la porte qu'il entrebâilla.

« Will ? souffla-t-il, incrédule. Qu'est-ce que tu fais ici ? »

L'agent Piper se tenait devant lui, affichant un grand sourire dégagé.

« Tu ne t'attendais pas à me voir, hein ? »

Il s'aperçut tout de suite du trouble de Mark, aussi peu stable qu'un château de cartes.

« Non, c'est sûr.

— Ben, voilà, j'étais en ville, pour le boulot, alors je me suis dit que je pourrais te faire une petite visite. Je tombe mal, peut-être ?

— Non, non. Pas de problème, fit Mark d'un ton mécanique. Je n'attendais personne, c'est tout. Tu veux entrer ?

— Avec plaisir. Je ne resterai pas longtemps. J'ai juste un peu de temps à tuer avant de prendre mon avion. »

Will le suivit au salon, ne perdant rien de la tension ni du malaise qui transparaissaient dans la démarche raide et la voix haut perchée de son ancien compagnon de chambre. Il ne put s'empêcher d'établir son profil. Ce n'était pas un truc pour épater la galerie : il avait toujours eu le don de percer à jour les sentiments, les conflits, les motivations des autres à la vitesse de l'éclair. Petit, il s'en servait pour établir un cordon de sécurité entre ses deux parents alcooliques. Il disait et faisait ce qu'il fallait au moment opportun pour les apaiser et conserver un semblant d'équilibre dans ce foyer déchiré.

Bien entendu, il s'était toujours servi de ce talent à son profit. Dans sa vie personnelle, il s'attirait l'amitié des uns, et influençait les autres. Les femmes qui avaient traversé son existence déclaraient qu'il les manipulait. Sur le plan professionnel, cela lui donnait un avantage sur les criminels.

Will s'interrogea sur ce qui pouvait bien mettre Mark dans pareil état : une phobie, un trouble de la personnalité du genre misanthropie, ou cela tenait-il plutôt à sa visite ? Il s'assit sur un canapé très ferme et tenta de le mettre à l'aise.

« Tu sais, après qu'on s'est vus à la réunion, je l'avais mauvaise de ne pas avoir fait l'effort de te rendre visite depuis toutes ces années. »

Mark était assis face à lui, muet, les jambes croisées, bien serrées.

« En fait, il est rare que je vienne à Las Vegas. Là, je suis juste de passage pour une nuit. Et puis en quittant l'aéroport, hier, quelqu'un m'a montré la navette qui emmène les gens à la zone 51, alors j'ai pensé à toi.

— Ah bon ? fit-il d'un ton râpeux. Pourquoi donc ?

— Disons que tu as sous-entendu que tu bossais là, non ?

— Vraiment ? Je n'ai pas souvenir d'avoir dit ça. »

Will se rappelait le comportement bizarre de Mark quand le sujet de la zone 51 avait été évoqué lors de ce dîner. Ça semblait être une impasse. D'ailleurs, il s'en fichait. Mark occupait une fonction hautement sécurisée, et il prenait la chose très au sérieux. Tant mieux pour lui.

« Enfin, bref. Peu importe ton boulot, ça a juste fait tilt dans ma tête, et j'ai eu envie de te rendre visite, c'est tout. »

L'autre semblait toujours aussi sceptique.

« Comment tu m'as trouvé ? Je ne suis pas dans l'annuaire.

— Comme si je ne le savais pas ! Il faut que je te l'avoue, j'ai interrogé la base de données du FBI au bureau, puisque l'annuaire ne donnait rien. Et là non plus, tu n'apparaissais nulle part sur le radar, mon vieux. Tu dois avoir un job super-intéressant ! Alors, j'ai appelé Zeckendorf pour voir s'il avait ton numéro. Il ne l'avait pas, mais tu avais dû leur donner ton adresse pour que sa femme t'envoie la photo, dit-il en désignant le portrait de groupe pris lors de leurs retrouvailles. Moi aussi, je l'ai mise sur la table basse. On est de sacrés sentimentaux, tous les deux, pas vrai ? Dis donc, tu n'aurais pas un truc à boire, par hasard ? »

Will s'aperçut que Mark se détendait. La glace était rompue. Ce type avait sûrement des problèmes relationnels, et il lui fallait du temps pour se sentir à l'aise.

« Qu'est-ce que tu veux ? demanda Mark.

— Tu as du scotch ?

— Non, juste de la bière.

— Ça ira. »

Pendant que son hôte filait à la cuisine, Will en profita pour jeter un coup d'œil à la pièce. Le salon était meublé de façon spartiate, avec un mobilier moderne et froid qui aurait été parfait dans une salle d'attente. Tout était bien net, il n'y avait pas le moindre désordre, ni aucune touche féminine. Il connaissait ce genre de décoration impersonnelle. Les étagères chromées, brillantes, remplies de livres universitaires sur les ordinateurs et de manuels d'informatique, disposés avec soin par taille, de manière à ce que les rangées soient les plus égales possible.

Sur le bureau laqué blanc, près d'un portable fermé, deux fins manuscrits reliés par des clous de cuivre. Il avisa la couverture : *Les Compteurs : scénario de Peter Benedict, enregistré à la Société des auteurs sous le n° 4235567*. Qui c'est, Peter Benedict ? se demanda-t-il. Est-ce le nom de plume de Mark, ou bien un autre type ? À côté des manuscrits, deux feutres noirs. Il faillit éclater de rire. Des Pentel, pointe ultrafine. Ces sales petits stylos étaient donc partout. Il s'était rassis sur le canapé quand Mark apporta les bières.

« À Cambridge, tu n'avais pas dit que tu écrivais ? l'interrogea Will.

— Mais si.

— Ce sont tes scénarios ? », ajouta Will en désignant les manuscrits.

Mark acquiesça, soudain mal à l'aise.

« Ma fille aussi écrit, reprit-il. Et toi, c'est quoi tes sujets ? »

Au départ hésitant, il s'enhardit peu à peu pour lui parler de son dernier scénario. Quand Will termina sa bière, il savait tout sur les casinos, les compteurs de cartes, Hollywood et les agents. Pour un type timide, c'était un sujet en or. Tout en sirotant sa deuxième bière, Will apprit quelle avait été l'existence de son camarade entre l'université et Las Vegas : une vie dépourvue de relations humaines consacrée quasi exclusivement aux ordinateurs. À la troisième bière, ce fut au tour de Will de lui narrer les détails de son passé, ses mariages ratés, les relations avortées, etc. Mark écoutait, fasciné, de plus en plus stupéfait en comprenant que, à l'inverse de ce qu'il avait imaginé, son ancien camarade avait mené le contraire d'une vie de rêve. Pourtant, Will se sentait de plus en plus mal à l'aise, envahi par une culpabilité grandissante.

Il alla faire un tour aux toilettes et, en revenant, annonça qu'il était l'heure pour lui de s'en aller. Toutefois, il voulait profiter de l'occasion pour s'affranchir d'un poids.

« Il faut que je te fasse des excuses.

— À propos de quoi ?

— Quand je repense à notre première année d'études, je me rends compte à quel point j'étais con. J'aurais dû te proposer de sortir plus souvent, et faire en sorte qu'Alex te fiche la paix. J'étais un peu débile, je suis désolé. »

Il omit l'histoire du scotch. Ce n'était pas nécessaire. Des larmes emplirent les yeux de Mark, qu'il ne put réprimer. Il semblait très gêné.

« Je…

— Tu n'as rien à dire. Je ne voulais pas t'embarrasser.

— Non. Je te remercie, fit l'autre en reniflant. Je ne crois pas que nous nous connaissions vraiment alors.

— C'est juste. Bon, merci pour les bières, faut que j'y aille maintenant. »

Mark reprit sa respiration pour dire :

« Je crois que je sais ce que tu fais ici. Je t'ai vu à la télé.

— Ouais, l'affaire Apocalypse. Le lien avec Las Vegas.

— Ça fait des années que je te vois à la télé. Que je lis les articles dans les magazines.

— Ouais, j'ai eu ma dose de médias.

— Ça doit être génial.

— Ben, crois-moi, c'est tout le contraire.

— Et comment ça va, au niveau de l'enquête ?

— Je vais te dire : j'en ai ras le bol. Je ne voulais pas m'en occuper. Moi, j'attendais tranquillement la retraite.

— Et vous avancez ?

— Bon, tu me sembles être le genre de mec qui sait garder un secret. Je vais t'en confier un : on n'a pas le moindre indice.

— Je ne pense pas que vous réussirez à le coincer », fit Mark avec lassitude. Will le regarda, sa curiosité piquée. « Pourquoi tu dis ça ?

— Je ne sais pas. D'après ce que j'ai lu, il a l'air particulièrement malin.

— Non, non, non. Je le coincerai. J'y arrive toujours. »

28 juin 2009

Las Vegas

L'appel de Peter Benedict hantait Elder. C'était en effet très dérangeant d'entendre un homme rencontré une fois par hasard dans un casino vous proposer de remettre à flot votre compagnie d'assurances. De plus, il était à peu près certain de ne pas lui avoir donné son numéro de portable. Si l'on ajoutait à cela le soudain intérêt du FBI pour lui et son entreprise, cela augurait d'un week-end particulièrement éprouvant. Dans les moments difficiles, il préférait se terrer dans son QG, au milieu de ses employés, tel un général parmi ses troupes. Toutefois, il n'envisageait pas de réunir une cellule de crise pour plancher là-dessus le samedi et le dimanche, au contraire, il avait besoin de réfléchir seul. Même Bert Myers, son confident, son conseiller, n'en saurait rien avant qu'il ait élucidé toute cette affaire.

Ils étaient les deux seuls à connaître l'ampleur des problèmes rencontrés par Desert Life, car c'étaient eux qui avaient imaginé le plan censé remettre en selle la compagnie. L'adjectif qui caractérisait le mieux leur stratégie était sans aucun doute « frauduleuse », toutefois, Elder lui préférait « agressive ». On n'en était encore qu'aux prémices et les résultats, hélas, n'étaient guère probants. De désespoir, ils avaient décidé d'utiliser des fonds prélevés sur leurs réserves pour gonfler de façon artificielle leurs profits du dernier trimestre afin de soutenir le cours de leur action.

Ils avaient emprunté une route dangereuse, qui menait tout droit en enfer ou, tout au moins, en prison.

Ils le savaient bien, mais qui vole un œuf vole un bœuf. Et avec un peu de chance, songeait Elder, la situation se redresserait au trimestre suivant. Il avait bâti cette compagnie de ses propres mains. C'était l'œuvre de sa vie, son seul véritable amour. Elle signifiait davantage à ses yeux que son épouse, grande bourgeoise flétrie, ou son flambeur de fils. Or, il fallait la sauver, aussi, si ce Peter Benedict avait une idée intéressante à lui soumettre, son devoir consistait à l'écouter.

Les assurances vie étaient le fonds de commerce de Desert Life. En ce domaine, c'était la plus grosse compagnie à l'ouest du Mississippi. Elder avait tout appris de son métier en vendant ce genre de produit et il avait toujours été fasciné par la prédictibilité actuarielle constante en matière de prévision des taux de décès. Si l'on pariait sur la date de décès d'un individu, on se trompait trop souvent pour pouvoir dégager un profit réel. Pour contourner la difficulté d'évaluer l'espérance de vie des gens, les assureurs fondaient leur stratégie sur la loi des grands nombres, employant des armées de statisticiens pour procéder à des analyses de données passées afin de prédire le futur. Si l'on ne pouvait calculer la prime qu'il fallait demander à un individu pour en retirer un bénéfice, en revanche, on pouvait prédire avec un fort taux de probabilité ce qui adviendrait, par exemple, d'un homme de 35 ans, non-fumeur, n'ayant jamais touché à la drogue, mais avec des antécédents familiaux sur le plan cardiaque.

Malgré tout, les profits étaient limités. Pour chaque dollar encaissé par Desert Life, trente cents allaient aux dépenses, la majeure partie du reste couvrait les pertes, le faible solde constituant le bénéfice net. Il y avait deux manières de faire des profits dans le domaine des assurances : en faisant des bénéfices sur les souscriptions et grâce aux placements.

Les compagnies d'assurances étaient de gros investisseurs qui chaque jour mettaient des milliards de dollars en jeu. Les retours sur ces investissements constituaient la pierre angulaire de leur activité. Certaines compagnies souscrivaient même à perte – facturant un dollar alors qu'elles s'attendaient à devoir payer davantage ensuite, dans l'espoir que les profits qu'elles tireraient des investissements effectués entre-temps couvrent leurs pertes. Elder méprisait ce genre de stratégie mais son appétit pour les retours sur investissements était insatiable.

Cependant, Desert Life était en pleine crise de croissance. Au fil des années, il avait développé son entreprise, étendu son empire à force de nouvelles acquisitions, et diversifié son activité. Sa compagnie s'était peu à peu taillé une place sur le marché de la responsabilité civile des individus et des entreprises ainsi que sur celui de l'assurance immobilière et automobile.

Pendant des années, les affaires avaient été prospères et puis, soudain, la machine s'était enrayée.

« Les tornades, ces foutues tornades », grommelait-il à voix haute quand il était seul.

L'une après l'autre, elles s'abattaient sur la Floride, les rivages du golfe du Mexique, et elles emportaient ses profits. Ses réserves – les fonds disponibles pour régler les futurs dédommagements – étaient à présent dans le rouge. L'État et les organismes fédéraux de régulation des assurances commençaient à s'en apercevoir, tout comme Wall Street. L'action chutait, transformant sa vie en réplique de *L'Enfer* de Dante.

Bert Myers, génie financier, était venu à la rescousse.

Celui-ci n'était pas sorti du giron des assurances, mais des banques d'investissement. Elder l'avait recruté quelques années plus tôt pour lui confier la stratégie du groupe en matière d'acquisitions. Dans le domaine de la finance d'entreprise, c'était l'un des meilleurs sur le marché, un fin limier qui avait de nombreuses cordes à son arc.

Confronté à la baisse des profits, il avait mis au point un plan. Face à Dame Nature et à tous les dommages qu'elle causait et qui se répercutaient sur la compagnie, il n'y avait rien à faire ; en revanche, il pouvait augmenter les retours sur investissement en « franchissant la ligne jaune », comme il disait. Les règles établies par le gouvernement, sans parler de leur propre charte d'entreprise, établissaient des limites strictes en matière d'investissements, leur laissant juste la possibilité de se tourner vers des marchés présentant peu de risques, donc de faibles rapports, comme celui des obligations, et autres financements prudents comme les prêts hypothécaires, immobiliers ou à la consommation.

Ainsi ne pouvaient-ils puiser dans leurs précieuses réserves pour parier comme à la roulette. Cependant,

Myers gardait l'œil sur un fonds d'investissement dans le Connecticut, dirigé par un génie des mathématiques qui avait engrangé d'énormes bénéfices en misant de façon répétée sur les fluctuations monétaires à l'échelle mondiale. Les activités d'International Advisory Partners se situaient bien entendu dans une zone interdite, du point de vue des risques autorisés, et y investir des capitaux n'était pas possible pour une compagnie comme Desert Life. Néanmoins, une fois Elder convaincu, Myers avait monté un partenariat dans l'immobilier qui faisait une couverture assez solide d'un point de vue officiel, puis il avait transféré plus d'un milliard de leurs réserves au fonds d'investissement dans l'espoir que de gros profits viendraient éponger leur manque à gagner.

Hélas, ce n'était pas le bon moment. International Advisory Partners se servit de l'argent de Desert Life pour miser sur la chute du yen par rapport au dollar. Mais quelle mouche avait bien pu piquer le ministre des Finances japonais pour que celui-ci fasse une déclaration allant exactement dans le sens opposé ?

Premier trimestre : moins 14 % sur leurs investissements. Les types du fonds d'investissement soutenaient qu'il s'agissait là d'une anomalie et que leur stratégie était fiable. Myers n'avait qu'à s'accrocher, et tout marcherait comme prévu. Ainsi donc, dans la chaleur du désert, les dirigeants de Desert Life suaient à grosses gouttes, mais ils tenaient bon.

Elder décida de donner rendez-vous à Peter Benedict un dimanche matin pour ne pas accorder trop d'importance à leur rencontre, et dans un lieu très éloigné de ses bureaux : un établissement bas de gamme du nord de la ville, où l'on servait des gaufres semblait parfait, car le risque d'y croiser un ami ou un de ses employés était très faible. Aussi s'assit-il, humant l'odeur du sirop d'érable, et attendit dans une alcôve. Il était vêtu d'un pantalon de golf blanc de popeline et d'un fin pull en cachemire orange. Comme il avait complètement oublié à quoi ressemblait son interlocuteur, il observait tous les clients qui entraient.

Mark arriva avec quelques minutes de retard, une grosse enveloppe marron sous le bras ; avec son jean et son éternelle casquette Lakers il se fondait dans la masse. Il identifia tout de suite l'assureur, se mit en condition, puis vint vers lui. Elder se leva et lui tendit la main :

« Bonjour, Peter, heureux de vous revoir. »

Mark était intimidé, mal à l'aise. En raison de sa culture d'entreprise, son interlocuteur avait besoin qu'on mette les formes en commençant par bavarder un peu. Un vrai calvaire pour l'informaticien. Le black-jack étant *a priori* leur seul point commun, l'assureur se mit à parler cartes pendant quelques minutes, puis insista pour commander un petit déjeuner. Mark sentait son cœur battre à tout rompre. Incapable de se concentrer, et craignant d'avoir un malaise, il but un verre d'eau glacé. Il essaya de contrôler sa respiration, mais son rythme cardiaque s'emballait. Ne ferait-il pas mieux de s'en aller ?

Mais il était trop tard.

Le badinage cessa et Elder en vint aux choses sérieuses. Le temps de la plaisanterie était passé : l'heure était grave.

« Ainsi donc, Peter, dites-moi pourquoi vous croyez que ma compagnie est dans une mauvaise passe. »

Mark n'avait pas suivi de formation en matière de finances, mais il avait appris à lire un bilan à l'époque où il travaillait dans la Silicon Valley. Il avait commencé par s'intéresser aux rapports destinés à la commission des opérations de Bourse de son entreprise, puis était passé à ceux d'autres firmes en quête d'investissements rémunérateurs. Lorsqu'il tombait sur un concept inconnu en comptabilité, il lisait tout ce qu'il avait sous la main à ce propos, amassant des connaissances qu'un expert-comptable aurait pu lui envier. Son esprit possédait une telle puissance que, pour lui, la logique et les formules mathématiques qui sous-tendaient ces concepts étaient un jeu d'enfant.

À présent, d'une voix faible, il débitait d'un ton mécanique toutes les anomalies subtiles qu'il avait détectées dans les derniers bilans financiers établis par Desert Life, destinés aux experts de l'État. Il avait mis à jour d'infimes détails prouvant la fraude, que personne à Wall Street n'avait remarqués. Il avait même deviné que la compagnie s'était aventurée dans les zones interdites de la haute finance.

Elder l'écoutait avec une étrange fascination. Quand Mark en eut terminé, son interlocuteur prit une bouchée de gaufre qu'il mangea avec lenteur. Puis il répondit :

« Je ne ferai aucun commentaire sur tout ce que vous venez de déclarer. Dites-moi juste de quelle manière vous pensez pouvoir aider Desert Life. »

Mark lui tendit la grosse enveloppe marron en silence. L'autre l'ouvrit : elle contenait des coupures de journaux.

Toutes étaient consacrées au tueur de l'Apocalypse.

« Mais qu'est-ce que c'est ? s'exclama Elder.

— La solution pour sauver votre entreprise », marmonna Mark.

Le grand moment était arrivé, et il était pris de vertige.

Soudain, la situation sembla lui échapper.

Pris d'une réaction viscérale, son interlocuteur se leva :

« Mais qui êtes-vous ? Un dingue ? Pour votre information, je dois vous dire que je connaissais l'une des victimes !

— Laquelle ? articula Mark.

— David Swisher », assena Elder en sortant son portefeuille.

L'informaticien rassembla tout son courage et lui répondit :

« Vous devriez vous rasseoir. Ce n'est pas une victime.

— Quoi ?

— Je vous en prie, asseyez-vous et écoutez-moi. »

L'autre s'exécuta.

« Je vous préviens quand même : je n'aime pas beaucoup la tournure que prend cette conversation. Vous avez une minute pour tout m'expliquer ou bien je m'en vais. Compris ?

— Eh bien, évidemment, c'est une victime, on peut le dire. Mais pas du tueur de l'Apocalypse.

— Comment pouvez-vous le savoir ?

— Parce qu'il n'existe pas. »

6 julius 795

ISLE DE WIHT, ROYAUME DE WESSEX

L'abbé Josephus aperçut son reflet dans l'une des nombreuses fenêtres du chapitre. Dehors, il faisait nuit, mais à l'intérieur, les chandelles brûlaient toujours, transformant les vitres en miroirs.

Il avait désormais la panse protubérante, des bajoues, et c'était le seul homme de la communauté à n'être point tonsuré, car il était tout à fait chauve.

Un jeune moine ibérique aux cheveux noirs et à la barbe touffue comme de la fourrure d'ours frappa et entra avec un éteignoir. Il s'inclina, et se mit à l'œuvre.

« Bonsoir, mon père, fit-il avec un accent à couper au couteau.

— Bonsoir, José. »

L'abbé appréciait plus que les autres ce jeune frère pour son intelligence, son habileté d'enlumineur et sa nature joyeuse. Il était rare qu'il fût de méchante humeur et son rire, quand la gaieté l'envahissait, rappelait au vieil homme celui de son ami Matthias, le forgeron qui avait jadis confectionné la cloche de l'abbaye.

« Quel temps fait-il, dehors ?

— L'air est parfumé, mon père, et résonne du chant des criquets. »

Le chapitre fut bientôt plongé dans l'ombre, mais José laissa deux chandelles se consumer dans la chambre de l'abbé, l'une sur sa table de travail, l'autre à son chevet. Puis il lui souhaita bonne nuit et s'en fut. Demeuré seul, Josephus s'agenouilla auprès de sa couche et fit à Dieu la même prière qu'il lui adressait tous les jours depuis qu'il était devenu abbé :

« Seigneur, bénissez votre humble serviteur qui lutte chaque jour pour mieux Vous honorer, et donnez-moi la force d'être le berger de cette abbaye, afin de Vous servir. Bénissez aussi Votre messager, Octavus, qui n'a de cesse de mener à bien sa mission divine, car Vous commandez sa main ainsi que Vous commandez notre cœur et notre esprit. *Amen.* »

Sur ces mots, Josephus souffla la chandelle et se mit au lit.

Quand l'évêque de Dorchester avait demandé à son nouvel abbé qui il souhaitait voir lui succéder à la fonction de prieur, il avait aussitôt cité le nom de sœur Magdalena. Nul n'était mieux qualifié pour cette fonction. Son sens de l'organisation et du devoir dépassait celui de tous les membres de la congrégation. Toutefois, Josephus entretenait une autre motivation, moins avouable. Il avait besoin de l'aide de sœur Magdalena pour protéger ce qu'il croyait être la mission d'Octavus.

Première femme à accéder au rang de prieur de l'abbaye, sœur Magdalena priait tous les jours avec ferveur pour se faire pardonner l'orgueil qu'elle tirait de sa position. Josephus lui laissait en effet régler tous les détails de l'administration de l'abbaye, comme il l'avait fait lui-même pour Oswyn, et il écoutait avec patience ses rapports quotidiens concernant les abus et les transgressions qu'elle mettait tant d'énergie à débusquer. Il le reconnaissait volontiers : l'abbaye était bien plus efficace et beaucoup mieux tenue qu'à son époque. Bien sûr, le mécontentement était plus fort, mais l'abbé n'intervenait que dans les cas où les agissements de la prieure lui paraissaient excessifs ou cruels.

Ainsi pouvait-il se consacrer à la prière, à l'achèvement de la reconstruction de l'abbaye et bien sûr à Octavus.

Ses deux préoccupations matérielles concernaient pour l'essentiel le scriptorium. Après la mort d'Oswyn, Josephus avait révisé les plans du nouveau bâtiment, décidant qu'il serait plus vaste encore, car il était convaincu que les livres et textes saints produits à Wiht jouaient un rôle capital pour améliorer la condition du genre humain. Il voyait un futur où des moines de plus en plus nombreux produiraient toujours davantage de manuscrits, élevant par la grandeur de leurs efforts l'abbaye et toute la chrétienté.

De plus, il voulait construire une chambre secrète qui serait un sanctuaire, où Octavus œuvrerait sans jamais être perturbé. Ce serait un cabinet spécial, protégé, où il pourrait retranscrire les noms qui sourdaient au fond de lui pour les verser sur le parchemin, comme l'eau sort de la roche.

Frais et sombre, le sous-sol du scriptorium était l'endroit idéal pour conserver les grandes feuilles de parchemin et les flacons d'encre, mais c'était aussi un lieu parfait pour un garçon qui n'éprouvait pas le moindre désir de jouer au soleil ni d'aller se promener à travers champs. On construisit donc une pièce au bout de la cave. Là, derrière une porte close, Octavus vivait dans une pénombre perpétuelle, éclairé de quelques chandelles. Son unique objectif était de s'asseoir sur son tabouret, puis de se pencher sur le pupitre et de tremper sa plume encore et encore dans l'encrier afin de gratter avec fureur son parchemin, jusqu'à s'écrouler d'épuisement, au point qu'on dût le porter sur sa paillasse.

Il montrait tant d'ardeur à la tâche qu'il ne dormait guère plus de quelques heures, suffisantes pour le revigorer, et n'avait nul besoin qu'on le réveillât. Quand Paulinus arrivait au scriptorium, au matin, le garçon était déjà au travail. Une jeune moniale ou novice lui apportait ses repas, évitant avec soin de regarder ce qu'il écrivait, puis elle vidait son pot de chambre et lui fournissait des chandelles neuves. Paulinus récoltait les pages terminées et, quand il en avait assez, les reliait pour constituer d'épais volumes recouverts de cuir.

En grandissant, le corps d'Octavus s'était allongé, comme un boulanger aurait étiré de la pâte. Ses membres étaient grêles, presque caoutchouteux, et son teint blafard, sans la moindre couleur, à l'image de ses chandelles et parchemins. Même ses lèvres étaient pâles, d'une très légère nuance de rose. Si Paulinus n'avait vu des gouttes carmin perler sur ses doigts après qu'il se fut coupé en maniant le parchemin, il eût volontiers cru que le garçon était tout à fait dépourvu de sang.

À l'inverse des autres adolescents, dont les traits, en grandissant, s'épaississaient, le nez d'Octavus n'avait pas forci, et son menton avait gardé sa finesse. Il conservait un visage d'enfant, défiant toute explication – mais son existence même dépassait l'entendement. Ses fins cheveux étaient toujours d'un roux flamboyant et, une fois par mois environ, Paulinus faisait venir le barbier pour qu'il les lui coupât tandis qu'il travaillait, ou mieux, qu'il dormait. Les mèches de feu jonchaient le sol, qu'une des moniales à son service balayait ensuite.

Les sœurs ou jeunes filles habilitées à s'occuper de lui après avoir prêté serment de garder le secret considéraient avec effroi ce beau jeune homme d'un silence de statue, qui jamais ne se déconcentrait. L'une d'elles, espiègle novice de 15 ans appelée Marie, tentait parfois d'attirer son attention en laissant choir un gobelet ou une assiette. En vain.

Rien ne semblait pouvoir distraire le scribe du Seigneur. Les noms coulaient sur la page par centaines, par milliers, par dizaines de milliers.

Souvent, Paulinus et Josephus regardaient par-dessus son épaule, observant le mouvement frénétique de sa plume en sombrant dans une espèce de rêverie. Beaucoup d'entrées étaient écrites dans l'alphabct romain, mais ce n'était pas la majorité. Paulinus avait identifié les alphabets arabe, araméen et hébreu, et il en demeurait d'autres qu'il ne pouvait déchiffrer. Le garçon écrivait à furieuse allure, contredisant l'absence de tension, l'indifférence qui semblait l'habiter. Quand la pointe de son instrument s'émoussait, Paulinus avait tôt fait de lui en procurer un autre, afin que les caractères demeurent petits et serrés. Son écriture était en effet si dense qu'une page achevée comportait davantage de noir que de blanc. Dès qu'il en avait fini, il retournait son parchemin et continuait au verso, avec un sens inné de l'efficacité et de l'économie. Après avoir rempli la seconde page, le jeune homme prenait une autre feuille. Paulinus, qui souffrait d'arthrose et de douleurs chroniques à l'estomac, examinait chaque nouveau parchemin, nerveux, en quête d'un nom connu, comme celui de Paulinus de Wiht, par exemple.

De temps à autre, Josephus et Paulinus se disaient combien il serait merveilleux de demander à Octavus son opinion sur l'œuvre de sa vie et d'obtenir enfin une explication. Hélas, autant interroger une vache sur le sens de son existence. Jamais le regard du jeune homme ne croisait le leur, jamais il ne répondait à leurs questions, d'ailleurs jamais il ne parlait ni ne manifestait la moindre émotion. Au fil des ans, les deux amis vieillissants s'étaient longuement entretenus sur la signification de l'œuvre d'Octavus dans une perspective biblique. Dieu, l'Éternel, l'Omniscient, savait toute chose du passé, du présent et bien entendu de l'avenir, ils étaient d'accord là-dessus. Tous les événements du monde étaient pré-arrangés par la volonté du Seigneur, et le Créateur semblait avoir choisi cet enfant à la naissance miraculeuse pour être le scribe de ce qui devait advenir.

Paulinus possédait un exemplaire des treize volumes écrits par saint Augustin, ses *Confessions*. Les moines de l'isle de Wiht tenaient en effet ce texte en haute estime, car Augustin était pour eux un père spirituel, venant juste après saint Benoît. Quand Josephus et Paulinus se penchaient sur les précieux manuscrits, ils entendaient presque la voix vénérable du saint s'adresser à eux à travers ce passage :

« Le Seigneur décide du destin éternel de chaque être. Leur sort obéit à la volonté de Dieu. »

Octavus n'était-il point la preuve vivante de cette déclaration ?

Tout d'abord, l'abbé avait rangé les livres reliés cuir sur une étagère dans la chambre d'Octavus. À l'âge de 8 ans, celui-ci avait déjà rempli dix épais volumes, aussi Josephus avait-il fait confectionner une deuxième étagère. À mesure que le garçon grandissait, sa main se faisait plus véloce, et depuis quelques années, il atteignait un total de dix manuscrits par an. Quand la collection dépassa les soixante-dix livres et menaça d'encombrer la pièce, l'abbé décida de bâtir une bibliothèque.

Il prit des ouvriers qui travaillaient sur d'autres chantiers de l'abbaye et leur fit creuser une nouvelle chambre adjacente à la cave du scriptorium, en face de celle d'Octavus. Les copistes qui menaient à bien leur tâche dans la salle principale, au-dessus, se plaignaient du fracas des pioches et des pelles, bien qu'assourdi ; dans une parfaite indifférence, le scribe du Seigneur poursuivait son œuvre.

En temps voulu, Josephus obtint donc une crypte de pierre à l'atmosphère fraîche et sèche, où entreposer les manuscrits d'Octavus. Ubertus avait lui-même supervisé les travaux de maçonnerie. Il savait que son fils se trouvait de l'autre côté de la porte close, mais n'avait manifesté aucun désir de le voir. Il appartenait au Tout-Puissant, dorénavant, pas à lui.

Tout ce qui entourait le jeune homme était d'ailleurs tenu secret. Seuls Josephus, Paulinus et Magdalena savaient la nature de sa tâche et, en dehors de ce cercle étroit, une poignée de femmes, qui veillaient à ses besoins, étaient en contact direct avec lui. Bien sûr, dans une communauté aussi restreinte, on murmurait des choses sur ces textes mystérieux et les rituels sacrés qui entouraient le jeune homme, car la plupart des membres de la congrégation ne l'avaient point revu depuis qu'il était tout enfant. Toutefois, l'abbé était si aimé, si révéré, que nul ne mettait en doute la piété ni le bien-fondé de ses actions. Il y avait beaucoup de choses en ce bas monde que les habitants de l'isle de Wiht ne comprenaient pas, et celle-là n'en était qu'une parmi d'autres. Ils avaient foi en Dieu et en Josephus : ils s'en remettaient à eux pour les protéger et les mener sur le chemin de la sainteté.

Le 7 juillet de cette année-là fut célébré le dix-huitième anniversaire d'Octavus.

Il commença sa journée en soulageant sa vessie, puis alla droit à son pupitre, où il trempa sa plume dans l'encrier. Il reprit là où il s'était arrêté la veille. Plusieurs chandelles épaisses brûlaient jour et nuit dans sa chambre, baignant le bureau de leur lumière jaune et vivante. Il cligna des yeux pour chasser les dernières poussières du sommeil et se mit au travail.

Nouveau nom. *Mors*. Un autre. *Natus*. Etc.

Ce jour-là, de bon matin, Marie la novice frappa et entra sans attendre la réponse qui, elle le savait, ne viendrait jamais. C'était une fille issue de la côte sud-est de l'isle de Wiht. Son père, paysan flanqué de trop nombreuses bouches à nourrir, espérait que cette jeune fille sérieuse connaîtrait un meilleur destin au service du Seigneur plutôt qu'à manier le fléau dans les champs. C'était le quatrième été de Marie à l'abbaye. Sœur Magdalena la trouvait intelligente, jugeait qu'elle apprenait vite ses prières, mais elle était hélas un peu trop gaie à son goût. Toujours de bonne humeur, la jeune fille se comportait de manière folâtre envers les autres novices, se livrant même à de petites farces comme dissimuler un soulier ou glisser un gland dans un lit. Si elle ne s'assagissait point, la prieure hésiterait à l'admettre dans son ordre.

Marie apporta à Octavus un repas léger sur un plateau : du pain bis et une tranche de bacon. À l'inverse des autres filles, qui craignaient le jeune homme et ne lui adressaient jamais la parole, elle bavardait avec lui comme si c'était un garçon ordinaire. Elle vint se poster devant son pupitre pour tenter de capter son attention. Ses cheveux bruns encore longs flottaient tout autour d'elle, dépassant du voile. Si elle entrait dans les ordres, on les lui couperait court, ce qu'elle souhaitait et redoutait à la fois. Grande, bien bâtie, elle était jolie, dégingandée comme un poulain et avait toujours les joues roses.

« Eh bien, Octavus, dehors, c'est une belle journée d'été, si tu veux savoir. »

Elle posa le plateau sur le pupitre. Parfois, il ne touchait pas à sa nourriture. Mais elle savait qu'il avait un faible pour le bacon. Il posa sa plume et se mit à dévorer les victuailles.

« Tu sais pourquoi tu as droit à du bacon, aujourd'hui ? »

Il mangeait goulûment, le regard fixé sur l'assiette.

« Parce que c'est ton anniversaire ! Tu as 18 ans maintenant ! Si tu veux, tu peux poser ta plume et prendre une bonne journée de repos pour aller te promener au soleil, je leur dirai, et je suis sûre qu'ils t'y autoriseront. »

Son repas terminé, il se remit sans attendre à l'ouvrage, ses doigts laissant des traces grasses sur le parchemin. Depuis deux ans qu'elle s'occupait de lui, Marie était de plus en plus intriguée par Octavus. Elle s'imaginait être la seule capable de lui délier un jour la langue et de lui arracher ses secrets. De plus, elle avait fini par se convaincre elle-même que le jour de ses 18 ans signifiait quelque chose, comme si le passage à l'âge d'homme pouvait rompre son enchantement et laisser ce beau garçon étrange entrer enfin dans la grande fraternité humaine.

« Tu ne savais même pas que c'était ton anniversaire, pas vrai ? dit-elle d'un air frustré. Le 7 juillet. Tout le monde sait quand tu es né, parce que tu es bizarre, pas vrai ? »

Elle fouilla dans son tablier de lin et en sortit un petit objet de la taille d'une pomme, emballé dans un chiffon, et attaché par une fine lanière de cuir.

« J'ai un cadeau pour toi, Octavus », ajouta-t-elle d'un ton chantant.

Se tenant derrière lui, elle passa une main devant pour déposer son présent sur le parchemin, le forçant à s'interrompre. Il considéra l'objet avec son indifférence habituelle.

« Ouvre-le », le pressa-t-elle.

Il demeura immobile.

« Bon, je vais le faire pour toi ! »

Elle se pencha sur lui, enroulant ses bras robustes autour de son dos, puis elle entreprit de défaire le paquet. C'était un gâteau rond, tout doré, qui laissa sur l'étoffe une trace sirupeuse.

« Regarde, c'est un gâteau au miel ! Je l'ai fait moi-même, rien que pour toi ! »

Elle se serra contre lui.

Peut-être fut-ce la sensation de ses petits seins bien fermes à travers sa fine chemise. Ou la peau tiède de son avant-bras sur sa joue. Voire l'odeur musquée de son corps pubescent, ou encore son haleine tiède quand elle s'adressa à lui.

Il lâcha sa plume, et sa main retomba sur ses genoux. Son souffle se fit plus fort, et il sembla soudain en proie à quelque affection. Effrayée, Marie recula.

Elle ne voyait point ce qu'il faisait, mais il lui sembla qu'il se saisissait d'une partie de son propre corps, comme s'il avait été piqué par une abeille. Elle l'entendit émettre de petits grognements entre ses dents, tel un animal.

Soudain, il se leva et se retourna vers elle. Elle écarquilla les yeux et sentit ses genoux se dérober sous elle.

Ses chausses étaient ouvertes et, dans sa main, il tenait un énorme pénis en érection, plus cramoisi que tout le reste de sa chair.

Il s'avança vers elle d'un pas chancelant, trébuchant à cause de son habit, et prit ses seins dans ses longs doigts maigres, tels des tentacules.

Marie et Octavus tombèrent par terre.

Elle avait beau être forte, le choc la pétrifia, l'empêchant de réagir. D'instinct, il remonta son jupon, dénudant ses cuisses blanches. Un instant plus tard, il était entre ses jambes, poussant de toutes ses forces. Sa tête passait par-dessus l'épaule de la jeune fille, son front touchait le sol. Il poussait de petits gémissements rapides. Marie connaissait les choses de la vie : elle savait ce qui lui arrivait.

« Seigneur Jésus ! Ayez pitié de moi ! », hurla-t-elle.

Dès qu'il entendit les cris, José, le moine ibérique, quitta en trombe son pupitre de copiste et se rua dans la cave. Quand il arriva, il trouva Marie recroquevillée contre un mur, pleurant doucement, sa robe tachée de sang, tandis qu'Octavus s'était remis au travail, la plume grattant le parchemin avec dextérité, les chausses sur les chevilles.

15 juillet 2009

NEW YORK

Par cet après-midi étouffant, les trottoirs tels des radiateurs dégageaient une chaleur d'enfer, comme s'il s'agissait d'un châtiment. Les New-Yorkais vaquaient à leurs occupations, semelles ramollies par le béton brûlant, jambes lourdes à force de se traîner dans la moiteur épaisse. La chemise de Will lui collait à la peau. Il rentrait chez lui, chargé de deux sacs de courses pleins à craquer en prévision d'une petite fête.

Il ouvrit une bière, alluma le gaz et éminça un oignon qu'il fit revenir dans une poêle très chaude. Bientôt la kitchenette se remplit d'un grésillement et de doux effluves vinrent lui chatouiller les narines. Il y avait longtemps qu'il n'avait pas senti d'aussi bonnes odeurs chez lui. D'ailleurs, il ne parvenait même plus à se rappeler quand il avait fait la cuisine pour la dernière fois. Sans doute du temps de Jennifer, mais tout ce qui concernait cette liaison lui semblait très loin à présent.

La viande hachée rissolait tranquillement quand la sonnette tinta. C'était Nancy, chargée d'une tarte aux pommes et d'une glace au yaourt qui commençait déjà à fondre. Elle avait l'air détendue dans son jean taille basse et son chemisier court, sans manches.

Will aussi avait l'air bien, remarqua-t-elle. Son visage n'affichait plus sa dureté habituelle, il ne serrait pas les dents, ni ne rentrait les épaules. Il lui sourit.

« Vous avez l'air heureux ! », s'exclama-t-elle avec surprise.

Il lui prit son sac des mains et, en un geste spontané, se pencha pour lui faire la bise, ce qui les prit de court tous les deux.

Il fit très vite un pas en arrière. Rougissante, Nancy s'employa à humer l'atmosphère aux odeurs de cumin et de piment, le charriant sur ses talents cachés de cordon-bleu. Elle mit la table, pendant qu'il remuait le contenu de la casserole. Tout à coup elle lui demanda :

« Au fait, vous lui avez acheté quelque chose ? »

Il hésita, ne sachant que répondre.

« Non. J'aurais dû ?

— Oui !

— Mais quoi ?

— Comment voulez-vous que je sache ? C'est vous, son père ! »

Il se tut, soudain très ennuyé.

« Si vous voulez, je vais lui chercher des fleurs, proposa Nancy.

— Merci, dit-il en acquiesçant. Elle aime bien les fleurs. »

En fait, il n'en était pas sûr : il avait un vague souvenir de sa fille bébé, un bouquet de jonquilles sauvages dans sa menotte potelée.

« Oui, répéta-t-il, je suis sûr qu'elle aime les fleurs. »

Les semaines passées s'étaient révélées éprouvantes. L'hypothèse que Luis Camacho soit le tueur de l'Apocalypse était de moins en moins d'actualité, et bientôt il ne fut plus possible de lui mettre qu'un seul meurtre sur le dos. Ils avaient beau prendre l'affaire sous tous les angles possibles, les autres accusations ne tenaient pas ; il n'y avait pas le moindre rapport entre lui et les autres victimes. Un travail de fourmi leur avait permis de reconstituer toutes les journées du prévenu sur les trois derniers mois. Luis était un employé fiable et régulier qui faisait la navette entre New York et Las Vegas deux à trois fois par semaine. La plupart du temps, il dormait chez son amant. Toutefois, il était volage et se rendait volontiers dans des bars gay quand son compagnon était fatigué ou occupé. John Pepperdine était du genre monogame, avec une libido atrophiée, alors que l'appétit de Luis Camacho était insatiable. Il ne faisait aucun doute que c'est ce tempérament de feu qui l'avait poussé à massacrer son ami. Seulement John semblait bien être sa seule victime.

De plus, la vague de meurtres avait cessé : bonne nouvelle pour tous ceux qui étaient encore vivants ! Mauvaise en revanche pour l'enquête, qui piétinait, revenant sans cesse sur des affaires déjà passées au crible en vain. Puis un jour, Will eut une idée de génie : et si John Pepperdine était bien la neuvième victime désignée du tueur de l'Apocalypse, mais que Luis Camacho l'avait pris de vitesse, transformant le meurtre en série en crime passionnel ?

Peut-être le rapport entre Luis et Las Vegas était-il un hasard qui les détournait du véritable assassin. Et si le vrai tueur de l'Apocalypse s'était trouvé sur place, ce jour-là, à City Island, dans les rangs des curieux, stupéfait qu'un autre ait commis le crime à sa place ? Ensuite, pour embrouiller les enquêteurs, il avait très bien pu faire une pause, pour les laisser mariner, semant les germes de la confusion, de la frustration.

Will obtint des autorisations de saisie auprès des télévisions qui avaient filmé les événements de Minnieford Avenue en ce doux soir sanglant. Plusieurs jours durant, avec Nancy, ils examinèrent à la loupe des heures d'enregistrement et des centaines d'images numériques, à la recherche d'un autre homme de carrure et de taille moyennes, à la peau mate, rôdant près du lieu du crime. Bien qu'ils soient bredouilles, Will continuait de croire à son hypothèse.

La petite fête de ce soir-là leur offrait un répit bien mérité. Will vida une boîte d'Uncle Ben's dans la casserole d'eau bouillante et ouvrit une deuxième bière. La sonnette retentit à nouveau. Il espérait que ce soit Nancy, avec les fleurs. En effet c'était bien elle, mais accompagnée de Laura, et elles bavardaient gaiement comme deux copines. Un jeune homme les suivait, grand, frêle, le regard vif et intelligent sous une épaisse tignasse bouclée.

Will prit le bouquet des mains de sa coéquipière et, d'un geste timide, le tendit à sa fille.

« Bravo, ma puce.

— Tu n'aurais pas dû, répondit-elle en plaisantant.

— Mais je n'ai rien fait, ajouta-t-il en hâte.

— Papa, je te présente Greg. »

Les deux hommes se serrèrent la main, mesurant leur poigne respective.

« Heureux de vous rencontrer, monsieur.

— Pareil pour moi. Je ne vous attendais pas, mais ça me fait plaisir de vous connaître enfin, Greg.

— Il est venu pour me soutenir moralement. Il est comme ça. »

Au passage elle embrassa son père, puis posa son sac sur le canapé, d'où elle tira, triomphante, son contrat avec Elevation Press.

« Paraphé, signé et emporté !

— Est-ce qu'on peut dire que tu es écrivain, maintenant ? », l'interrogea Will.

Elle acquiesça, la larme à l'œil.

Aussitôt, son père se détourna et battit en retraite dans la cuisine.

« Je vais chercher les bulles avant que vous vous mettiez tous à pleurnicher.

— Il déteste les épanchements, chuchota Laura à Nancy.

— J'avais remarqué. »

Au-dessus de leurs assiettes de chili con carne fumant, Will porta un énième toast au succès de sa fille, se réjouissant de les voir tous boire du champagne. Quand la bouteille fut vide, il alla en chercher une autre et commença de les resservir. Nancy formula de vagues protestations, mais le laissa verser jusqu'à ce que la mousse crépitante déborde, inondant ses doigts.

« Je ne bois presque jamais, mais c'est vraiment bon, fit-elle.

— Aujourd'hui, tout le monde doit boire, ordonna Will. Et toi, Greg, tu bois ?

— Avec modération.

— Moi, je bois modérément à l'excès, plaisanta-t-il en s'attirant un regard noir de la part de sa fille. Je croyais que tous les journalistes picolaient sec ?

— On trouve de tout.

— Et vous, vous faites partie de ceux qui me filent le train lors des conférences de presse ?

— Je travaille dans la presse écrite. Je fais du journalisme d'investigation.

— Greg pense que c'est la manière la plus efficace de s'attaquer aux problèmes sociaux et politiques, ajouta Laura.

— C'est vrai ? », interrogea Will, affichant un rictus.

Les donneurs de leçons lui donnaient des boutons. « En effet, répondit le jeune homme, lui aussi sur la défensive.

— Très bien, et la rencontre se termine par un match nul ! fit Laura d'un ton léger pour détendre l'atmosphère.

— Et quelles sont les perspectives dans ce domaine, pour un débutant ?

— Pas terribles. Je suis en stage au *Washington Post*. Bien sûr, j'adorerais qu'ils m'embauchent. Si jamais vous avez un tuyau à me passer, voilà ma carte ! »

Il ne plaisantait qu'à moitié. Will la glissa dans sa poche.

« Je suis sorti avec une fille du *Washington Post*, ricana-t-il. Je n'y suis pas en odeur de sainteté. »

Laura était décidée à changer de sujet :

« Bon, vous voulez que je vous raconte mon entretien ?

— Ah, oui ! Et en détail ! »

Elle avala une gorgée de champagne.

« C'était vraiment génial. Mon éditrice, Jennifer Ryan, qui est adorable, a passé une demi-heure à me dire à quel point elle appréciait les changements que j'avais apportés, qu'il n'y avait plus que quelques détails à régler, etc., et puis elle m'a dit qu'on allait monter au quatrième, voir Mathew Bryce Williams, le grand patron. Leurs bureaux se situent dans une vieille maison, très belle. Le bureau de Williams est sombre, plein d'antiquités, un peu comme un vieux club anglais, vous voyez, et lui, c'est un type plus tout jeune, comme papa, mais beaucoup plus distingué.

— Merci ! s'exclama Will.

— Si, si, je t'assure. C'est même une sorte de caricature du gentleman anglais à l'ancienne, mais il s'est montré charmant, très courtois et, là, vous n'allez pas me croire, il m'a même offert du sherry, dans une carafe ancienne en cristal, avec les petits verres assortis. Tout était parfait ! Et puis il n'a cessé de répéter combien il aimait mon style, que mon écriture était "concise, elliptique" et qu'elle traduisait "toute l'énergie et la fraîcheur d'une voix jeune", rapporta-t-elle en contrefaisant l'accent britannique. Vous vous rendez compte !

— Est-ce qu'il t'a dit combien il va te payer ? demanda son père.

— Non. Je n'allais pas tout gâcher avec ce genre de considération bassement matérialiste.

— Eh bien, ce n'est pas avec ça que tu vas pouvoir vivre. Pas vrai, Greg ? À moins qu'on ne se fasse des couilles en or avec le journalisme d'investigation ? »

Le jeune homme refusa de mordre à l'hameçon.

« Papa ! C'est une petite maison d'édition ! Ils ne publient qu'une dizaine de livres par an.

— Est-ce que tu vas faire une tournée promotionnelle ? demanda Nancy.

— Je ne sais pas encore, mais vous savez, ça ne sera pas un gros lancement. C'est une fiction littéraire, pas un roman commercial. »

Nancy voulut savoir quand elle pourrait le lire.

« Les épreuves seront prêtes dans quelques mois. Je t'en enverrai un exemplaire. Et toi, papa, tu veux le lire ? »

Il la fixa longuement avant de répondre : « Je ne sais pas, je devrais ?

— Je pense que tu survivras.

— C'est pas tous les jours qu'on se fait traiter en public de bulldozer – surtout par sa fille ! conclut-il avec une certaine tristesse.

— C'est de la fiction. Ce n'est pas toi ! Tu as juste inspiré le personnage.

— Eh bien, dans ce cas, je bois aux hommes qui inspirent les femmes ! », déclara-t-il en levant son verre.

Ils trinquèrent à nouveau.

« Et toi, Greg, tu l'as lu ? demanda Will.

— Oui. C'est magnifique.

— Alors, tu en sais davantage sur moi que moi sur toi. Peut-être qu'elle va s'attaquer à toi dans son prochain bouquin ! »

Will parlait de plus en plus fort et commençait à s'échauffer.

« Tu sais, tu devrais vraiment le lire, répliqua Laura d'un ton acide. J'en ai tiré un scénario, c'est pas génial, ça ? Je vais t'en laisser un exemplaire. C'est plus facile. Comme ça, tu auras une idée. »

Laura et Greg partirent peu après la fin du dîner pour attraper le train de Washington. Nancy resta pour aider Will à tout ranger. La soirée était trop agréable pour ne pas vouloir la prolonger. Son coéquipier était à l'aise, détendu, toute trace de son irritation habituelle ayant disparu, bref, c'était un homme très différent de la boule de nerfs qu'elle côtoyait au travail.

Dehors, la nuit commençait à tomber et la circulation à ralentir, à l'exception des ambulances de Bellevue dont les sirènes déchiraient le silence à intervalles réguliers. Côte à côte, dans la petite cuisine, ils lavaient et séchaient la vaisselle, ralentis par les effets du champagne. Will était déjà passé au scotch. Ils étaient heureux d'échapper à la routine et cette simple activité domestique était en soi apaisante.

Ce n'était pas prévu – il y penserait souvent par la suite – mais soudain, au lieu d'attraper l'assiette suivante, c'est sur le cul de Nancy qu'il posa les mains. Puis il se mit à la caresser doucement. Plus tard, il songea qu'il aurait dû prévoir le coup.

Désormais, elle avait des pommettes saillantes, une silhouette digne de ce nom et, merde alors, le physique, pour lui, ça comptait ! Et puis, mieux encore, sa personnalité avait évolué à son contact. Elle était plus calme, moins excitée et dopée à la caféine. Elle faisait même preuve d'un certain cynisme – ce qui amusait beaucoup Will. De temps à autre, elle lâchait une remarque sarcastique. L'insupportable cheftaine avait disparu, laissant la place à une femme qui ne lui tapait plus sur le système. Bien au contraire.

Nancy avait les mains plongées dans l'eau savonneuse. Elle ne broncha pas, puis ferma les yeux sans rien dire.

Il la fit se retourner, et elle se demanda ce qu'elle pourrait bien faire de ses mains dégoulinantes. En fin de compte, elle les posa sur les épaules de Will.

« Vous croyez que c'est une bonne idée ?

— Non. Et vous ?

— Pas du tout. »

Il l'embrassa, et il aima le contact de ses lèvres, surtout lorsqu'elles s'entrouvrirent. Il lui prit les fesses à pleines mains. Son esprit embrumé par l'alcool s'enflamma de désir, et il la pressa contre lui.

« La femme de ménage est passée aujourd'hui. Les draps sont propres, murmura-t-il.

— Vous au moins, vous savez comment séduire une fille ! »

Elle en avait autant envie que lui, il en était certain. Il la prit par la main et l'entraîna dans sa chambre. Puis il se laissa choir sur son lit et l'attira au-dessus de lui.

Il l'embrassa dans le cou tout en passant les mains sous son chemisier.

« Nous allons le regretter, fit-elle. C'est contraire au... »

Il colla sa bouche sur la sienne, et quand il la retira, il lui dit :

« Écoute, si tu veux, on revient quelques minutes en arrière et on retourne sagement faire la vaisselle. » Pour la première fois, ce fut elle qui l'embrassa : « Je déteste faire la vaisselle. »

Quand ils ressortirent de la chambre, l'obscurité s'était installée et le salon était étrangement silencieux. On entendait juste le ronron de l'air conditionné et la circulation, dans le lointain, sur la voie express Franklin Roosevelt. Il lui avait donné une chemise blanche pour se vêtir, comme il le faisait avec chaque nouvelle conquête. Elles devaient aimer le contact du tissu raidi contre leur peau nue, et tout ce qu'on pouvait imaginer. La chemise la dissimulait avec pudeur. Sa peau apparaissait malgré tout, fraîche et veinée comme de l'albâtre.

« Tu veux boire quelque chose ? demanda-t-il.

— Je crois que j'ai eu ma dose pour ce soir.

— Tu regrettes ?

— Je devrais… mais non ! »

Son visage était encore rose d'émotion. Il la trouva plus belle que jamais, et plus mûre aussi, plus femme.

« Je savais que ce genre de chose allait se produire.

— Et depuis combien de temps tu sais ça ?

— Depuis le début.

— Ah bon ? Comment est-ce possible ?

— À cause de ta réputation et de la mienne.

— J'ignorais que tu avais toi aussi une réputation.

— Oui, mais pas la même, soupira-t-elle. Sérieuse, choix raisonnés, parfaitement équilibrée. Je crois qu'au fond de moi, en secret, j'avais besoin d'un peu de déséquilibre, de chamboulement.

— D'un bulldozer, en quelque sorte, dit-il en souriant. C'est ça ?

— Will Piper, tu es un mauvais garçon. Et en secret, les jeunes filles sérieuses rêvent des mauvais garçons. Tu l'ignorais ? »

Il avait à présent l'esprit clair.

« Tu sais qu'il va falloir cacher tout ça ?

— Oui, je sais.

— Je veux dire, il y a ta carrière, ma retraite.

— Je le sais bien, Will ! Bon, il faut que j'y aille.

— Tu n'es pas obligée.

— Merci, mais je ne suis pas certaine que tu aies envie que je m'incruste pour la nuit. »

Sans lui laisser le temps de répondre, elle posa la main sur le scénario de Laura, sur la table basse.

« Tu vas le lire ?

— Je ne sais pas. Peut-être… Sans doute que oui.

— Je crois que c'est important pour elle. »

Une fois seul, il se servit un scotch, s'assit sur le canapé et alluma une lampe dont l'éclat l'aveugla un instant. Ses yeux se fixèrent sur le scénario de sa fille, où se reflétait la lumière, tel un *smiley* sinistre qui le bravait. Relevant le défi, il marmonna :

« Putain de bulldozer ! »

Il n'avait jamais lu de script. Les clous de cuivre étincelants lui rappelèrent aussitôt celui qu'il avait vu un mois plus tôt chez Mark Shackleton. Il l'ouvrit et s'y plongea, déconcerté par le format et les indications de mise en scène.

Au bout de quelques pages, il dut tout reprendre au début, puis il fut happé par l'histoire. Apparemment, le personnage qu'il avait inspiré s'appelait Jack, et la description correspondait en tout point : un homme musclé, la quarantaine bien tassée, blond comme les blés, venant du Sud, décontracté, mais dur à l'intérieur.

Bien sûr, Jack était un coureur de jupons, un alcoolique à l'intelligence brillante. Il avait une relation avec une sculptrice nommée Marie, qui savait bien qu'elle devait se protéger de lui, mais se révélait incapable de lui dire non. Jack laissait dans son sillage un grand nombre de femmes brisées, dont – Will le découvrit avec amertume – sa propre fille, Vicki. Il était hanté par le souvenir d'Amelia, créature fragile sur le plan émotionnel qu'il avait réduite à l'état de larve avant qu'elle décide de se libérer de lui grâce à la vodka et au monoxyde de carbone. Incapable de supporter les obstacles et les affres de l'existence, elle constituait un hommage à peine voilé à Melanie, la première épouse de Will et mère de Laura. Tout au long du scénario, Amelia apparaissait à Jack, le teint cramoisi par le poison, et elle le tançait pour sa cruauté envers Marie.

À mi-lecture, Will sentit qu'il avait besoin d'un verre pour pouvoir continuer. Il se versa un bon whisky et attendit un peu les premiers effets de l'alcool. Puis il décida de boire la coupe jusqu'à la lie, jusqu'au suicide de Marie, sous le regard larmoyant d'Amelia. Cette fin dramatique était malgré tout atténuée car Vicki décidait de mettre un terme à la relation destructrice dans laquelle elle s'était elle-même embarquée, pour aller vers un homme plus gentil, bien que moins passionné. Quant à Jack, continuant sur sa lancée, il entamait ensuite une liaison avec Sarah, la cousine de Marie, rencontrée lors de son enterrement.

Quand il reposa le scénario, il s'étonna de ne pas être en larmes.

Alors, c'était ainsi que sa fille le voyait ? C'était vraiment lui, ce sale type ?

Il songea à ses ex-femmes, à ses nombreuses liaisons, à ses innombrables aventures d'un soir, et puis à Nancy. La plupart étaient de jolies femmes. Il pensa à Laura, une chouette fille, entachée par les défauts de son mauvais père. Puis il se remémora…

Soudain, il interrompit brutalement sa réflexion : il saisit le scénario et l'ouvrit au hasard :

« Bordel de merde ! »

La police : c'était du Courier 12. Comme sur les cartes du tueur de l'Apocalypse.

Il avait été très surpris en découvrant sur la première carte la police utilisée par le tueur, vestige des machines à écrire d'autrefois, devenues insolites à l'âge du traitement de texte. Times New Roman, Garamond, Arial, Helvetica : là étaient les nouvelles polices proposées par les traitements de texte à l'ère de l'informatique.

Il bondit jusqu'à son ordinateur et surfa sur la toile. Courier 12 était la police obligatoire pour les scénarios. Envoyer à un producteur un script utilisant une autre police vous condamnait d'office à la poubelle. Autre chose : le Courier 12 était très utilisé par les programmeurs qui rédigeaient les codes sources.

Une nouvelle image s'imposa à lui : deux scénarios au nom de Peter Benedict et quelques Pentel noirs sur un bureau blanc près d'une étagère remplie de livres d'informatique. Aux images se superposa bientôt la voix de Mark Shackleton : « Je ne pense pas que vous réussirez à le coincer. »

Il examina pendant un moment ces différentes associations, aussi étranges qu'elles puissent paraître, puis jugea absurde l'idée qu'il puisse y avoir un lien entre l'affaire Apocalypse et son camarade de chambre d'autrefois. Shackleton, ce premier de la classe à demi rassis, semant le carnage à travers New York ? Tout de même, soyons réalistes !

Néanmoins, la police des cartes postales constituait une piste qu'ils n'avaient pas encore explorée – ça lui sautait aux yeux à présent –, or, il savait qu'ignorer un seul indice était le meilleur moyen de faire foirer l'enquête, surtout quand on n'avait pas le moindre début d'explication.

Il attrapa son portable et envoya un SMS frénétique à Nancy : *Toi & moi on va lire des scénarios. Apo est peut-être scénariste.*

28 juillet 2009

LAS VEGAS

Elle sentit l'or lisse et frais du fermoir, puis passa le bout du doigt sur la bordure de diamants rugueuse qui entourait de part et d'autre le cadran rectangulaire.

« J'aime bien celle-ci, murmura-t-elle.

— Excellent choix, madame, déclara le bijoutier. Cette montre de chez Harry Winston rencontre un vif succès. C'est le modèle Avenue Lady. »

Ce nom la fit rire.

« Tu entends ça, dit-elle à son compagnon.

— Ouais.

— Tu ne trouves pas ça parfait ?

— Combien ? »

Le vendeur le regarda dans les yeux. Si le client avait été japonais, coréen ou arabe, l'affaire aurait été dans le sac, c'était certain. Mais avec ces Américains en pantalon kaki et casquette de base-ball, impossible de savoir.

« Eh bien, monsieur, aujourd'hui, je puis vous la vendre pour vingt-quatre mille dollars. »

Elle écarquilla les yeux. C'était la plus chère. Mais elle craquait complètement, et le lui fit comprendre en caressant d'un geste nerveux son avant-bras nu.

« Nous la prenons, répliqua-t-il sans la moindre hésitation.

— Très bien, monsieur. Comment souhaitez-vous payer ?

— Mettez-la sur mon compte. Nous occupons la suite Piazza. »

Le joaillier devait encore aller s'assurer de la vente en coulisses, mais il était rasséréné. Cette suite était en effet la plus luxueuse entre toutes : cent trente mètres carrés de marbre et de luxe parfait, avec un spa et un salon en contrebas.

Elle portait la montre au poignet quand ils quittèrent la boutique. Au-dessus de la place Saint-Marc, le ciel était d'un bleu d'azur, semé de quelques cumulus joufflus disposés avec grâce. Une gondole promenant un couple de Suisses maussades et empesés passa devant eux. Le gondolier entonna une chanson pour tenter d'éveiller une émotion quelconque chez ses passagers indifférents, et sa voix profonde résonna à travers le dôme. Tout est parfait, songea son compagnon. La température non méditerranéenne, pas la moindre trace de l'odeur pourrissante des vrais canaux et, surtout, pas de pigeons. Il avait en horreur ces volatiles répugnants depuis que ses parents l'avaient emmené sur la vraie place Saint-Marc, alors qu'il était encore petit, timide et sensible. Un touriste négligent avait en effet jeté à ses pieds une poignée de miettes, et les pigeons s'étaient abattus sur lui, comme dans un cauchemar, le noyant sous leurs ailes. Aujourd'hui encore, il avait un mouvement de recul en les voyant s'ébattre.

Elle portait la montre au poignet tandis qu'ils déambulaient dans le hall du Venetian Hotel. Elle la portait encore dans l'ascenseur, orientant sa main de-ci, de-là, pour attirer l'attention des trois femmes qui les accompagnaient.

Elle la portait toujours, sans rien d'autre, une fois arrivée dans leur suite, quand elle lui fit l'amour comme jamais ça ne lui était arrivé dans sa vie d'homme.

Dorénavant, il la laissait l'appeler Mark, et au lieu de Lydia, elle l'autorisait à utiliser son vrai prénom, Kerry. Kerry Hightower. Elle venait de Nitro, en Virginie-Occidentale, petite ville bâtie autour d'une fabrique de poudre un siècle plus tôt, au bord d'une rivière. C'était un endroit sans intérêt, dont le seul élément notable était que Clark Gable y avait un jour travaillé comme réparateur de téléphones. Issue d'une famille pauvre, elle avait vu et revu tous les films de la star, rêvant de devenir à son tour actrice à Hollywood.

Au collège, elle s'aperçut que ses talents de comédienne n'avaient rien de remarquable, néanmoins elle s'obstina à postuler chaque fois que c'était possible, à l'école comme dans les troupes de l'extérieur, parvenant à décrocher de petits rôles secondaires car elle était jolie et déterminée. C'est au lycée qu'elle découvrit son véritable talent. Elle aimait le sexe. Elle était très douée pour ça. De plus, elle n'avait pas la moindre inhibition. Ce fut une révélation. Elle revit ses ambitions : elle serait star dans le porno.

Une de ses copines majorette comme elle, de deux ans plus âgée qu'elle, emménagea à Las Vegas où elle devint croupière. Pour Kerry, Las Vegas représentait les neuf dixièmes du chemin qui la séparait de la Californie où prospérait l'industrie de la pornographie. Une semaine après avoir obtenu son diplôme de fin d'études, elle acheta un aller simple pour le Nevada et emménagea avec son amie. La vie là-bas n'était pas facile, mais sa gaieté naturelle l'aidait à surmonter les obstacles. Elle enchaîna les petits boulots, jusqu'à ce qu'elle atterrisse dans une agence d'*escort girls*.

Au moment de sa rencontre avec Mark au Constellation, elle en était à sa quatrième agence en trois ans, et réussissait enfin à mettre un peu d'argent de côté. Elle ne proposait ses services qu'aux meilleurs clients, car son physique de jeune femme ordinaire sans piercing ni tatouage était très recherché. La plupart des hommes avec qui elle sortait étaient des types sympas – elle pouvait compter sur les doigts d'une main le nombre de fois où elle s'était sentie menacée, ou maltraitée. Jamais elle ne s'était entichée d'aucun d'entre eux, après tout, ce n'étaient que des clients. Pourtant, avec Mark, c'était différent.

Dès le début, elle l'avait jugé maladroit mais gentil, et pas du tout macho. De plus, il était d'une intelligence redoutable, et il bossait à la zone 51, ce qui la rendait folle de curiosité. En effet, elle était certaine d'avoir vu, à l'âge de 10 ans, une soucoupe volante fuser dans le ciel d'été au-dessus de la rivière Kanawha, aussi brillante qu'un bocal de lucioles capturées au bord de l'eau.

Depuis quelques semaines, il avait renoncé à son pseudonyme, lui réservait toutes ses journées et la couvrait de magnifiques cadeaux. Elle se sentait de plus en plus dans la peau d'une petite amie, et de moins en moins dans celle d'une call-girl. Mark, quant à lui, gagnait en assurance, et même s'il n'avait aucune chance de se transformer en Clark Gable, elle commençait à éprouver une certaine tendresse à son égard.

Elle ignorait totalement qu'avec cinq millions de dollars bien placés sur un compte à l'étranger, il avait désormais beaucoup plus confiance en lui. Peter Benedict avait disparu. Sa présence n'était plus nécessaire.

La suite était remplie d'écrans plats, jusque dans la salle de bains. Mark sortit de la douche et se sécha. Il ne prêtait guère attention à la télévision jusqu'à ce qu'il capte le mot « Apocalypse » et, levant les yeux, découvre Will Piper, donnant sa conférence de presse hebdomadaire, debout sur un podium, entouré de micros. Chaque fois que Mark le voyait ainsi, son cœur s'accélérait. Il saisit sa brosse à dents et continua sa toilette sans détacher ses yeux de l'écran.

La dernière fois, Will semblait déprimé, maussade. L'envoi des cartes et les meurtres avaient cessé, aussi il devenait impossible de couvrir l'enquête de manière suivie. Cette affaire non résolue qui désormais traînait en longueur usait les nerfs des enquêteurs mais aussi du public. Toutefois, l'agent spécial semblait soudain ragaillardi. Comme s'il avait recouvré toute son énergie. Mark augmenta le volume.

« Je peux vous dire ceci, déclara Will. Nous tenons de nouvelles pistes, et je suis absolument certain que nous attraperons le meurtrier. »

Cette affirmation énerva l'informaticien qui s'exclama tout seul en éteignant le poste :

« Oh, merde ! Mais laisse donc tomber, mon vieux ! »

Kerry dormait, nue sous le drap fin. Mark enfila son peignoir, se rendit au salon et sortit son portable de sa mallette. Il se connecta et avisa aussitôt un courriel de Nelson Elder. Sa liste était plus longue qu'à l'accoutumée, les affaires marchaient bien. Mark mit plus d'un quart d'heure à lui répondre, *via* son portail sécurisé.

Il retourna dans la chambre. Kerry remuait. Son poignet oscillait en l'air, tandis qu'elle contemplait sa montre. Elle dit que ce serait génial d'avoir le collier assorti, puis elle releva le drap et lui fit signe de s'approcher d'un air mutin.

Au même moment, les deux agents du FBI se livraient à une activité en tout point opposée. Assis dans le bureau de Will, ils se débattaient au milieu d'une immense masse de mauvais scénarios, sans savoir exactement ce qu'ils cherchaient.

« Pourquoi t'es-tu montré aussi sûr de toi à la conférence de presse ? lui demanda-t-elle.

— Tu trouves que j'en ai fait trop ? fit-il en bâillant.

— Trop, c'est peu dire ! Enfin, qu'est-ce que nous avons, en réalité ?

— Vaut mieux chercher une aiguille dans une botte de foin que ne rien faire du tout.

— Voilà ce que tu aurais dû dire aux médias. Et la semaine prochaine, que leur annonceras-tu ?

— La semaine prochaine, c'est dans huit jours. »

La botte de foin avait pourtant failli leur échapper. Will avait appelé la GAAS. Ce fut un désastre. Les types de la Guilde américaine des auteurs de scénarios lui jetèrent à la figure le Patriot Act et promirent de se battre jusqu'à ce qu'il gèle en enfer afin d'empêcher le gouvernement de venir mettre son nez dans leurs archives.

« Mais je ne cherche pas un terroriste, protesta Will, on est juste après un tueur en série complètement dingue. »

Toutefois, la Guilde ne lâcherait rien : il dut s'en référer à ses supérieurs pour obtenir un mandat.

Les scénaristes, Will l'apprit à ses dépens, formaient une tribu tapageuse, paranoïaque vis-à-vis des producteurs, des studios, et surtout des autres auteurs qui risquaient de les plagier. La GAAS leur apportait réconfort et protection dans une certaine mesure en enregistrant leurs scripts et en les stockant sur des supports électroniques ou sur papier, au cas où il se révélerait nécessaire de prouver l'identité de l'auteur. Il n'était pas obligatoire d'être membre de la Guilde pour faire immatriculer son manuscrit : n'importe qui pouvait souscrire, il suffisait de payer et d'envoyer son texte. Il y avait une branche sur la côte Est, une autre sur la côte Ouest. Plus de cinquante mille scénarios étaient ainsi répertoriés chaque année par la branche ouest ; les affaires marchaient bien pour la Guilde.

Le département de la Justice avait eu du mal à trouver un motif valable justifiant cette requête. On déclara à Will que c'était « fantaisiste », toutefois, la machine fut mise en branle. Le FBI finit par l'emporter devant la cour d'appel du neuvième district car l'État accepta de restreindre sa demande, simplifiant les choses. On ne mettrait à leur disposition que les scripts déposés ces trois dernières années et venant de Las Vegas et du Nevada. Mais le nom et l'adresse de l'expéditeur seraient effacés. Si jamais une piste sérieuse émergeait au milieu de ce fatras de manuscrits, l'État devrait revenir à la charge avec de nouveaux arguments pour pouvoir obtenir l'identité de l'auteur.

Alors, les scénarios commencèrent à affluer, la plupart sur support informatique, mais aussi par caisses entières de manuscrits. Les employés du FBI se transformèrent en imprimeurs, et bientôt le bureau de Will se mit à ressembler à celui d'un agent hollywoodien, les manuscrits s'entassant jusqu'au plafond. Quand ils eurent tout reçu, le total se montait à mille six cent vingt et un scénarios *made in Nevada*, étalés sur le sol du vingt-troisième étage du bâtiment fédéral.

Ne sachant pas vraiment ce qu'ils cherchaient, Will et Nancy se devaient d'avancer avec prudence. Pourtant, ils trouvèrent assez vite leur rythme, à raison d'environ un quart d'heure par script : ils lisaient avec attention les premières pages pour déterminer le sujet, puis sautaient plus loin pour avoir une vue d'ensemble. En partant sur la base d'une semaine de quarante heures, il faudrait à une personne environ dix jours pour passer le tout en revue. Aussi, à deux, pouvaient-ils s'en tirer en une fastidieuse semaine. Leur stratégie consistait à chercher le plus évident : des histoires de tueur en série, des références à des cartes postales, toutefois, ils devaient rester vigilants pour ne rien omettre, comme des personnages ou des situations qui éveilleraient leurs soupçons.

Impossible de soutenir le rythme. Ils en avaient mal à la tête, se montraient irritables et se chamaillaient toute la journée. Puis ils se repliaient chez Will, le soir, pour faire l'amour. Souvent, ils avaient besoin d'aller marcher pour s'éclaircir l'esprit. Ce qui les rendait hystériques, c'est que la grande majorité des scripts étaient totalement nuls, ineptes, incompréhensibles, ou bien d'un ennui insondable. Au bout de trois ou quatre jours, Will fut tout excité en découvrant un scénario appelé *Les Compteurs*.

« Tu ne vas pas me croire, mais je connais le type qui a pondu ça !

— Comment ça ?

— C'était mon compagnon de chambre, en première année à l'université.

— Intéressant », dit-elle, pas le moins du monde intéressée.

Il passa dessus beaucoup plus de temps qu'à l'accoutumée, ce qui lui fit perdre une bonne heure. En le reposant, il songea : « Mon vieux, vaut mieux pas que tu lâches ton boulot actuel. »

À 15 heures, il nota dans sa base de données un commentaire sur une grosse merde à propos d'extraterrestres débarquant sur Terre pour battre les casinos à leur propre jeu, puis il passa au suivant.

Il poussa doucement le genou de Nancy. « Ça va ?

— Ça va.

— Envie de te jeter par la fenêtre ?

— Je suis déjà morte », répondit-elle les yeux rouges et secs.

Le suivant s'intitulait *L'Express de 7 h 44 pour Chicago*. Il en lut quelques pages puis grommela :

« Nom de Dieu. Je crois bien que je l'ai déjà lu il y a deux ou trois jours. Une histoire de terroristes embarqués dans un train. C'est quoi, ce bordel ?

— Vérifie la date d'immatriculation. Plusieurs fois j'ai eu le cas : l'auteur fait des modifications, puis il repaie vingt dollars pour se faire à nouveau enregistrer. »

Il entra le titre dans sa base de données.

« Toi au moins, tu es une futée. C'est bien une autre version. Je lui ai collé un zéro sur dix. Je refuse de le relire.

— Comme tu voudras. »

Il s'apprêtait à refermer le manuscrit quand il s'arrêta net. Un détail venait d'attirer son attention : le nom d'un personnage. Il se mit à tourner les pages avec frénésie, se redressant, sans cesser de feuilleter.

Nancy comprit qu'il se passait quelque chose.

« Tu as trouvé un truc ?

— Attends une seconde, juste une seconde. »

Elle l'observa, qui prenait des notes, cherchant à savoir, mais n'essuyant que des « Attends un peu ! S'il te plaît ! ».

« Will, ce n'est pas juste. »

Enfin, il posa le scénario.

« Il faut que je retrouve la première version. Est-ce que je suis vraiment passé à côté de ça ? Vite, aide-moi à remettre la main dessus, ça s'appelle pareil, *L'Express de 7 h 44 pour Chicago*. Vérifie la pile de lundi, je m'occupe de mardi. »

Elle s'accroupit près de la fenêtre et, au bout de quelques minutes, l'extirpa du tas.

« Je ne comprends pas pourquoi tu ne veux rien dire », se plaignit-elle.

Il saisit le manuscrit. Quelques secondes plus tard, il bouillait d'excitation.

« Putain, dit-il doucement. Il a changé les noms dans la seconde version. C'est l'histoire d'un groupe de voyageurs victimes d'un attentat terroriste dans un train allant de Los Angeles à Chicago. Regarde les noms ! »

Elle prit le script et commença à lire. Les noms des personnages défilaient sur la page : Drake, Napolitano, Swisher, Covic, Pepperdine, Santiago, Kohler, Lopez, Robertson.

Les victimes du tueur de l'Apocalypse. Toutes présentes.

Elle resta bouche bée.

« La seconde version a été enregistrée le 1er avril 2009, sept semaines avant le premier meurtre, fit Will en se tordant les mains. Putain ! Le 1er avril ! Ce type a tout planifié, et il a annoncé ses crimes à l'avance dans cette saloperie de scénario. Il faut tout de suite déposer une demande pour obtenir son nom. »

Il eut envie de la prendre dans ses bras, la soulever du sol, et la faire tourner... mais il se contenta de lui taper dans la main.

« On va t'avoir, connard. En plus, ton script est nul à chier. »

Plus tard, quand il repenserait aux quarante-huit heures suivantes, Will aurait l'impression d'avoir subi de plein fouet une tornade : la tension qui monte en voyant le cyclone approcher, l'enfer qui s'abat soudain, assourdissant, brouillant tout, les affres de la destruction, puis le calme étrange qui suit la tempête. Et le désespoir à l'idée de tout ce qu'on a perdu.

La cour du neuvième district accorda l'autorisation au procureur d'émettre un mandat obligeant la Guilde à révéler l'identité de l'auteur du scénario.

Will était devant son ordinateur quand arriva le courriel du substitut du procureur autorisant sa demande. Il fut de suite transféré à la Guilde avec en objet : *Réponse au gouvernement des États-Unis dans l'affaire contre la GAAS au sujet du script immatriculé sous le n° 4277304.*

Jamais il n'oublierait ce qu'il ressentit en recevant la réponse par retour de courriel : *En réponse circonstanciée légale à la requête suscitée, le nom de l'auteur dépositaire du scénario n° 4277304 immatriculé par la GAAS est Peter Benedict, boîte postale 385, Spring Valley, Nevada.*

En entrant dans son bureau, Nancy le découvrit pétrifié, telle une statue de marbre devant son écran.

Elle s'approcha et, soudain, il sentit son souffle dans sa nuque.

« Que se passe-t-il ?

— Je le connais.

— Comment ça, tu le connais ?

— C'était mon camarade de chambre, à l'université. »

L'image des scripts de Shackleton, bien en ordre sur le bureau blanc lui apparut soudain, avec en fond ses paroles : « Je ne pense pas que vous réussirez à le coincer », puis il se remémora son malaise visible face à cette visite impromptue, et enfin la cerise sur le gâteau :

« Et ces putain de stylos !

— Pardon ! »

Will secoua la tête de dégoût :

« Il avait des Pentel noirs pointe ultrafine sur son bureau. J'avais tous les détails sous les yeux.

— Mais enfin, comment cela pourrait-il être ton ancien camarade de chambre ? Ça n'a aucun sens, Will !

— Nom de Dieu, murmura-t-il, je crois bien que toute cette affaire a été montée pour moi. »

Will pianotait sur son clavier, fiévreux, sautant d'une base de données fédérale à l'autre. Tout au long de cette traque, il ne cessait de se répéter : « Qui es-tu, Mark ? Qui es-tu vraiment ? »

Les informations tombaient peu à peu : date de naissance, numéro de sécurité sociale, contravention pour stationnement interdit en Californie, seulement il existait des trous béants, des zones d'ombre. Sur son permis de conduire du Nevada, la photo était floutée ; il n'avait pas le moindre crédit ou prêt en cours ; aucune information n'était disponible concernant ses études universitaires ni sa carrière professionnelle. Pas de taxe foncière. Il n'était même pas répertorié dans la base de données du fisc !

« Il est complètement en dehors des cases ! déclara Will à Nancy. Espèce protégée. J'ai vu ça juste une ou deux fois dans ma vie. C'est rare comme une manif à Wall Street.

— Qu'est-ce qu'on fait ?

— On saute dans le premier avion. On va le serrer nous-mêmes. File tout de suite préparer la paperasse avec Sue. Il nous faut un mandat d'arrêt fédéral émanant du procureur général du Nevada. »

Jamais elle ne l'avait vu si agité. Elle lui caressa la nuque du bout des doigts.

« Je m'en occupe tout de suite. »

Deux heures plus tard, une voiture était prête à les emmener à l'aéroport. Will terminait de préparer ses dossiers. Il regarda sa montre et se demanda pourquoi Nancy était en retard. Sa notion approximative de l'heure n'avait pas déteint sur elle : elle était ponctuelle comme une horloge suisse.

Quand il entendit le cliquetis des talons hauts de Sue Sanchez qui approchait à grande vitesse dans le couloir, il sentit son estomac se crisper en un réflexe pavlovien.

Il leva les yeux et découvrit son visage tendu dans l'encadrement de la porte, ses yeux écarquillés. Elle avait quelque chose à lui dire, mais les mots n'arrivaient pas assez vite au gré de Will.

« Susan ? Qu'y a-t-il ? J'ai un avion à prendre.

— Plus maintenant.

— Pardon ?

— Benjamin vient de recevoir un appel de Washington. L'affaire vous est retirée. À vous et à Lipinski.

— Quoi !

— C'est terminé. Pour de bon. »

Elle était au bord de la crise de nerfs.

« Mais putain, Susan, c'est quoi ce bordel ?

— Je n'en ai pas la moindre idée. »

Il comprit qu'elle ne mentait pas. Elle était presque hystérique, luttant pour garder une attitude professionnelle.

« Et notre arrestation ?

— Je ne sais rien, et Ronald m'a dit de ne poser aucune question. Tout ça se passe dans les sphères les plus hautes, bien au-dessus de moi. C'est énorme.

— Tissu de conneries. On tient le tueur !

— Je ne sais pas quoi vous dire.

— Où est Nancy ?

— Je l'ai renvoyée chez elle. Ils ne veulent plus que vous fassiez équipe.

— Et pourquoi ça ?

— Je l'ignore, Will ! Ce sont les ordres !

— Et je suis censé faire quoi, moi, maintenant ? »

Elle était sincèrement désolée, obligée d'incarner la version officielle de quelque chose qui lui échappait.

« Rien. Ils veulent que vous abandonniez l'enquête, que vous arrêtiez tout. En ce qui vous concerne, c'est une affaire classée. »

12 octobre 799

Isle de Wiht, royaume de Wessex

Quand le bébé vint au monde, Marie refusa de lui donner un nom. Elle ne le considérait pas comme son enfant. Octavus avait planté sa semence en elle contre son gré, et elle n'avait rien pu faire d'autre qu'observer son corps qui changeait, son ventre qui enflait, avant de se soumettre aux souffrances de la naissance, comme elle avait subi la torture de la conception.

Elle l'allaita car sa poitrine était gorgée de lait et qu'on la pressait de le faire, mais elle refusait de le regarder téter ou de lui caresser la tête, comme les autres mères qui donnent le sein.

Après avoir été violée, elle fut transférée du dortoir des moniales à l'hospice. Là, elle était à l'abri des regards curieux et des commérages de ses semblables, et sa grossesse pouvait se dérouler dans un relatif anonymat, car les visiteurs de l'abbaye ignoraient son histoire. Elle était bien nourrie, autorisée à se promener et à travailler au potager, jusqu'à ce que son état exigeât le repos. Cependant, tous ceux qui la connaissaient s'attristaient du changement intervenu chez elle : elle avait en effet perdu sa bonne humeur et sa joie de vivre, pour devenir maussade. Même la prieure Magdalena regrettait en secret cette transformation, la perte de sa fraîcheur et de ses joues roses. Jamais elle ne pourrait entrer dans les ordres, à présent. C'était impossible. Elle ne pouvait pas non plus retourner dans son village, de l'autre côté de l'île, car jamais sa famille n'accepterait de reprendre une fille souillée. Elle se trouvait dans les limbes, comme les enfants non baptisés qui ne sont ni sauvés ni damnés.

À la naissance du bébé, lorsque l'abbé et Paulinus avisèrent ses cheveux roux, sa peau blanche et son comportement apathique, ils en déduisirent que Marie avait propagé l'essence d'Octavus, peut-être parce que le Seigneur en avait décidé ainsi, et qu'il fallait par conséquent la protéger et lui donner assistance à elle aussi.

Bien sûr, l'enfant avait été conçu de la manière traditionnelle, mais il était particulier et sa mère s'appelait Marie.

Une semaine après la naissance, Magdalena vint voir la jeune mère et la trouva inerte, dans son lit. Le bébé ne bougeait pas davantage dans son berceau posé sur le sol.

« Eh bien, lui as-tu donné un nom ?

— Non, ma sœur.

— As-tu l'intention de le faire ?

— Je ne sais pas.

— Tout enfant doit avoir un nom, fit la prieure d'un ton sévère. Dans ce cas, c'est moi qui m'en chargerai. Il s'appellera Primus, le premier enfant d'Octavus. »

Le petit garçon était désormais âgé de 4 ans. D'une blancheur de lait, emmuré dans son propre monde, il errait à travers l'hospice et ses environs, ne s'éloignant jamais, ne s'intéressant ni aux gens ni aux objets. Comme Octavus, il avait de petits yeux verts, était muet et n'exprimait aucune émotion. De temps en temps, Paulinus venait le chercher pour l'emmener au scriptorium voir son père. Le moine observait alors ces deux êtres, indifférents l'un à l'autre, à la manière d'un scientifique cherchant des signes dans les astres. Octavus poursuivait sa mission avec célérité et diligence, tandis que Primus déambulait à travers la pièce, sans se cogner nulle part, mais sans s'intéresser à rien, ni aux plumes, ni à l'encre, ni aux parchemins que produisait son père.

Paulinus rapportait à Josephus que le garçon ne manifestait aucune disposition, et les deux hommes s'en allaient prier en haussant les épaules.

Par un bel après-midi d'automne froid et sec, le soleil déclinant versait une lumière de capucine. Josephus avançait à pas prudents, en pleine méditation, priant Dieu en silence pour qu'Il leur accorde son amour et sa miséricorde.

Le repos de son âme était dorénavant un souci permanent. Depuis quelques semaines, en effet, il avait noté que ses urines étaient devenues brunâtres, d'abord, puis rouge cerise, tandis que son bel appétit s'était envolé. Sa peau était flasque, cireuse, et le blanc de ses yeux virait au rose. Quand il se relevait après avoir prié, il avait l'impression de flotter sur des vagues, et devait se tenir pour ne pas perdre l'équilibre. Nul besoin de consulter le barbier chirurgien ni Paulinus. Il savait qu'il allait mourir.

Oswyn n'avait pas vu s'achever les travaux de l'abbaye de son vivant, il en irait de même pour

Josephus, il le savait. Toutefois, l'église, le scriptorium et le chapitre étaient terminés, et les dortoirs étaient en bonne voie. Plus important encore, il s'inquiétait pour la bibliothèque d'Octavus. Il n'avait jamais tout à fait compris la finalité de l'existence de ce garçon, mais il avait cessé de chercher. Il possédait juste ces vérités simples :

Le phénomène existait.

Il était d'essence divine.

Un jour, le Christ en révélerait l'objet.

Il fallait le protéger.

Il fallait l'aider à se répandre.

Pourtant, jour après jour, il craignait pour cette mission sacrée. Qui garderait et défendrait la bibliothèque après son trépas ?

Au loin, il aperçut Primus, assis par terre au milieu du potager de l'hospice, lopin de terre stérile depuis que la récolte était faite. L'enfant était livré à lui-même, ce qui était habituel car sa mère ne s'occupait point de lui. Il ne l'avait pas vu depuis un moment et, mû par la curiosité, il s'approcha.

Il avait à présent l'âge d'Octavus à son arrivée au monastère, et la ressemblance était fort troublante. La même chevelure de feu, le même teint exsangue, le même corps dégingandé.

À trente pas, l'abbé s'arrêta, soudain pris de vertige. Sans sa canne, il se serait peut-être effondré. Le petit garçon tenait une brindille à la main. Sous les yeux de Josephus, il s'était mis à décrire des courbes sur le sol.

Il écrivait. L'abbé en était certain.

Josephus procéda en hâte à la prière de none. Quand la congrégation se dispersa, il fit signe à Paulinus,

Magdalena et José, et les attira dans un recoin. Le jeune Ibérique avait été en effet admis dans leur cercle étroit depuis qu'il avait porté secours à Marie, le jour où Octavus l'avait violée. Jamais l'abbé n'avait regretté de l'avoir mis dans la confidence, car il était calme, sage, et d'une discrétion sans faille. De plus, les trois autres étant d'un âge avancé, ils appréciaient la force et l'énergie de José.

« Le petit s'est mis à écrire », murmura l'abbé.

Il avait beau chuchoter, sa voix résonnait dans la nef caverneuse. Les autres se signèrent.

« José, amène-nous l'enfant dans la chambre d'Octavus. »

Ils posèrent Primus par terre, près de son père ; il ne lui prêta pas plus attention qu'aux autres personnes qui venaient de pénétrer dans son sanctuaire. Magdalena évitait Octavus depuis l'acte atroce qu'il avait perpétré, et ne pouvait réprimer un frisson d'horreur en le voyant. Elle avait tout de suite retiré de son service les jeunes filles, dépêchant à la place des garçons pour s'occuper de lui. À présent, elle se tenait aussi loin que possible de son pupitre, craignant qu'il ne saute sur elle à son tour pour la violer.

José posa une grande feuille de parchemin devant Primus, entourée de plusieurs chandelles.

« Donne-lui une plume », grommela Paulinus.

Le jeune moine se mit à balancer l'instrument devant l'enfant, comme il l'aurait fait devant un chaton pour l'inciter à jouer. Une goutte d'encre tomba sur la page.

Soudain, le garçon saisit la plume dans son petit poing et l'appliqua sur la surface. Sa main se mit à décrire des courbes, éraflant le parchemin avec grossièreté.

Les lettres étaient grandes, maladroites, mais tout à fait lisibles.

V-a-a-s-c-o

« Vaasco », lut Paulinus quand le dernier caractère fut achevé.

S-u-a-r-i-z

« Vaasco Suariz », c'est portugais, annonça José. Puis, des nombres apparurent :

8 6 800 Mors

« Le huitième jour de Junius, an de grâce 800, compléta Paulinus.

— José, demanda Josephus, veux-tu bien vérifier où en est Octavus ? À quelle date est-il arrivé ? »

Le jeune moine se pencha sur l'épaule de l'autre et lut la page.

« Sa dernière entrée est du septième jour de Junius en l'an de grâce 800 !

— Dieu du ciel ! Ils sont donc liés l'un à l'autre et ne sont qu'une même personne ! »

Les quatre religieux se dévisagèrent dans la lueur dansante des chandelles.

« Je sais à quoi vous songez, déclara Magdalena, et je ne puis y souscrire.

— Comment sauriez-vous, mère prieure, ce que j'ignore moi-même ? rétorqua Josephus.

— Examinez votre âme, répondit-elle d'un air sceptique. Je suis certaine que vous savez lire dans votre esprit. »

Paulinus leva les mains au ciel.

« Pour l'amour du ciel, cessez donc de parler par énigmes ! Comment voulez-vous qu'un vieil homme vous comprenne ? »

L'abbé se leva avec lenteur pour ne point être pris de vertige.

« Venez, mes amis, laissons l'enfant avec Octavus un moment. Il ne craint rien. J'aimerais que vous me rejoigniez là-haut pour parler et prier. »

Le scriptorium était moins humide et froid que la cave. Ils s'assirent devant les pupitres, Josephus face à Magdalena, Paulinus face à José.

L'abbé raconta la naissance d'Octavus, et chacun des événements remarquables qui avaient ponctué sa vie. Bien sûr, tous trois connaissaient déjà ces détails, mais jamais encore Josephus n'avait ainsi narré les choses, et ils savaient que tout ceci avait un but. Il en vint ensuite à l'histoire non moins étonnante de Primus, terminant sur ce qui venait juste de se produire.

« L'un de nous douterait-il que nous ayons le devoir sacré d'aider à la poursuite de cette œuvre divine ? Pour des raisons que nous ne connaîtrons peut-être jamais, le Seigneur nous a choisis, nous, ses serviteurs de l'abbaye de l'isle de Wiht, pour être les gardiens de ces textes miraculeux. Il a fait don de pouvoirs à ce garçon, Octavus, né dans des circonstances exceptionnelles ; non, Il l'a mandaté pour écrire la chronique de l'entrée et du départ des âmes en ce bas monde. La destinée de l'homme nous est ainsi dévoilée. Ces textes constituent la preuve de la puissance et de l'omniscience du Créateur, et nous sommes pleins d'humilité face à l'amour et au soin qu'Il prodigue à ses enfants, déclara-t-il tandis qu'une larme coulait sur sa joue. Octavus est une créature extraordinaire, mais toutefois mortelle. Je me suis demandé, tout comme vous, comment il pourrait venir à bout de l'énormité de sa tâche. Nous avons à présent la réponse. »

Il se tut, et nota leur acquiescement solennel.

« Je vais mourir.

— Non ! s'écria José, montrant le souci qu'un fils aurait de son père.

— Si, c'est la vérité. Je suis certain que cela n'est point une grande surprise pour vous. Il suffit de me regarder pour constater que je suis fort malade. »

Paulinus lui prit le poignet, et Magdalena se tordit les mains.

« D'ailleurs, mon ami, n'as-tu point déjà vu passer le nom de Josephus de Wiht dans l'un des registres d'Octavus ?

— C'est exact, répondit Paulinus du bout de ses lèvres sèches.

— Et tu connais la date ?

— Oui.

— Est-elle proche ?

— Oui.

— J'espère quand même que ce n'est point pour demain ! plaisanta-t-il.

— Non.

— Parfait. Il est donc de mon devoir de préparer l'avenir, non seulement pour l'abbaye, mais aussi pour Octavus et sa bibliothèque. Ainsi donc, ici, ce soir, je vous informe que je vais envoyer chercher l'évêque, et le prier de nommer Magdalena abbesse, après ma mort, et José comme prieur. Frère Paulinus, mon très cher ami, tu continueras de les servir comme tu l'as fait avec tant de fidélité pour moi. »

La sœur baissa la tête pour dissimuler le fin sourire qu'elle ne parvenait à réprimer. Les deux moines étaient muets de chagrin.

« J'ai une autre déclaration à faire. Ce soir, nous allons former un nouvel ordre, secret et sacré, destiné à protéger et perpétuer la bibliothèque. Nous sommes quatre membres fondateurs de ce qui sera désormais l'ordre des Noms. Prions. »

Ainsi s'adressèrent-ils ensemble à Dieu, puis, quand ils en eurent terminé, ils se levèrent. Josephus posa une main sur l'épaule osseuse de Magdalena.

« Après les vêpres, nous ferons ce qui doit être fait. Le pourrez-vous ? »

La vieille femme hésita, et adressa une prière silencieuse à la sainte mère du Christ. L'abbé attendait sa réponse.

« Oui, je le ferai », déclara-t-elle.

Après les vêpres, Josephus se retira dans sa cellule pour méditer. Il savait ce qui allait se passer et ne souhaitait point en être témoin. Sa résolution était ferme, mais au fond de lui, il demeurait un homme bon, doux, ne goûtant point ce genre de brutalité.

Tandis qu'il baissait la tête par humilité devant Dieu, il savait que, au même instant, Magdalena et José quittaient l'hospice avec Marie, empruntant le sentier noir qui menait au scriptorium. Il savait qu'elle pleurait doucement. Que ses sanglots atténués deviendraient plus forts quand ils la tireraient par les poignets dans l'escalier de la cave. Qu'ils se transformeraient en hurlements quand Paulinus ouvrirait la porte de la chambre d'Octavus et que José la forcerait à y entrer, avant de refermer à clef derrière elle.

30 janvier 1947

Reggie Saunders s'envoyait en l'air, comme il disait, avec Laurel Barnes, la plantureuse épouse du lieutenant-colonel Julian Barnes, dans leur lit à baldaquin. Et il y prenait beaucoup de plaisir. Les lieux en effet lui convenaient à merveille : une chambre de maître dans un manoir, avec un bon feu de cheminée pour chasser les frimas, et une partenaire de choix qui avait pris l'habitude de satisfaire ses désirs pendant la guerre, en l'absence de son mari.

Reggie était un costaud, bon vivant, avec une bedaine virile à force de boire de la bière. Son sourire de gamin et ses immenses épaules constituaient des atouts imparables qui mettaient toutes les femmes à ses pieds, y compris sa maîtresse du moment. Derrière son air crâne, son bagout affable, se dissimulait une boussole morale qui avait perdu le nord. La flèche pointait systématiquement dans la même direction : vers Reggie Saunders lui-même. Selon lui, le monde aurait dû lui savoir gré d'exister, et la patrie reconnaissante lui octroyer une gratification financière ou sexuelle pour avoir traversé la guerre en conservant intacts ses yeux, ses membres et ses parties intimes. Dans son univers, les lois de la Couronne et les mœurs sociales constituaient de vagues règles, sur lesquelles il se penchait un instant pour mieux les oublier ensuite.

Pour lui, la guerre avait débuté sous de mauvais auspices : il s'était retrouvé sergent dans la 8ᵉ armée, sous les ordres du général Montgomery, parti déloger Rommel de Tobrouk. Après une éternité dans le désert, il réussit à se faire transférer d'Afrique du Nord dans la France libérée de 1944, au sein d'un régiment dont la mission consistait à retrouver et cataloguer les œuvres d'art volées par les nazis.

Son supérieur était le gentleman le plus courtois qu'il ait jamais rencontré, un doyen de Cambridge pour qui commander des hommes signifiait leur demander poliment si cela ne les dérangerait pas de l'assister pour telle ou telle tâche. Fait incroyable, l'armée avait en effet su bien employer le commandant Geoffrey Atwood, professeur d'archéologie spécialiste des objets anciens, en lui trouvant un poste en relation avec ses capacités, plutôt que de l'envoyer au casse-pipe, armé d'une carte d'état-major, de jumelles et d'une mitraillette, où il aurait été tout à fait inefficace.

La tâche principale de Saunders consistait à diriger une équipe de gars chargés de déplacer de lourdes caisses en bois d'un sous-sol à l'autre. À ses yeux, les prises des Allemands ne constituaient pas un outrage moral : amasser un butin de guerre était selon lui parfaitement normal vu les circonstances. En fait, sous son commandement, une ou deux babioles avaient même changé de mains contre quelques billets. Pourquoi pas, au fond ? Après la guerre, il avait erré de petit boulot en petit boulot, travaillant ici et là dans le bâtiment, fuyant parfois des complications sentimentales. Il était en période de creux quand Atwood l'avait appelé pour savoir s'il aimerait partir à l'aventure sur l'île de Wight.

« Pour sûr, patron ! Je vous suivrais n'importe où », avait-il répondu sur-le-champ.

À présent, Reggie se laissait aller dans un océan de chair rose qui sentait bon le talc et la lavande. La maîtresse des lieux roucoulait doucement à ses oreilles, ce qui lui rappelait les jardins de Kew où on l'amenait, petit, pour lui enseigner la nature. Son esprit revint à l'instant présent. Il allait jouir et, comme disait son grand-père, un boulot qui mérite qu'on le fasse se doit d'être bien fait, quand soudain il entendit un bruit mécanique, une sorte de grondement guttural.

Des années passées à patrouiller dans les déserts de Libye et du Maroc lui avaient affiné l'ouïe – c'était alors une question de survie –, et il possédait toujours cette faculté.

« Ne t'arrête pas, Reggie ! geignit Mme Barnes.

— Juste une seconde, ma biche. T'entends ça ?

— Je n'entends rien du tout.

— Ce moteur. »

Ce n'était pas la voiture d'un domestique, pas avec ce bruit-là. C'était un vrombissement de première classe.

« Tu es sûre que c'est pas ton mari ?

— Mais je te l'ai dit, il est à Londres. »

Elle saisit ses fesses à pleines mains, et le poussa vers elle pour qu'il se remette à l'ouvrage.

« Y a quelqu'un, mon trésor, et c'est pas le facteur. »

Il sortit du lit, nu, et écarta les rideaux. Deux phares transperçaient les ténèbres.

En crissant sur les graviers, arriva devant la demeure une Invicta couleur cerise, d'une beauté si particulière qu'il la reconnut aussitôt.

« Qui c'est qui conduit une Invicta rouge ? », demanda-t-il.

S'il lui avait annoncé que le diable en personne était à la porte, sa réaction n'aurait pas été différente. D'un bond, elle sortit du lit et se mit à ramasser sa lingerie en poussant de petits cris affolés.

« Eh oui, c'est celle du lieutenant-colonel, fit-il d'un ton fataliste en haussant les épaules. Bon, chérie, je mets les bouts. »

Il enfila son pantalon, attrapa au vol ses autres vêtements et s'engouffra *fissa* dans l'escalier de service qui menait à la cuisine. Il sortit au moment où le maître des lieux pénétrait dans le hall en claironnant d'un ton joyeux :

« Hou ! Hou ! Devinez qui rentre un jour plus tôt ! »

Reggie termina de s'habiller dans le jardin et s'éloigna en frissonnant. La semaine précédente s'était révélée fort douce pour la saison, mais à présent, une masse d'air froid venant du nord assommait les thermomètres. Il avait retrouvé sa maîtresse devant le pub, et elle l'avait ramené dans sa voiture. À présent, il se retrouvait perdu en pleine campagne, à environ dix kilomètres du campement et, en l'absence de moyen de locomotion, il lui faudrait parcourir le chemin à pied.

Il fit le tour du manoir. L'Invicta 1930 était encore toute chaude. L'habitacle était profond comme une baignoire, avec de magnifiques sièges en cuir rouge. Les clés étaient sur le tableau de bord. Le raisonnement était simple : j'ai froid, l'automobile est chaude, je vais l'emprunter pour me rapprocher un peu. Il sauta dedans et mit le contact. Le moteur Lagonda de cent quarante chevaux s'anima d'un vrombissement bien trop fort. Soudain, il se sentit perdu : où était le levier de vitesses ? À tâtons, il chercha autour de lui. La porte de la demeure s'ouvrit alors en grand.

Et puis il se souvint : mais oui, c'était une transmission automatique ! La première en Grande-Bretagne ! Il appuya sur l'accélérateur, et tout se passa à merveille. La voiture démarra dans une volée de graviers. Dans le rétroviseur, il aperçut un homme d'âge mûr, brandissant son poing de colère. Le moteur noya ses paroles.

« Cause toujours, vieux, répondit Reggie. En tout cas, merci pour ta bagnole et merci pour ta femme. »

Il abandonna l'Invicta devant le pub à Fishbourne, terminant à pied en sifflotant dans la nuit, frottant ses mains pour les réchauffer. Un bon feu de bois alimenté en pétrole illuminait le camp, ce qui l'aida à se repérer. Un large nuage diffusait la lumière de la lune, transformant le ciel nocturne en couverture de flanelle grise. La fumée montant du feu s'élevait avec vigueur, épaisse et noire, telle une harpie dépravée. Reginald suivit des yeux son ascension jusqu'à ce qu'elle se perde sur le clocher de la cathédrale.

La porte d'une des roulottes miteuses s'ouvrit alors qu'il s'approchait du brasier pour s'y réchauffer. Un jeune type dégingandé s'écria :

« Nom d'un chien ! Regardez qui est de retour ! Reg s'est fait jeter dehors.

— Je suis parti de mon propre chef, répliqua-t-il d'un ton sec. Y a quelque chose à becqueter ?

— Une boîte de fayots, je crois.

— Passe-la-moi, j'ai la dalle après une partie de jambes en l'air. »

Le jeune homme pouffa, mais l'expression devait relever d'une catégorie magique car bientôt la porte des quatre autres roulottes s'ouvrit, et leurs habitants en sortirent pour avoir plus de détails. Même Geoffrey Atwood, le directeur des fouilles, apparut, vêtu de son épais col roulé de laine, fumant sa pipe avec gravité.

« Quelqu'un a parlé de s'envoyer en l'air ?

— Vous imaginez quand même pas que je vais tout vous raconter !

— Mais si ! », reprit l'étudiant boutonneux, d'un air salace. Dennis Spencer était élève en première année à Cambridge, et assez jeune pour ne pas avoir fait le service national.

Les quatre autres, trois hommes et une femme, appartenaient au département d'Atwood. Martin Bancroft et Timothy Brown, comme Spencer, étaient eux aussi étudiants, mais un peu plus avancés. Ils avaient repris leurs études après-guerre. Cantonné à Londres, dans les services de renseignements, Martin n'avait pas quitté l'Angleterre. Timothy, lui, s'occupait des radars sur une frégate opérant surtout en mer Baltique. Tous deux étaient heureux d'être revenus à Cambridge, et fous de joie de partir travailler sur le terrain.

Ernest Murray, lui, avait passé 30 ans. Il achevait son doctorat, qu'il avait dû abandonner en hâte après l'invasion allemande de la Pologne. Il avait assisté à des batailles en Indochine, et en était revenu diminué. Désormais, l'archéologie anglo-saxonne ne présentait plus pour lui le même attrait, et il ne parvenait pas à savoir ce qu'il voulait faire du reste de sa vie.

La seule femme du groupe, Béatrice Slade, maître de conférences en histoire médiévale, confidente d'Atwood sur le plan professionnel, avait plus ou moins dirigé son département en son absence pendant la guerre. C'était une coriace, au verbe haut, notoirement lesbienne. Elle et Reggie avaient des personnalités en tout point opposées et incompatibles. Dès qu'elle avait le dos tourné, il se moquait avec grossièreté de ses préférences sexuelles, et elle ne ratait jamais une occasion de lui rendre la monnaie de sa pièce.

« Eh bien, nous sommes tout ouïe, fit Atwood en clignant des yeux face au feu. Que diriez-vous d'un bon café tandis que Reggie nous raconte ses frasques ?

— Je m'en occupe, professeur, fit Timothy.

— Alors, qu'est-ce qui s'est passé, Reg ? s'enquit Martin. Je croyais que tu étais casé pour la nuit, je ne m'attendais pas à te voir revenir si vite.

— Eh ben, mon vieux, j'ai eu un petit souci. Rien de grave. »

Il se roula une cigarette.

« En fait, tu avais la situation bien en main ? fit Béatrice d'un air moqueur. Tu étais coincé parce qu'elle avait envie de remettre ça ? »

À ces mots, elle se mit à bouger les hanches telle une stripteaseuse, et tous éclatèrent de rire, y compris Atwood, aux dépens de Reggie.

« Très drôle, ah, ça, oui, vraiment très drôle. Son mari est rentré plus tôt que prévu, aussi ai-je dû m'éclipser afin d'éviter toute rencontre inopinée.

— Dites-moi, monsieur Saunders, fit Dennis en feignant le respect dû aux aînés, vos arrières étaient-ils couverts au moment de la retraite, ou bien vous êtes-vous replié cul nu ? »

Nouvel éclat de rire général. Atwood tira quelques bouffées de sa pipe et fit, pensif :

« À y regarder de près, cela constitue une image plutôt désagréable. »

En ce matin d'hiver, quelques flocons tombaient, s'éparpillant sur la terre comme du sel. Ernest faisait un excellent cuisinier, capable de préparer un petit déjeuner chaud pour sept personnes grâce aux deux réchauds. Assis autour du feu sur des caisses à lait, enveloppés de plusieurs lainages, ils se réchauffaient en buvant une bonne tasse de thé sucré et fumant. Tout en grignotant sa mouillette de pain grillé trempée dans l'œuf, Atwood contemplait les champs givrés donnant sur la mer glaciale :

« Mais qui donc a eu l'idée saugrenue de faire des fouilles en janvier ? »

Ils auraient en effet davantage apprécié un matin d'été tiède, ou la fraîcheur de l'automne, cependant, ils trouvaient déjà fantastique d'être là, réunis. Qu'importent la saison et les conditions de travail. Hier seulement, ils étaient en plein cœur de la guerre, rêvant de toute leur âme de travaux archéologiques sur une île tranquille. Aussi, à l'instant où Atwood avait reçu cette bourse de trois cents livres du British Museum pour reprendre le chantier sur l'île de Wight, il avait mis sur pied en hâte une équipe, sans se soucier qu'on fût en hiver.

Reggie faisait office de responsable technique. Il regarda sa montre, se leva, et de sa meilleure voix de sergent-major, s'écria :

« C'est bon, mes mignons, faut qu'on se bouge ! On a beaucoup de terre à remuer aujourd'hui. »

Timothy désigna d'un geste ostentatoire Béatrice en le reprenant :

« *Mes mignons ?*

— T'as raison, fit Reggie plus finaud. Mes excuses. Elle est trop moche pour que je la traite de mignon.

— Ta gueule, vieux queutard », lâcha-t-elle.

Atwood creusait sur les terres de l'abbaye, dans un recoin éloigné des bâtiments principaux. L'abbé, dom William Scott Lawlor, doux ecclésiastique féru d'histoire, avait eu la gentillesse de les laisser installer leur campement sur place. En retour, Atwood l'invitait à passer le voir pour s'informer des progrès, et le samedi précédent, Lawlor était même venu en jean et anorak passer une heure à gratter la terre avec une truelle.

Au moment où les archéologues traversaient le pré, la cloche de la cathédrale sonnait la messe de 9 heures et l'office de tierce. Les mouettes fusaient et criaillaient dans le ciel, tandis que dans le lointain, roulaient les vagues bleu acier du Solent. À l'est, le clocher de la cathédrale se détachait, magnifique, sur l'azur éclatant. À travers les champs, de minuscules silhouettes en robes sombres se rendaient des dortoirs à l'église. Atwood les regarda passer, plissant les yeux dans le soleil, s'émerveillant de la permanence de certaines choses. S'il s'était tenu là, mille ans plus tôt, la scène eût-elle été très différente ?

L'emplacement des fouilles était bien délimité par des piquets et de la ficelle. La zone s'étendait sur un terrain d'environ trente mètres par quarante d'un riche sol brun et meuble, recouvert d'herbe. De loin, le site formait une sorte de dépression, profonde d'un mètre par rapport à la hauteur normale des lieux. C'est cet enfoncement qui avait attiré l'attention d'Atwood avant la guerre, quand il était venu reconnaître les terres de l'abbaye. Il y avait certainement eu une activité quelconque en ce lieu. Mais pourquoi était-il si éloigné du reste de l'abbaye ?

Lors des deux premières campagnes de fouilles, en 1938 et 1939, il avait creusé des tranchées et mis à jour des fondations de pierre et des tessons de poteries du XIIIᵉ, voire du XIIᵉ siècle. Pendant la guerre, en pensée, il était souvent retourné sur l'île de Wight. Pourquoi diantre avait-on bâti au XIIIᵉ siècle une structure en pierre, isolée des bâtiments principaux ? Servait-elle à des fins séculières ou religieuses ? Nulle part dans les archives de la bibliothèque n'était mentionnée cette construction. Il s'était résigné à l'idée qu'il faudrait d'abord se débarrasser de Hitler avant de résoudre ce mystère.

Sur le flanc sud du site, face à la mer, Atwood travaillait au fond de la tranchée principale, longue de trente mètres sur quatre, et désormais profonde de trois. Reggie, qui s'entendait à diriger les machines, avait attaqué à la pelleteuse et, à présent, toute l'équipe était à l'œuvre, armée de bêches et de seaux. Ils suivaient ce qui subsistait du mur sud de la structure, jusqu'aux fondations, pour voir s'ils parvenaient à trouver le niveau d'occupation.

Ce matin-là, avec Ernest Murray, Atwood dégageait à la truelle le mur de l'angle sud-ouest de la tranchée, pour pouvoir ensuite le photographier.

« Regarde ça, dit le professeur en désignant une bande noire irrégulière qui traversait la section. Tu vois comme cela suit le haut du mur ? Il a dû y avoir un incendie.

— Accidentel ou délibéré ? »

Atwood tira sur sa pipe.

« C'est toujours difficile à dire. Peut-être que cela faisait partie d'un rituel. »

Ernest fronça les sourcils.

« Dans quel but ? Ce n'est pas un site païen, c'est contemporain du reste de l'abbaye, et dans l'enceinte de ses terres !

— Excellent argument, Ernest. Es-tu sûr de ne pas vouloir faire carrière dans l'archéologie ?

— Je ne sais pas, répondit-il en haussant les épaules.

— Eh bien, pendant que tu réfléchis à ton avenir, prenons quelques photos avant de commencer à retirer une nouvelle couche. Nous ne devrions plus être très loin du plancher. »

Atwood demanda aux trois autres étudiants qui étaient à l'extrémité sud-ouest de la tranchée de se remettre à creuser. Béatrice était installée sur une petite table pliante non loin de là, où elle cataloguait les échantillons de poterie. Atwood emmena Ernest et Reggie à l'angle nord-ouest du site pour entamer une nouvelle tranchée afin de mettre à jour l'autre extrémité du mur. Plus la matinée avançait, plus le temps se radoucissait, et les archéologues ôtèrent l'une après l'autre leurs couches de vêtements pour finir en chemise.

À l'heure du déjeuner, Atwood vint voir où en étaient les fouilles à l'endroit le plus profond.

« Qu'est-ce que c'est ? Y a-t-il un autre mur ici ?

— On dirait bien, répondit Dennis avec enthousiasme. On allait justement vous chercher. » Ils avaient exhumé le sommet d'un mur de pierre plus modeste, situé à environ deux mètres du premier et parallèle.

« Vous voyez, professeur, il y a un trou, ici, hasarda Timothy. Est-ce qu'il aurait pu y avoir une porte ?

— Peut-être. En effet, c'est possible, confirma Atwood en glissant à son tour dans la tranchée. Je me demande… pourriez-vous creuser un peu plus par là ? Si le premier mur s'étend jusqu'au second et s'ils sont perpendiculaires, je dirais qu'il s'agit d'une petite pièce. Ne serait-ce pas épatant ? »

La truelle à la main, les trois jeunes gens se mirent à genoux. Dennis creusait près du mur extérieur, Martin, de celui de l'intérieur, et Timothy, au centre. Au bout de quelques minutes, chacun se heurta à la pierre.

« Vous aviez raison, professeur ! s'exclama Martin.

— Disons que j'ai une certaine expérience. On finit par sentir ce genre de chose. »

Satisfait de lui-même, il alluma sa pipe en guise de récompense.

« Après le déjeuner, reprit-il, il faudra creuser jusqu'au niveau du sol pour voir si nous pouvons découvrir à quoi servait cette petite pièce. »

Les trois étudiants mangèrent en hâte, pressés de se remettre à l'ouvrage. Ils avalèrent avec gloutonnerie leurs sandwichs au fromage et leur citronnade, puis se ruèrent à nouveau dans la tranchée.

« Vous m'impressionnez pas, bande de lèche-culs ! lança Reggie en s'allongeant sur un tas de terre pour fumer une cigarette.

— La ferme, Reg, fit Béatrice. Fous-leur la paix. Et rends-toi utile, roule-nous quelques clopes. »

Une heure plus tard, les trois étudiants appelèrent les autres. Ils se tenaient autour des murs dégagés de la petite pièce, très fiers.

« Eh, venez voir, on arrive au fond ! », s'exclama Dennis.

En effet, une surface de dalles sombres et lisses apparaissait désormais. Toutefois, l'œil d'Atwood fut attiré par autre chose.

« C'est quoi, ça ? », dit-il en descendant pour mieux voir.

Dans l'angle sud-ouest de la petite pièce, une pierre plus importante semblait ne pas être à sa place. Le sol était de diabase, tandis que ce bloc très épais, d'environ un mètre cinquante sur deux, paraissait de calcaire. Il dépassait d'une trentaine de centimètres et ses bords étaient irréguliers.

« Une idée ? demanda Atwood à la cantonade tout en grattant les côtés du bout de sa truelle.

— On dirait que ça a été rajouté, déclara Béatrice.

— Quelqu'un s'est donné beaucoup de mal pour apporter ça ici, fit Ernest en prenant des photos.

— Il faudrait le déplacer, reprit Atwood. Reg, qui est le plus costaud d'entre nous, selon toi ?

— Ça doit être Béatrice, répliqua-t-il.

— Va te faire voir, Reg, rétorqua-t-elle. Montre-nous plutôt tes fameux muscles. » Muni d'un levier, il tenta de trouver une prise. Il utilisa un caillou comme point d'appui, en vain. En sueur, il déclara :

« Bon, ben, je m'en vais chercher cette foutue pelleteuse. »

Il lui fallut une heure pour installer une rampe afin que l'engin puisse descendre assez profondément pour atteindre le bloc.

Une fois en position, assez près pour saisir la pierre avec le godet et assez loin du bord de la tranchée pour éviter un effondrement, il les informa qu'il était prêt. Par-delà le vrombissement de l'engin, on entendit la cloche qui sonnait l'office de none.

Reggie approcha les dents du godet d'une anfractuosité du calcaire et les y inséra. Puis il fit remonter le bras, et le bloc de pierre suivit.

« Stop ! s'écria Atwood. Amenez un levier. »

Reggie s'arrêta net.

Martin bondit dans la tranchée et glissa la barre d'acier dans l'ouverture qui apparaissait entre le bloc et le sol de diabase. Il appuya dessus de toutes ses forces, mais rien ne bougea.

« C'est trop lourd », conclut-il.

Tandis que Martin poursuivait ses efforts, Reggie remit en marche le bras de la pelleteuse, et le bloc se souleva d'une trentaine de centimètres, puis davantage encore. Martin le guida au moyen du levier et, quand le calcaire fut stable, il se mit à agiter les bras comme un dément.

« Arrête ! Arrête ! Venez tous voir ! »

Reggie immobilisa l'engin et tous descendirent dans la tranchée.

« Nom de Dieu ! s'écria Dennis le premier.

— Regarde-moi ça ! », fit Timothy en secouant la tête.

Tandis que les autres, bouche bée, scrutaient leur découverte, Reggie ralluma un mégot qu'il avait mis de côté dans la poche de sa chemise et inspira une bonne bouffée.

« Que je sois pendu par la peau des couilles ! Mais, c'est pas censé exister, ça, pas vrai, professeur ? »

Abasourdi, Atwood grattait son crâne dégarni.

« Nous allons avoir besoin de lumière », répondit-il simplement.

Tous fixaient des yeux un trou béant, les rayons obliques du soleil bas leur dévoilant ce qui semblait être des marches qui s'enfonçaient dans les profondeurs de la terre.

Dennis courut au campement chercher toutes les lampes de poche qu'il pouvait trouver. Il revint, rouge, haletant, et les distribua à ses camarades.

Protecteur vis-à-vis de son ancien patron, Reggie insista pour passer le premier. Il avait inspecté plusieurs bunkers souterrains de Rommel pendant la guerre, et savait appréhender ce genre de situation. Les autres le suivirent en file indienne, Béatrice fermant timidement la marche, abandonnant soudain ses airs bravaches coutumiers.

Lorsqu'ils parvinrent enfin au pied de l'étroit escalier de pierre en colimaçon, qui d'après Atwood devait atteindre l'incroyable profondeur de douze à quinze mètres, ils se retrouvèrent tassés dans une pièce étroite de la largeur de deux taxis londoniens côte à côte. L'atmosphère était lourde et Martin, sujet à la claustrophobie, se sentait de plus en plus mal à l'aise.

« On est drôlement serrés, là-dedans », gémit-il.

Ils agitaient leurs torches en tous sens, et les rayons se croisaient tels les projecteurs pendant le Blitz.

Reggie fut le premier à distinguer la porte.

« Eh ! Qu'est-ce que ça fout ici ? »

Il étudia le panneau de bois vermoulu. Une énorme clef de fer sortait d'une serrure béante.

Atwood braqua sa lampe dessus :

« Quand le vin est tiré, il faut le boire. On y va ? »

Le jeune Dennis s'approcha :

« Un peu, qu'on y va !

— Très bien, dans ce cas, à toi l'honneur, Reggie. »

De l'arrière, Béatrice ne voyait rien de ce qui se passait.

« Qu'y a-t-il ? Mais qu'est-ce que vous faites ? déclara-t-elle la gorge serrée par la crainte.

— On va ouvrir une grosse porte de bois, expliqua Timothy.

— Eh bien, alors, faites vite, les pressa Martin, sinon, je remonte. Moi, j'étouffe, ici. »

Reggie tourna la clef, et on entendit le pêne bouger. Il appuya une main contre la porte, mais elle refusa de s'ouvrir. Elle céda en grinçant lorsque enfin il s'arc-bouta, poussant de tout son poids.

Ils s'engouffrèrent dans la pièce et se mirent à balayer l'espace de leurs rayons lumineux.

C'était une vaste salle, bien plus grande que la pièce précédente.

Dans leur esprit, les parcelles tour à tour éclairées s'assemblèrent peu à peu pour constituer un tout, car il fallait le voir pour le croire : ils étaient médusés.

Devant eux s'étendait un vaste espace de la taille d'une salle de conférences ou d'un petit théâtre. L'atmosphère était fraîche, sèche, et sentait le renfermé. Le sol et les murs étaient constitués de gros blocs de pierre. Atwood observait l'architecture générale du lieu quand ses yeux se posèrent sur une longue table de bois agrémentée d'un banc. Il la balaya de sa lampe : elle devait bien mesurer sept mètres de long. Il s'approcha tout près pour mieux l'examiner. Dessus était posé un petit pot de terre cuite de la taille d'une tasse, avec au fond un résidu noir. Un peu plus loin, il y en avait un deuxième, puis un troisième, un quatrième.

Se pourrait-il… ?

Atwood leva lentement sa torche. Au-delà se trouvait une autre table. Et encore une autre. Puis une autre. Et ainsi de suite.

Il fut pris de vertige.

« Je crois savoir de quoi il s'agit.

— Professeur, je vous écoute, fit Reggie d'une voix sourde. Qu'est-ce que ça peut bien être ?

— Un scriptorium. Un scriptorium souterrain. C'est tout simplement fabuleux.

— Si seulement je savais de quoi vous causez ! répliqua-t-il d'un ton irrité. Vous pouvez pas m'expliquer ? »

Béatrice reprit d'une voix où transparaissait l'effroi :

« C'est la salle où les moines recopiaient les manuscrits. Si je ne m'abuse, c'est la première fois qu'on en trouve un sous terre ?

— Tu as tout à fait raison », conclut l'archéologue. Dennis allait saisir un des petits pots quand Atwood l'arrêta : « Personne ne touche à rien. Nous devons d'abord photographier les lieux *in situ*, dans l'état exact où nous les avons découverts.

— Pardon. Vous croyez qu'il pourrait y avoir des manuscrits aussi ?

— Ce serait merveilleux, soupira-t-il. Mais n'y comptons pas trop. »

Ils décidèrent de former deux groupes afin de poursuivre leur exploration. Ernest prit les trois étudiants sous son aile et partit à droite, tandis qu'Atwood, Reggie et Béatrice s'en allaient vers la gauche.

« Faites très attention », les prévint l'archéologue.

Au passage il compta les rangées de tables. Il arrivait à la quinzième quand, levant les yeux, il s'aperçut que Reggie éclairait une autre porte de grande taille, au fond de la salle.

« On va voir, prof ?

— Pourquoi pas ? De toute façon, rien ne peut surpasser ce scriptorium.

— C'est sûrement les toilettes ! », plaisanta Béatrice, très nerveuse.

Reggie souleva le lourd loquet ; les deux scientifiques piqués par la curiosité se pressaient déjà derrière lui.

Ils braquèrent en même temps leurs torches à l'intérieur.

Atwood faillit avoir une attaque.

Pris de vertige, il lui fallut s'asseoir sur les dalles. Ses yeux s'emplirent de larmes.

Reggie et Béatrice tombèrent dans les bras l'un de l'autre pour se soutenir mutuellement, se rapprochant pour la première fois.

À l'autre bout de la salle, ils entendirent les autres qui les pressaient de venir :

« Professeur, venez ! On a trouvé des catacombes !

— Ouais, il y a des centaines de squelettes, des milliers peut-être !

— On dirait que ça n'a pas de fin ! »

Atwood était dans un état second. Reggie vint vers lui pour s'assurer que tout allait bien. Il se pencha, l'aida à se relever et, de sa plus belle voix de sergent, s'époumona :

« Au diable vos squelettes, bande d'andouilles ! Ramenez plutôt votre fraise par ici, parce que vous allez pas en croire vos yeux ! »

D'abord, Atwood crut qu'il était mort : il avait dû inhaler des vapeurs toxiques. Il n'était pas croyant, pourtant, cette expérience revêtait un caractère mystique.

Mais non, c'était bien réel. Si la première salle avait la taille d'un petit théâtre, la seconde atteignait celle d'un hangar à avion. Sur sa gauche, à trois mètres de la porte, se dressait une énorme bibliothèque de bois, remplie de gros livres reliés cuir. Sur sa droite, la même chose, et, au milieu, un couloir à peine assez large pour laisser passer un homme. Recouvrant ses esprits, l'archéologue éclaira les rayonnages afin de s'assurer de leurs dimensions. La bibliothèque mesurait quinze mètres de long, neuf de haut, et elle comptait vingt étagères. Il fit un calcul rapide du nombre de livres par rayonnage : environ cent cinquante.

Toutes ses terminaisons nerveuses étaient en alerte lorsqu'il se mit à déambuler dans l'allée centrale. De chaque côté se dressaient d'énormes bibliothèques, identiques aux deux premières, qui semblaient se multiplier à mesure qu'il s'enfonçait dans les ténèbres.

« Ben, nom d'un chien, ça fait une palanquée de bouquins », fit Reggie.

Atwood caressait l'espoir que les premières paroles prononcées en la circonstance, c'est-à-dire à l'instant clef d'une des plus grandes découvertes de l'histoire de l'archéologie, s'accordassent avec la gravité de l'instant. À l'entrée de la chambre funéraire de Toutankhamon, Carter avait-il entendu : « Ben, y en a, un tas de vieilleries, ici » ? Toutefois, il acquiesça :

« En effet. »

Il viola la règle du « il ne faut toucher à rien » et posa le doigt très doucement sur la tranche d'un volume à hauteur des yeux, à l'extrémité de la troisième bibliothèque. Le cuir était ferme, dans un parfait état de conservation. Il sortit avec beaucoup de précautions le manuscrit de son étagère.

Celui-ci pesait à peu près cinq livres et mesurait environ quarante-cinq centimètres de hauteur pour trente de largeur et douze d'épaisseur. Le cuir était frais, luisant, dénué de toute marque, à part, sur la tranche, où un nombre apparaissait, clairement imprimé dans la matière : 833. Le parchemin semblait taillé de manière grossière, légèrement inégale. Il devait compter dans les deux mille pages.

Reggie et Béatrice étaient à présent à ses côtés. Tous les deux dirigeaient leurs torches sur le livre, que l'archéologue tenait au creux de son bras. Il l'ouvrit avec beaucoup de prudence au hasard.

Une liste apparut. Des noms, sur trois colonnes par page, à raison d'environ soixante lignes. Devant chacun, une date, affichant partout *23 1 833*. Après les noms suivaient les mots *mors* ou *natus*.

« C'est une espèce de registre, murmura Atwood. Tu as une idée, Bea ?

— On dirait un registre des naissances et des décès, comme dans n'importe quelle paroisse médiévale.

— Il semble y en avoir beaucoup, quand même, non ? », reprit l'archéologue en dirigeant sa lampe le long de l'allée centrale.

Les autres les avaient rejoints et s'étaient arrêtés à l'entrée de la salle. Atwood leur demanda de rester là où ils étaient pour le moment. Il ne remarqua pas Reggie, qui avait poursuivi l'exploration des lieux, s'enfonçant plus loin entre les bibliothèques.

« Selon toi, de quand date cette construction ? demanda l'archéologue à sa collègue.

— Eh bien, à en juger d'après la maçonnerie, la porte, et le système de serrure, je dirais XIe, peut-être XIIe siècle. Si j'osais, je dirais que nous sommes les premiers à respirer l'air de cette salle depuis huit siècles. »

Trente mètres plus loin, Reggie s'écria :

« Alors, j'aimerais bien que madame Je-sais-tout m'explique comment ça se fait que j'ai ici un livre qui porte la date du 6 mai 1467 ! »

Il leur fallait un générateur. Malgré leur excitation, Atwood décida qu'il était trop dangereux de continuer à reconnaître les lieux dans le noir. Ils retournèrent donc sur leurs pas, émergeant dans les derniers feux du couchant, et se hâtèrent de recouvrir l'entrée de l'escalier avec des planches, puis une bâche, qu'ils saupoudrèrent d'une couche de terre afin qu'un visiteur éventuel ne puisse rien détecter.

« Aucun d'entre vous ne doit souffler mot de notre découverte à qui que ce soit ! leur ordonna l'archéologue. Personne ne doit savoir, vous m'entendez ! »

Ils retournèrent au camp et Reggie partit avec deux étudiants à la recherche d'un générateur à travers l'île. Atwood se barricada dans sa roulotte pour tout écrire dans son carnet de notes sans perdre une minute. Les autres restèrent à parler entre eux à voix basse autour du ragoût d'agneau qui mijotait sur le feu.

Au bout d'un moment, la camionnette réapparut. Ils avaient trouvé un constructeur, à Newport, qui leur avait loué un générateur mobile. Ils s'étaient aussi procuré plusieurs centaines de mètres de câble électrique et toute une caisse d'ampoules.

Reggie ouvrit l'arrière de la camionnette pour montrer son chargement au professeur.

« Mission accomplie, mon commandant, déclara-t-il avec fierté.

— Comme toujours, mon brave Reggie, répondit-il en lui donnant une tape dans le dos.

— C'est une grosse affaire, pas vrai, patron ? »

L'archéologue semblait abattu ; tout relater dans son journal de bord l'avait mis à plat nerveusement.

« On rêve toujours de faire une découverte importante. Quelque chose qui restera dans les annales. Eh bien, mon vieux, je crois que cette fois, le morceau est trop gros pour nous.

— Comment ça ?

« — Je ne sais pas, Reg. Je dois te l'avouer, j'ai un mauvais pressentiment. »

La matinée du lendemain fut consacrée à la mise en route du générateur et au déploiement souterrain des fils électriques et ampoules en vue d'éclairer les lieux. Pour Atwood, photographier les salles était l'objectif numéro un, aussi envoya-t-il Timothy et Martin s'occuper du scriptorium, Ernest et Dennis, des catacombes. Lui et Béatrice se chargeraient de la bibliothèque. Reggie était devenu électricien de choc, fixant des câbles, s'occupant du générateur poussif qui haletait au-dehors, changeant les ampoules capricieuses qui ne cessaient de griller dans une odeur d'ozone se mêlant aux relents moisis de l'atmosphère.

En milieu d'après-midi, ils découvrirent que l'immense bibliothèque avait une sœur jumelle. À la suite de la première salle, s'ouvrait une seconde, probablement construite un peu plus tard, quand la première avait été comble, supposèrent-ils. Cette nouvelle crypte était aussi impressionnante que la première, avec environ neuf mètres sous plafond. Ils recensèrent cent vingt bibliothèques dans chacune des salles, alignées sur deux rangées, séparées par une étroite allée centrale. La plupart étaient remplies de volumes épais, à l'exception de quelques étagères vides, au fond de la seconde pièce.

Au terme d'une première exploration, Atwood fit un bref calcul dans son carnet de notes et aboutit à un résultat qu'il montra à Béatrice :

« Nom de Dieu ! C'est possible, ça ? s'écria-t-elle.

— Je ne suis pas mathématicien, mais je suppose que oui. »

La bibliothèque contenait sept cent mille ouvrages.

« Ça en ferait la dixième de Grande-Bretagne par la taille, souffla-t-elle.

— Et, si je puis me permettre, la plus intéressante. Alors, essayons de deviner pourquoi des moines de la période médiévale – s'il s'agit bien de religieux – auraient entrepris dans le plus grand sérieux d'écrire les dates de naissance et de décès des populations des siècles à venir. »

Il ferma sèchement son carnet de notes, et le bruit résonna à travers l'immense salle.

« J'avoue que cela m'a empêché de dormir la nuit dernière, admit sa collègue.

— Moi de même. Suis-moi. »

Il l'emmena dans la seconde pièce. Ils ne s'étaient pas encore aventurés très loin, aussi Béatrice restait-elle tout près du professeur, suivant le faisceau jaunâtre de sa lampe. Ils s'engagèrent dans les profondeurs de la bibliothèque, puis ils s'arrêtèrent pour regarder une tranche : 1806.

Ils passèrent à la rangée suivante :

« Ah, on se rapproche… 1870 », fit Atwood.

Il continua, éclairant les dates sur les livres, jusqu'à ce qu'enfin il déclare :

« Voilà. 1895. Une excellente année.

— Pourquoi ? demanda-t-elle.

— C'est celle où je suis né. Voyons voir. Approche ta lampe, s'il te plaît. Non, nous sommes trop loin, celui-là démarre en septembre. »

Il remit en place le volume et revint quelque peu en arrière.

« Ah ! s'exclama-t-il. Janvier 1895. C'était mon anniversaire il y a quinze jours. Nous y sommes : le 14 janvier. Nom d'une pipe, mais combien y a-t-il de noms ? Voilà du chinois, de l'arabe, de l'anglais, bien sûr, de l'espagnol… Et là, ne serait-ce pas du finnois ? Et ça, du swahili, si je ne m'abuse ? »

Son doigt descendait le long d'une colonne, quand il s'arrêta net :

« Oh, mon Dieu, Béatrice ! Regarde ça ! *Geoffrey Phillip Atwood 14 1 1895 natus*. J'y suis ! Je figure dans ce damné registre ! Par saint Georges, comment pouvaient-ils savoir que Geoffrey Phillip Atwood naîtrait le 14 janvier 1895 ?

— Il n'existe aucune explication rationnelle, Geoffrey, répondit-elle d'une voix glacée.

— En dehors du fait que nous avons affaire à des loustics diablement malins, tu veux dire ? Je suis presque certain que ce sont eux, là-bas, dans les catacombes. Un traitement particulier réservé à des êtres particuliers. On n'allait pas les enterrer au cimetière, comme tout le monde. Viens, cherchons quelque chose de plus récent, veux-tu ? »

Ils explorèrent un moment la seconde salle. Soudain, Atwood s'arrêta net, et Béatrice le bouscula.

« Regarde-moi ça ! », fit-il en émettant un petit sifflement.

Il braqua sa torche sur un tas de vêtements posé par terre, au bout de la rangée. C'était une masse d'étoffes brunes et noires, comme un tas de linge sale. Ils s'approchèrent lentement, et découvrirent, stupéfaits, qu'il s'agissait en fait d'un squelette encore habillé, reposant sur le dos.

Sur le gros crâne couleur paille, subsistaient des traces de chair desséchée et des mèches de cheveux noirs. À côté, une casquette plate, également noire. L'os occipital était enfoncé, laissant apparaître une profonde fracture. Dessous, une grosse pierre, encore tachée de sang. Les habits étaient ceux d'un homme : un pourpoint noir au col montant, matelassé ; une culotte marron s'arrêtant à hauteur du genou ; des bas noirs flottant sur de longs os ; des bottes de cuir. Le cadavre gisait, enveloppé dans une cape noire, ornée d'un col de fourrure miteuse.

« En tout cas, ce personnage ne date pas de l'époque médiévale », grommela le professeur.

Béatrice s'était déjà agenouillée pour l'observer de plus près.

« Période élisabéthaine, je dirais.

— Tu es sûre ? »

Une bourse de soie violette était accrochée à la ceinture du défunt, brodée aux initiales J.C. Elle la toucha du bout de l'index, l'ouvrit doucement, puis en retira des pièces d'argent. Il y avait là des shillings et des pièces de trois pennies. Atwood rapprocha sa torche. Face, se dessinait le profil plutôt masculin d'Elizabeth Ire. Béatrice retourna la pièce : au-dessus des armoiries figurait clairement la date de 1581.

« J'en étais sûre, murmura-t-elle. À ton avis, Geoffrey, que faisait-il là ?

— Je crains que cette journée n'apporte plus de questions que de réponses », fit-il, pensif.

Son regard se perdit sur les volumes qui les surplombaient.

« Regarde ! Les manuscrits correspondent à la même année, 1581 ! Ce n'est sans doute pas une coïncidence. Nous reviendrons voir notre ami plus tard avec l'appareil photo. Pour l'instant, terminons notre exploration. »

Ils évitèrent avec soin le squelette et poursuivirent leur chemin entre les bibliothèques jusqu'à ce que l'archéologue trouve ce qu'il cherchait. Par chance, car ils n'avaient pas d'échelle, les livres datés de 1947 étaient à portée de main.

Il projeta la lumière de sa torche sur les étagères, s'exclamant soudain :

« Je l'ai ! Voilà où commence 1947. »

Très excité, il retira un à un les volumes jusqu'à ce qu'il déclare, triomphant :

« Aujourd'hui, 31 janvier ! »

Tous deux s'assirent sur le sol froid, à l'étroit entre les bibliothèques, le lourd manuscrit reposant sur leurs genoux. Ils parcoururent des pages de noms en rangs serrés. *Natus, mors, mors, natus.*

Atwood perdit le compte des pages, cinquante, soixante, soixante-dix.

Ce fut lui qui vit l'inscription le premier. Avant Béatrice : *Reginald William Saunders mors.*

L'équipe des archéologues avait établi son quartier général au Cunning Man, à Fishbourne. Le pub n'était pas loin à pied, la bière n'y était pas trop chère et le patron leur laissait utiliser la baignoire réservée aux hôtes pour un penny par personne. Ils ne manquaient jamais de sourire en voyant l'enseigne du pub, un pêcheur au regard concupiscent penché sur un ruisseau où il attrapait une truite à main nue. Jamais, sauf ce soir-là. Ils étaient tous assis à une longue table, à l'écart des gens du village.

Reggie regarda sa montre et tenta de détendre l'atmosphère lugubre.

« C'est ma tournée, si je peux t'emprunter quelques livres, Béatrice. Je te les rendrai demain. »

Elle attrapa son portefeuille et lui tendit de l'argent.

« Voilà pour toi, grand gorille. »

Il saisit les billets :

« Qu'est-ce que vous en pensez, professeur ? Vous croyez que l'heure a sonné pour le vieux Reg ?

— Je suis le premier à l'admettre : toute cette affaire me trouble », répondit-il en avalant d'un coup le fond de sa bière.

C'était sa troisième, ce qui dépassait largement sa limite habituelle, et la tête commençait à lui tourner. Tous buvaient plus que de coutume, ce soir-là, et leur discours en était un peu ralenti.

« Ben, si c'est ma dernière soirée sur Terre, je veux partir le ventre plein de bière, conclut le solide gaillard. La même chose pour tout le monde ? »

Il prit les chopes vides par l'anse et les rapporta au bar. Quand il se fut éloigné, Dennis se pencha vers les autres en murmurant :

« Personne ne croit vraiment à toutes ces sornettes, non ? »

Martin secoua la tête.

« Si c'est des bêtises, comment est-ce possible que la date de naissance du professeur Atwood y figure ?

— C'est vrai, ça, renchérit Timothy.

— Il doit y avoir une explication scientifique, affirma Béatrice.

— Vraiment ? Pourquoi toute chose devrait-elle s'inscrire dans les cases bien nettes de la science ?

— Geoffrey ! C'est toi qui dis ça ! Le roi de l'empirisme ! Quand t'es-tu rendu à l'église pour la dernière fois ?

— Je ne sais plus. J'en ai mis au jour un bon nombre d'anciennes. » Il avait à présent l'œil vitreux d'un ivrogne en début de carrière.

« Mais, où est passée ma bière, s'exclama-t-il soudain avant d'aviser Reggie près du bar. Ah, le voilà. Un brave type. Il a survécu à Rommel. J'espère qu'il survivra aussi à l'île de Wight. »

Ernest était pensif. Il avait moins bu que les autres.

« Il faut faire d'autres tests. Nous devons chercher les dates d'autres personnes que nous connaissons, de figures historiques, pour vérifier.

— C'est ça ! fit Atwood en tapant du poing sur un sous-bock. Tu veux utiliser la méthode scientifique pour prouver que la science a tout faux.

— Et si toutes les dates correspondent ? interrogea Dennis. Qu'est-ce qui se passe ?

— Eh bien, nous refilerons toute l'affaire aux types louches qui font des trucs louches dans les petits bureaux louches de Whitehall, répliqua Atwood.

— Le ministère de la Défense, conclut Ernest à voix basse.

— Pourquoi eux ? demanda Béatrice.

— Qui d'autre ? fit le professeur. Les médias ? Le pape ? »

Reggie attendait que le patron du pub ait fini de remplir les verres.

« Eh, on crève de soif, nous ! s'exclama Atwood.

— J'arrive, mon commandant ! »

C'est alors qu'entra Julian Barnes, son grand manteau ouvert, volant autour de lui. Petit, il ressemblait à une fouine, les cheveux bien peignés en arrière, la moustache en ordre parfait. Mais il avait une allure déplaisante, l'air supérieur, arrogant, comme si tout lui était dû.

Nul ne fut plus surpris de son apparition que les habitués du pub, qui le connaissaient, mais ne l'avaient jamais vu dans un bar, et encore moins dans celui-là.

Un des gars du village, membre d'un syndicat, qui détestait tous ceux de son espèce, lança, sarcastique :

« Le lieutenant-colonel a dû se tromper : le club du parti conservateur, c'est au bout de la rue à gauche, Votre Excellence ! »

Barnes ne lui prêta pas attention.

« Dites-moi où je peux trouver le dénommé Reginald Saunders ! », cria-t-il à la cantonade d'un ton d'orateur.

Tous les membres de l'équipe des fouilles relevèrent soudain la tête.

Reggie était encore au bar d'où il s'apprêtait à revenir avec les bières. Il se tenait à quelques mètres du prétentieux personnage.

« Qui le demande ? répondit-il en se redressant de toute sa hauteur, intimidant.

— Êtes-vous Reginald Saunders ? demanda le petit homme de manière très officielle.

— Et vous, vous êtes qui, mon vieux ?

— Je répète ma question : êtes-vous Reginald Saunders ?

— Ouais, c'est moi, Saunders. Qu'est-ce que vous me voulez ? »

Barnes déglutit avec peine :

« Il me semble que vous connaissez mon épouse ?

— Je connais aussi votre voiture. Devinez laquelle je préfère ? »

Là-dessus, le lieutenant-colonel sortit un revolver d'argent de sa poche et tira sur Reginald en pleine tête avant que quiconque ait pu dire ou faire quoi que ce soit.

Après son entretien avec Churchill, Geoffrey Atwood fut ramené dans le Hampshire dans un camion bâché de l'armée. À côté de lui, sur le banc de bois, était assis un jeune capitaine impassible, qui ne parlait que quand on s'adressait à lui. Ils s'en retournaient sur une base militaire qui avait servi pendant la guerre, où demeuraient encore des baraquements et un terrain d'entraînement. C'est là qu'Atwood et toute son équipe étaient retenus.

L'archéologue demanda :

« Pourquoi est-ce que vous ne me relâchez pas à Londres ?

— J'ai pour instructions de vous ramener à Aldershot.

— Mais pour quel motif ? Si je puis me permettre.

— Ce sont les ordres. »

Atwood avait assez fréquenté l'armée pour identifier un mur quand il en rencontrait un. Aussi préféra-t-il économiser sa salive. En coulisses, on était en train de régler son affaire, et tout irait bien.

Pour oublier le camion et ses mauvaises suspensions, il se mit à songer à des choses agréables, sa femme, ses enfants, combien ils seraient heureux de le voir rentrer au bercail. Il rêvait de prendre un bon repas, un bain chaud, et de retourner à ses tâches académiques bienheureusement ordinaires. L'île de Wight allait disparaître à jamais de ses perspectives, ses notes et photographies seraient confisquées, sa mémoire expurgée, en quelque sorte. Il imagina quelques conversations furtives avec Béatrice dans leur bureau, au muséum, autour d'un verre de sherry. Toutefois, leur isolement leur avait servi de leçon : il avait peur. Bien plus que jamais pendant la guerre.

Quand on le ramena dans le baraquement qui leur servait de prison, ses camarades l'entourèrent comme des paparazzi se jetant sur une star. Blêmes, déprimés, ils avaient perdu du poids et se montraient de plus en plus irritables, craquant sous la pression et l'inquiétude. Béatrice était logée dans un bâtiment séparé, mais autorisée à passer la journée avec ses compagnons dans une pièce commune, où leurs gardiens leur servaient le rata insipide de l'armée. Martin, Timothy et Dennis enchaînaient d'interminables parties de gin-rummy, Béatrice fulminait, jurait contre les gardes, tandis qu'Ernest restait dans son coin, se frottant les mains, rongé par l'anxiété et les idées noires.

Ils avaient misé tous leurs espoirs sur la visite d'Atwood à Londres et, à présent qu'il était de retour, ils voulaient tout savoir dans les moindres détails. Ils l'écoutèrent avec la plus grande attention raconter sa rencontre avec le général Stuart, applaudirent, et versèrent des larmes quand il leur apprit que leur libération était imminente. Il fallait juste attendre que des accords secrets soient signés au sein du gouvernement. Même Ernest leva le nez et approcha sa chaise, la tension qui figeait ses traits se relâchant enfin.

« Vous savez ce que je vais faire en rentrant à Cambridge ? déclara Dennis.

— Ça ne nous intéresse pas, Dennis, répondit Martin pour le faire taire.

— Je vais prendre un bain, enfiler des vêtements propres, aller dans un club de jazz et faire connaissance avec des filles pas trop farouches.

— On t'a dit qu'on s'en fichait », insista Timothy.

Ils passèrent la matinée suivante à piaffer d'impatience, attendant qu'on vienne les libérer. À l'heure du déjeuner, un soldat entra avec un plateau. C'était un garçon morne et dénué d'humour, que Béatrice prenait plaisir à harceler.

« Eh, toi, Mou-du-bulbe, va nous chercher quelques bouteilles de vin. On rentre chez nous, aujourd'hui.

— Je ne sais pas si c'est possible, mademoiselle.

— Alors, va te renseigner, fiston. Et fais bien attention aussi à ne pas perdre ta cervelle en route. »

Le général Stuart décrocha le téléphone qui sonnait dans son bureau d'Aldershot. C'était un appel de Londres. Son visage durci était impassible, figé dans le dédain. La communication fut courte, précise. Nul besoin de clarifier les ordres ni de s'étendre. Il acquiesça par un bref : « Oui, chef », puis quitta son bureau pour mener à bien sa tâche.

Le repas composé de friands rassis et de spaghettis gluants n'était guère appétissant, mais ils avaient très faim et voulaient vite en finir. Tout en mangeant, Atwood, qui avait le don de décrire les choses avec minutie, leur raconta tout ce qu'il avait vu dans le célèbre bunker souterrain de Churchill. À mi-repas, le soldat revint avec deux bouteilles de vin débouchées.

« Dieu du ciel ! s'exclama Béatrice. Le soldat Branleur a accompli un miracle ! »

Il les déposa sans un mot et repartit.

Atwood leur fit honneur en servant tout le monde.

« J'aimerais porter un toast, dit-il en redevenant sérieux. Hélas, nous ne pourrons plus jamais parler de notre découverte sur l'île de Wight, mais cette expérience nous lie à jamais de manière indéfectible. À notre cher ami, Reggie Saunders, et à cette foutue liberté ! »

Ils trinquèrent et burent en même temps.

Béatrice fit la grimace.

« Il ne vient certainement pas de la réserve des officiers, celui-là. »

Dennis fut le premier à réagir, peut-être parce que c'était lui le moins corpulent du groupe. Puis ce furent Béatrice et Atwood. Au bout de quelques secondes, effondrés, ils se tordaient par terre, victimes de convulsions, étouffant, la langue en sang coincée entre leurs dents, roulant des yeux, les poings serrés.

Quand tout fut terminé, le général Stuart vint avec lassitude reconnaître le terrain désolé. Il en avait plus qu'assez de la mort, mais dans les rangs des armées de Sa Majesté, on ne comptait pas de soldat plus obéissant.

Il soupira. Il lui restait un lourd déménagement à préparer, et la journée serait longue.

Le général emmena un petit contingent d'hommes triés sur le volet sur l'île de Wight. Les lieux des fouilles commandées par Atwood avaient été entourés de grilles, et les tranchées recouvertes de vastes tentes, dissimulant tout aux regards.

Un militaire avait informé l'abbé Lawlor que les archéologues avaient découvert un obus encore intact dans une tranchée et qu'on les avait évacués pour leur propre sécurité. Au cours des douze jours suivants, un flot continu de camions de l'armée fit la navette entre l'île et le Hampshire par l'intermédiaire des barges de la Royal Navy. Ils s'engouffrèrent l'un après l'autre dans la vaste tente. Les soldats, qui n'avaient pas la moindre idée de ce qu'ils transportaient, travaillaient jour et nuit, déplaçant jusqu'à épuisement des caisses de bois.

Quand le général entra dans la crypte de la bibliothèque, le bruit de ses bottes se répercuta à travers toute la structure. Les salles étaient vides dorénavant, tous les livres avaient disparu de leurs étagères. Il passa par-dessus le squelette élisabéthain sans même y prêter attention. Un autre aurait peut-être tenté d'imaginer quels mystères renfermaient ces lieux. Il aurait essayé de comprendre comment une telle chose était possible, il se serait penché sur l'essence philosophique du problème. Ce n'était pas le genre de Stuart, et c'est sans doute pour cela qu'il était l'homme de la situation. Tout ce qu'il voulait, c'était rentrer à temps à Londres pour aller à son club boire un scotch et dévorer un bon steak saignant.

Quand son inspection serait terminée, il rendrait visite à l'abbé pour lui annoncer le triste accident qui s'était produit. L'armée avait commis une terrible erreur : ils croyaient avoir retiré tous les explosifs qui demeuraient là avant d'y renvoyer Atwood et son équipe. Hélas, ils étaient passés à côté d'un obus allemand de cinq cents livres.

Peut-être conviendrait-il de dire une messe en leur mémoire, se diraient-ils, lugubres.

Stuart avait bien fait nettoyer l'espace, puis l'artificier avait tout préparé. Quand les bombes à percussion explosèrent, la zone fut comme soumise à un séisme, et des tonnes de pierres médiévales s'écroulèrent sous leur propre poids.

Désormais, les corps de Geoffrey Atwood, Béatrice Slade, Ernest Murray, Dennis Spencer, Martin Bancroft et Timothy Brown gisaient à jamais au cœur des catacombes, parmi ceux de générations de scribes aux cheveux roux, dont les manuscrits anciens, enfermés dans un convoi de camions vert olive, se dirigeaient désormais vers la base de l'US Air Force de Lakenheath, dans le Suffolk, d'où ils seraient aussitôt transférés à Washington.

29 juillet 2009

New York

Will avait à peine la gueule de bois. Il était un peu mou et patraque, comme s'il sortait d'une nuit d'insomnie : après un bon café, ça irait mieux.

La veille, il avait envisagé de se laisser couler au fond de la piscine et d'y rester un bon moment, jusqu'à ce qu'il ne puisse plus respirer, qu'il soit au bord de la noyade. Seulement, au bout de quelques verres, la colère l'avait envahi, à tel point que, soudain, il avait cessé de s'apitoyer sur son sort et de boire comme un trou. Une fois son équilibre retrouvé, il avait passé la nuit à réfléchir, mais cette fois de manière très rationnelle, rien à voir avec ses espèces de délires habituels aux apparences logiques qui ne tenaient pas la route une seconde. Au cours de cet intermède pragmatique, il avait appelé Nancy pour lui donner rendez-vous.

Il l'attendait déjà dans un Starbucks, près de Grand Central, sirotant un maxi-café, lorsqu'elle arriva, l'air encore plus défait que lui.

« Tu as fait un bon trajet ? », fit-il.

Il crut qu'elle allait se mettre à pleurer, et hésita à la prendre dans ses bras, mais ça aurait constitué une première : démonstration d'affection en public.

« Tiens, je t'ai pris un *caffè latte light*. Il est encore chaud. »

C'était la goutte qui faisait déborder la tasse : elle fondit en larmes.

« Allez, ce n'est qu'un café.

— Je sais. Merci, répondit-elle en buvant une gorgée. Que s'est-il passé ? »

Elle se pencha en avant pour bien l'entendre. L'endroit était bourré à craquer de clients, dont le bavardage assourdissant était ponctué des espèces d'explosions intermittentes de la machine à fabriquer de la mousse de lait.

Elle avait l'air si jeune et vulnérable que, par réflexe, il lui prit la main. Elle se trompa sur son intention.

« Tu crois qu'ils savent, pour nous ?

— Non ! Ça n'a rien à voir.

— Comment peux-tu en être si sûr ?

— Parce que quand tu te fais pincer pour une histoire de fesses, les ressources humaines te font rappliquer dare-dare. Tu peux me croire, j'en sais quelque chose.

— Alors, qu'y a-t-il ?

— Ce n'est pas nous : c'est l'affaire. »

Il but une gorgée de café, examinant toutes les personnes qui entraient dans l'établissement.

« Ils ne veulent pas qu'on arrête Shackleton, dit-elle comme si elle lisait en lui.

— Ça m'en a tout l'air.

— Mais pourquoi s'opposeraient-ils à l'arrestation d'un tueur en série ?

— Excellente question, fit-il en se massant les yeux et le front. Parce que c'est un drôle de citoyen. »

Elle leva un sourcil interrogateur.

Il poursuivit à voix basse.

« Dans quels cas fait-on disparaître quelqu'un des écrans radars ? Parce qu'il est témoin dans une enquête fédérale ? Qu'il se livre à des activités top secrètes ? Qu'il participe à une opération clandestine ? Quel que soit son statut, l'écran devient tout noir, et il n'existe plus. Mark m'a dit qu'il bossait pour le gouvernement. La zone 51, ou je ne sais quelle connerie. Ça sent les fédéraux à plein nez : on a empiété sur leurs plates-bandes, et on s'est fait jeter.

— Tu veux dire que des hauts fonctionnaires appartenant à une agence fédérale ont décidé sciemment de laisser en liberté un assassin ? répéta-t-elle, incrédule.

— Je ne dis rien du tout. Mais oui, c'est possible. Tout dépend de l'importance qu'il a. Ou bien, s'il y a une justice, ils vont s'en débarrasser sans faire de bruit.

— On ne saura jamais…

— Non. On ne saura jamais. » Elle termina son café et fouilla dans son sac à la recherche de son poudrier.

« Donc c'est fini ? »

Il la regarda effacer les traces de ses pleurs.

« Pour toi, c'est fini. Pas pour moi. »

Ainsi relevé, son menton carré était l'expression même de l'agressivité, toutefois, il dégageait aussi une certaine sérénité, celle d'un homme résolu à se jeter dans le vide.

« Tu vas retourner au bureau. Ils vont te mettre sur une autre affaire. J'ai entendu dire que Mueller allait revenir. Peut-être que vous serez à nouveau partenaires. Tu vas reprendre le boulot et faire une belle carrière, parce que tu es un sacré flic !

— Will, laissa-t-elle échapper.

— Non, attends, laisse-moi terminer. J'en fais une affaire personnelle. Je ne sais ni pourquoi ni comment Shackleton a tué ces gens, mais je sais qu'il l'a fait pour me mettre dans la merde. C'était l'une de ses motivations, en tout cas. Il m'arrivera ce qui doit m'arriver. Il y a bien longtemps que je ne suis plus le fidèle serviteur dévoué corps et âme au FBI. L'idée de me tenir tranquille en attendant la retraite était une connerie. »

Il se lâchait, à présent. Par chance, la proximité des autres clients l'empêchait d'exploser de rage.

« J'en ai plus rien à foutre de finir mes vingt ans de service, ni de la retraite. Je me trouverai un boulot quelque part. Je n'ai pas de gros besoins. »

Elle reposa son poudrier. Mais bientôt, tout fut à recommencer.

« Bon Dieu, Nancy, ne pleure pas ! murmura-t-il. Ça n'a rien à voir avec nous. Toi et moi, c'est génial. Notre relation est la plus chouette que j'aie connue depuis bien longtemps, c'est peut-être même la plus satisfaisante de toutes, si tu veux savoir. Non seulement tu es intelligente et sexy, mais en plus tu es la femme la plus autonome que j'aie jamais fréquentée.

— C'est un compliment ?

— De ma part, c'est un énorme compliment. Tu n'es pas en demande permanente, comme l'étaient toutes mes ex. Tu es heureuse de la vie que tu mènes, ce qui fait que je suis heureux de la mienne. Je ne suis pas près de retrouver ça.

— Alors, pourquoi tu veux tout ficher en l'air ?

— Ce n'est absolument pas mon intention. Je dois retrouver Shackleton.

— Mais tu n'es plus sur l'affaire !

— Eh bien, je m'y remets. D'une manière ou d'une autre, je finirai par être sacqué pour ça. Je sais comment ils procèdent. Ils ne tolèrent pas l'insubordination. Écoute, quand je serai chargé de la sécurité dans un centre commercial de Pensacola, tu pourras demander ton transfert. Je ne sais pas ce qu'ils ont en matière de musée, mais on trouvera bien un moyen pour que tu aies ta dose de culture. »

Elle se tamponna les yeux.

« Est-ce que tu as un plan au moins ?

— Oui, même s'il n'est pas très sophistiqué. J'ai déjà appelé pour dire que j'étais malade. Sue doit être soulagée à l'idée de ne pas me voir aujourd'hui. J'ai réservé une place sur un vol pour Vegas en fin de matinée. Je vais lui mettre la main dessus et le faire parler.

— Et moi, je suis censée retourner au boulot comme si de rien n'était.

— Oui et non, dit-il en tirant de son sac deux téléphones. Ils seront tous après moi quand ils découvriront que j'ai filé. Peut-être même qu'ils vont te mettre sur écoute. Prends un de ces portables à carte. On les utilisera pour communiquer entre nous. Tant qu'ils n'ont pas les numéros, ils ne peuvent pas remonter jusqu'à nous. J'aurais besoin d'avoir quelqu'un dans la place pour me renseigner. Mais si jamais tu as l'impression de compromettre ta carrière, on laisse tout tomber. Et appelle Laura. Dis-lui quelque chose pour la rassurer. OK ? »

Elle prit l'un des téléphones. L'appareil était chaud et moite d'être ainsi resté dans la main de Will.

« OK. »

Mark rêvait de lignes de codes. Elles s'écrivaient plus vite qu'il ne parvenait à les taper, aussi rapides que sa pensée. Chaque ligne était épurée, perfection de minimalisme, dépourvue du moindre caractère parasite. Une ardoise flottait en l'air, se couvrant rapidement de toute sorte de signes. C'était un songe extraordinaire, et il fut consterné quand la sonnerie de son portable le réduisit en miettes.

Il jura en découvrant qu'il s'agissait de sa chef, Rebecca Rosenberg. Il était au lit avec une femme superbe, dans la plus belle suite du Venetian Hotel : la voix de sa sorcière de supérieure, avec son accent du New Jersey, lui vrilla l'estomac.

« Comment allez-vous ? demanda-t-elle.

— Ça va. Que se passe-t-il ? »

C'était la première fois qu'elle s'adressait ainsi à lui, remarqua-t-il aussitôt.

« Désolée de vous déranger pendant vos vacances. Où êtes-vous ? »

Ils pouvaient repérer son téléphone s'ils voulaient, aussi fut-il obligé de répondre la vérité.

« À Las Vegas.

— Très bien. Voilà, je sais que c'est extrêmement pénible, mais nous avons un problème de code que personne ne parvient à résoudre. Tous les accès ont foiré et les gardiens pètent les plombs.

— Avez-vous essayé de réinitialiser le système ? grommela-t-il.

— On l'a fait un bon million de fois. On dirait que le code est corrompu.

— Comment est-ce arrivé ?

— Nul ne le sait. C'est vous qui l'avez créé. Vous nous rendriez un grand service en passant voir ça demain.

— Mais je suis en vacances !

— Je sais, je suis navrée de vous déranger, mais si vous venez nous dépanner demain, vous aurez droit à trois jours de congé supplémentaires, et si vous parvenez à résoudre le problème en moins d'une demi-journée, vous serez revenu à McCarran pour le déjeuner. Qu'est-ce que vous en dites ? Ça vous va ? »

Il secoua la tête, incrédule.

« C'est bon, je viendrai. »

Il lança le téléphone sur le lit. Kerry dormait à poings fermés. Tout ça était bizarre. Il avait pris de telles précautions pour couvrir ses agissements, que ses tractations avec Desert Life étaient indécelables. Il n'avait plus qu'à patienter, un mois ou deux, avant d'annoncer sa démission. Il raconterait qu'il avait rencontré une fille, qu'ils allaient se marier et vivre sur la côte Est. Ils fronceraient les sourcils, lui feraient la leçon sur leurs engagements mutuels, le temps qu'il avait fallu pour le recruter, le former, la difficulté de lui trouver un remplaçant. Ils en appelleraient à son patriotisme. Mais il tiendrait bon. Il n'était pas leur esclave. Ils devaient le laisser partir. Quand il franchirait la porte pour la dernière fois, ils procéderaient à une fouille intégrale, sans merci, mais ils ne trouveraient rien. Ils le surveilleraient pendant des années, peut-être toute sa vie, comme ils le faisaient avec tous leurs anciens employés, ainsi soit-il. Ils pouvaient bien observer ses faits et gestes autant qu'ils voulaient.

Rosenberg raccrocha. Les gardiens retirèrent leurs écouteurs et hochèrent la tête en guise d'approbation. Malcolm Frazier, leur chef, était présent, lui aussi, impassible, son corps de lutteur très raide.

« C'est très bien, dit-il.

— Si vous avez des doutes sur lui, pourquoi n'allez-vous pas le cueillir tout de suite ? demanda-t-elle.

— Nous n'avons aucun doute sur lui. Nous savons tout de ses agissements, répondit-il d'une voix bourrue. Mieux vaut régler le problème en terrain balisé. D'abord, nous allons nous assurer qu'il est bien dans le Nevada. Nous avons envoyé une équipe à son domicile. Son portable est sur écoute. S'il change d'avis, alors nous passerons à l'action.

— Je suis convaincue que vous connaissez votre boulot. »

Dans le bureau de Rebecca Rosenberg flottait à présent l'odeur des mâles présents.

« Oui, madame Rosenberg, nous connaissons notre boulot. »

Sur la route de l'aéroport, une pluie fine se mit à tomber. Les essuie-glaces du taxi s'agitaient, monotone battement de métronome rythmant un *adagio*. Vautré sur la banquette arrière, Will s'endormit, le menton sur l'épaule. Il se réveilla à l'aéroport de LaGuardia, la nuque douloureuse, et dit au chauffeur de le déposer devant la compagnie US Airways.

Son costume beige était moucheté de gouttes d'eau. Au comptoir, il avisa le prénom de l'employée, Vicki, d'après son badge, et se mit à la baratiner tout en lui présentant ses papiers et son autorisation fédérale de port d'arme. D'un air absent, il la regarda pianoter sur le clavier. C'était une fille ordinaire, boulotte, aux longs cheveux châtains ramenés en queue-de-cheval. Elle ne lui poserait pas de problème.

Le terminal était baigné d'une lumière grise, hall d'un dépouillement clinique, presque vide car on était en milieu de matinée. Il était donc facile à Will de surveiller les lieux et d'observer les personnes présentant un intérêt. Tendu, il était tout yeux et tout oreilles. Nul autre que Nancy ne savait qu'il allait franchir la ligne jaune, toutefois, il se sentait comme un voleur s'apprêtant à commettre son forfait. Les passagers qui attendaient de pouvoir faire enregistrer leurs bagages semblaient inoffensifs, comme les deux flics en uniforme discutant près du guichet automatique, à l'autre bout.

Il lui restait une heure à tuer. Il achèterait un journal et quelque chose à manger. Tout irait mieux quand il serait dans l'avion, et il pourrait profiter de ces quelques heures pour se détendre, à moins que Darla ne soit de service : alors il lui faudrait lutter vaillamment pour rester fidèle à Nancy. Toutefois, il savait bien qu'il ne pourrait résister au slogan : « Ce qui se passe à Las Vegas reste à Las Vegas. » Il n'avait pas songé à la grande blonde pulpeuse depuis un moment, mais à présent il avait du mal à la chasser de son esprit. Cette femme plantureuse portait en effet les dessous les plus minuscules…

Soudain il comprit que Vicki essayait de gagner du temps. Elle agitait sa paperasse, jetant de temps à autre des regards effrayés à travers le terminal.

« Tout va bien ? demanda-t-il.

— Ouais. L'ordinateur a bogué, j'attends qu'il redémarre. »

Les policiers près du distributeur de billets regardaient à présent dans sa direction tout en parlant dans leur radio.

Will reprit ses papiers sur le comptoir.

« Bon, Vicki, on finira ça plus tard, faut que je file aux toilettes.

— Mais… »

Il détala. Les flics étaient au moins à soixante mètres et le sol était glissant. En trois secondes, il fut dehors. Il ne prit pas la peine de se retourner. Sa seule chance était de réfléchir et d'agir plus vite qu'eux. Une voiture de luxe noire s'arrêta pour déposer un passager. Le chauffeur s'apprêtait à repartir quand Will s'engouffra par la portière arrière, jetant son sac sur la banquette.

« Eh, j'ai pas le droit de charger un client ici ! s'exclama le chauffeur, un type d'une soixantaine d'années au fort accent russe.

— C'est bon, je suis agent fédéral, répondit Will en lui montrant sa plaque. Démarrez. S'il vous plaît. »

Le chauffeur grommela quelques mots en russe, mais accéléra. Will fit semblant de chercher quelque chose dans son sac, afin de pouvoir baisser la tête sans paraître suspect. Il entendit des cris loin derrière. L'avaient-ils repéré ? Avaient-ils relevé le numéro du véhicule ? Son cœur battait à tout rompre.

« Je pourrais me faire virer !

— Je suis désolé. Je suis sur une affaire.

— FBI ?

— Oui, monsieur.

— J'ai un fils en Afghanistan. Où est-ce que vous allez ? »

Will passa très vite les possibilités en revue.

« Le Marine Air Terminal.

— De l'autre côté de l'aéroport ?

— C'est ça, vous m'aidez beaucoup, vous savez. »

Il éteignit son portable, le jeta dans son sac et prit à la place le téléphone à carte, indétectable car anonyme.

Le chauffeur ne voulut pas d'argent. Will descendit de voiture, regarda autour de lui : l'instant de vérité. Tout avait l'air normal, pas de gyrophares, pas de poursuivants. Il se dirigea tout de suite vers la file des taxis qui stationnaient devant le terminal et monta dans une voiture jaune. À peine avait-il démarré qu'il essayait de joindre Nancy pour tout lui raconter. En quelques minutes, ils mirent au point un plan B.

Will supposait que les autres étaient très motivés, et qu'ils disposaient de gros moyens. Aussi décida-t-il de leur mener la vie dure : parcours en zigzag, multiplication des modes de transport. Son premier taxi le laissa sur Queens Boulevard, où il s'arrêta à un guichet de la Chase Bank pour retirer quelques milliers de dollars sur son compte. Ensuite il sauta dans un second taxi qu'il quitta sur la 125e Rue, à Manhattan, afin de prendre la correspondance jusqu'à White Plains.

C'était le début de l'après-midi et il commençait à avoir faim. La pluie s'était arrêtée et l'atmosphère était désormais plus fraîche, respirable. Le ciel s'éclaircissait et, comme son sac n'était pas très lourd, il décida de s'en aller à pied à la recherche d'un restaurant. Il trouva un petit italien dans Mamaroneck Avenue et s'attabla au fond, pour dévorer un menu complet en prenant tout son temps. Après sa deuxième bière, il décida qu'un soda serait parfait pour accompagner ses lasagnes. Il paya en liquide, desserra sa ceinture d'un cran et sortit sous le soleil.

Tout près de là se trouvait la bibliothèque municipale. C'était un vaste bâtiment, construit par un architecte féru de néoclassicisme. Il ouvrit son sac à l'accueil, mais comme il n'y avait pas de détecteur de métaux, il garda son arme sur lui. Puis il alla s'installer dans un coin tranquille, au bout d'une longue table, tout au fond de la salle de lecture.

Soudain, il sentit qu'il dénotait beaucoup trop dans le décor : sur les deux douzaines de personnes présentes, il était le seul en costume cravate, assis devant un espace sans livre ni papier. Dans la grande pièce régnait un silence religieux, uniquement rompu par une toux occasionnelle ou un bruit de chaise. Il dénoua sa cravate, la fourra dans la poche de sa veste et partit à la recherche d'un bouquin pour tuer le temps.

Ce n'était pas un grand lecteur, et il ne se rappelait même plus quand il avait mis les pieds dans une bibliothèque pour la dernière fois. Ça devait être à l'université et sans doute cherchait-il une fille, pas un manuel. Malgré les événements de la journée, après ce bon repas, il eut un coup de barre et, soudain, ses jambes devinrent lourdes. Il se mit à traîner à travers les rangées d'ouvrages alignés sur les étagères métalliques, respirant l'odeur poussiéreuse du papier. Les milliers de titres se mélangeaient, et son cerveau commençait à s'embrouiller. Il avait plus que tout envie de se rouler en boule dans un coin pour faire une sieste, et sombrait de plus en plus dans la torpeur quand il sentit soudain que quelque chose n'allait pas.

Il était suivi.

Ce fut d'abord une intuition, puis il entendit des pas, à gauche dans une rangée parallèle. Il se retourna, juste à temps pour apercevoir un talon qui disparaissait derrière les étagères. À travers sa veste, il toucha son arme, puis se hâta vers le bout de l'allée. Personne. Il écouta avec soin et crut déceler un bruit, un peu plus loin, aussi avança-t-il dans cette direction à pas de loup, jusqu'à deux rangées du centre de la salle. Il tourna d'un seul coup dans l'allée suivante et vit un homme qui s'enfuyait.

« Eh ! », l'interpella-t-il.

L'autre s'arrêta et se retourna. Obèse, la barbe hirsute, d'un noir moucheté, il portait des chaussures de marche, un sweat-shirt mangé aux mites et une parka, comme si c'était l'hiver. Ses joues étaient grêlées, rougeaudes, il avait le nez bulbeux, la peau épaisse, comme une orange. Il avait de petites lunettes cerclées de fer qui semblaient sorties d'un magasin bon marché. Il devait avoir une bonne cinquantaine d'années, pourtant son attitude semblait être celle d'un gamin pris en train de faire une bêtise.

Will s'approcha avec précaution.

« Vous me suivez ?

— Non.

— Moi, je crois que si.

— C'est vrai, je vous ai suivi », admit l'autre.

Will reprit son souffle. Cet homme ne représentait aucun danger. Il le classa aussitôt dans la catégorie des schizophrènes, non violent, facilement contrôlable.

« Pourquoi me suivez-vous ?

— Pour vous aider à trouver un livre. »

Le ton était laconique, monocorde. Chaque mot sur le même plan, sans intention cachée.

« Dans ce cas, mon vieux, tu vas pouvoir m'aider. Les bibliothèques, c'est pas trop mon truc. »

L'homme sourit, découvrant une rangée de dents noircies.

« J'adore la bibliothèque.

— Très bien, dans ce cas, allons-y. Je m'appelle Will.

— Moi, je m'appelle Donny.

— Salut, Donny. Vas-y, guide-moi. »

L'étrange personnage s'engouffra dans les allées, comme un rat connaissant par cœur son labyrinthe. Il emmena Will dans un angle, puis lui fit descendre deux étages, jusqu'à un sous-sol où il s'enfonça, l'air de parfaitement savoir où il allait. Ils croisèrent une bibliothécaire, femme âgée qui poussait un chariot rempli de livres. Un sourire fleurit sur ses lèvres, contente de voir que Donny avait trouvé un partenaire de jeu.

« Tu dois vraiment avoir un super livre pour moi, Donny, l'interpella Will.

— Oui, j'ai un super livre pour toi. »

Comme il avait tout son temps, Will trouvait la situation plutôt cocasse. Le type qu'il suivait manifestait tous les symptômes de la schizophrénie chronique. Peut-être était-il aussi un peu retardé. En tout cas, il devait avoir un lourd traitement médicamenteux. À cette profondeur dans les entrailles de la bibliothèque, Will était sur son territoire à lui, il jouait son jeu, mais ça ne le dérangeait pas.

Enfin, Donny s'arrêta à mi-chemin d'une rangée pour attraper un gros livre à la couverture usée, situé en hauteur. Il dut utiliser les deux mains pour réussir à l'arracher à son étagère avant de le tendre à son compagnon.

« La Bible ? s'exclama Will avec surprise. Faut que je te dise, Donny, la Bible, c'est pas trop mon truc. Et toi, tu lis la Bible ? »

L'autre regarda ses chaussures et secoua la tête. « Je ne lis pas la Bible.

— Et tu penses que, moi, je devrais ?

— Tu devrais lire la Bible.

— Tu aurais autre chose à me proposer ?

— Oui. Un autre livre. »

Il repartit à toute allure, Will sur les talons, portant sous le bras une bible de près de quatre kilos, coincée contre son revolver. Sa mère, femme effacée de confession baptiste, passait son temps à lire la Bible, ce qui l'avait aidé à supporter son salopard de mari pendant trente-sept ans. Soudain, il la revit à la table de la cuisine, s'accrochant aux Saintes Écritures comme si sa vie en dépendait, le menton tremblant, tandis que son père, complètement saoul, l'invectivait à pleins poumons depuis le salon. Quand, à son tour, elle se mit à boire pour supporter sa condition, elle continua d'y chercher le réconfort et le pardon. Will n'était pas prêt à lire la Bible.

« Le bouquin suivant va être aussi sérieux que le premier ?

— Oui. Un bon livre à lire pour toi. »

Il avait hâte de voir ça.

Ils descendirent une nouvelle volée de marches et parvinrent au dernier sous-sol. Le nombre de visiteurs qui s'y rendaient devait être restreint. Soudain, Donny s'arrêta net et tomba à genoux devant une étagère remplie de vieux volumes reliés cuir. D'un air triomphant, il en retira un.

« Un bon livre à lire pour toi. »

Will se demandait vraiment de quoi il s'agissait. Qu'est-ce qui dans la représentation du monde que se faisait cette âme infortunée pouvait bien rivaliser avec la Bible ? Il s'attendait à une révélation.

« Archives de l'État de New York – 1951 »

Il posa le livre saint pour examiner ce nouvel ouvrage. Des pages et des pages de paperasse administrative, dont une grosse part concernant les permis de construire. Il devait y avoir un demi-siècle au moins que personne n'y avait touché.

« Eh bien, Donny, pour un livre sérieux, c'est un livre sérieux !

— Ouais. C'est un bon livre.

— Tu les as choisis au hasard, tous les deux ? »

Il hocha la tête avec vigueur.

« Au hasard, Will. »

À 17 h 30, il dormait profondément dans la salle de lecture, la tête posée sur l'oreiller que constituaient la bible et les archives de l'État de New York. Il sentit qu'on tirait sur sa manche, ouvrit un œil et vit Nancy.

« Coucou. »

Elle se baissa pour voir quels ouvrages il avait choisis.

« Ne me pose aucune question », supplia-t-il.

Ils allèrent s'asseoir dans sa voiture pour parler tranquillement. S'ils voulaient le descendre, ce serait déjà fait, pensa-t-il. Personne encore n'avait donc fait le lien entre eux.

Elle lui raconta qu'au bureau régnait le chaos le plus complet. Elle n'était pas dans le secret, mais les rumeurs se propageaient à grande vitesse. Le nom de Will était sur la liste des personnes interdites de vol, et sa tentative d'embarquement à LaGuardia avait déclenché l'alarme dans toutes les agences fédérales. Sue Sanchez était aux cent coups : elle avait passé la journée enfermée dans son bureau avec la hiérarchie, n'en sortant que pour aboyer des ordres et emmerder tout le monde. On avait posé quelques questions à Nancy sur les intentions de Will, et lorsqu'elle avait prétendu ne rien savoir, ils avaient semblé la croire. Sue lui avait presque fait des excuses pour l'avoir obligée à suivre l'affaire Apocalypse avec lui, et ne cessait de lui répéter que cela n'entacherait en rien ses états de service.

Will soupira.

« Bon, ben, je suis cloué au sol. Je ne peux pas prendre l'avion, ni louer une voiture, ni même utiliser ma carte bancaire. Si j'essaie de sauter dans un train ou un car, je me ferai cueillir à la Penn Station ou par la police portuaire. »

Il regarda dehors, par la vitre du côté passager, puis posa la main sur sa cuisse et la tapota gentiment.

« Va falloir que je vole une bagnole, j'imagine.

— Tu as tout à fait raison. Tu vas voler une voiture. »

Puis elle mit le moteur en marche et quitta le parking.

Ils se disputèrent pendant tout le trajet. Il ne voulait pas que ses parents soient mêlés à cette affaire, mais Nancy insistait.

« Je veux qu'ils te rencontrent. »

Il voulut savoir pourquoi.

« Ils ont tellement entendu parler de toi. Ils t'ont vu à la télé. » Elle marqua un temps d'arrêt avant d'ajouter : « Et puis ils savent. Pour nous.

— Attends, ne me dis pas que tu as raconté à tes parents que tu avais une liaison avec ton coéquipier qui a presque le double de ton âge ?

— Nous sommes très proches. Et tu n'as pas le double de mon âge. »

La demeure des Lipinski était une maison en brique des années 1930, au toit pentu recouvert d'ardoises, située au bout d'une petite impasse, juste en face du lycée où Nancy avait étudié. Les massifs de fleurs débordaient de roses orange et rouges, comme si le bâtiment était en feu.

Joe Lipinski se trouvait derrière la maison. Torse nu, vêtu d'un short trop grand, il était petit et couvert de touffes de poils blancs – rares sur son crâne brûlé par le soleil, plus denses sur sa poitrine. Ses joues rondes et espiègles formaient la partie la plus charnue de sa personne. À genoux dans l'herbe, il taillait un rosier. Dès qu'il les vit, il se remit debout d'un bond en s'écriant :

« Eh ! mais c'est notre héros du FBI ! Bienvenu à la Casa Lipinski !

— Vous avez un magnifique jardin, monsieur, le complimenta Will.

— Pas de monsieur entre nous : appelez-moi Joe. En tout cas, merci. Vous aimez les roses ?

— Bien sûr. »

Le père de Nancy choisit une fleur pas encore éclose, la coupa et la lui offrit :

« Pour votre boutonnière. Mets-la-lui, ma chérie. »

La jeune femme s'exécuta en rougissant.

« Et voilà ! Vous êtes prêts pour le bal de promo ! Allons, rentrons nous mettre au frais. Le dîner est bientôt prêt.

— Je ne veux pas vous causer d'embarras », protesta Will.

Joe lui fit signe qu'il n'y avait aucun problème, puis il adressa un clin d'œil à sa fille.

À l'intérieur, il faisait bon car le père de Nancy était contre l'air conditionné. La maison constituait un cadre d'époque : elle n'avait pas changé depuis 1974, date à laquelle les Lipinski avaient emménagé. Quant à la cuisine et aux sanitaires, ils dataient des années 1960. De petites pièces aux épais tapis un peu mous, aux vieux meubles usés : la première génération à avoir fui vers la banlieue.

Mary Lipinski s'affairait dans la cuisine, où d'agréables odeurs émanaient des casseroles. C'était une jolie femme qui se maintenait en forme, bien qu'elle soit un peu épaisse au niveau des hanches, remarqua Will. Il avait la désagréable habitude de jouer à deviner à quoi ressemblerait dans vingt ans la femme avec qui il sortait – alors qu'aucune de ses relations n'avait jamais dépassé les vingt mois. Néanmoins, la mère de Nancy avait un visage jeune, de beaux cheveux bruns qui lui tombaient sur les épaules, la poitrine ferme et de jolis mollets. Pas mal, pour une femme de près de 60 ans.

Joe était expert-comptable, et Mary secrétaire. Ils s'étaient rencontrés sur leur lieu de travail, chez General Foods. Il avait une dizaine d'années de plus qu'elle. Mary était de White Plains, et Joe, au début, faisait les allers-retours depuis le Queens. Lorsqu'ils s'étaient mariés, ils avaient acheté cette petite maison sur Anthony Road, à un kilomètre et demi de leur travail. Des années plus tard, Kraft s'était emparé de General Foods et avait fermé les bureaux de White Plains. Joe avait alors décidé d'ouvrir son propre cabinet, et Mary avait été embauchée comme secrétaire comptable dans une concession Ford. Nancy était leur fille unique et ils étaient aux anges qu'elle habite à nouveau sous le toit familial.

« Voilà, nous sommes les Joseph et Marie modernes. »

Ainsi conclut-il l'histoire familiale qu'il avait en quelques mots racontée à Will, tout en lui passant le plat de haricots verts. La radio diffusait un opéra de Verdi. Will se sentait parfaitement détendu, le palais satisfait par une nourriture délicieuse, bercé par la musique et par cette conversation ordinaire. C'était le genre de douce soirée en famille qu'il n'avait jamais pu offrir à sa fille. Il manquait juste un verre de vin ou une bière, mais les Lipinski ne buvaient quasiment pas.

Joe semblait tenir à sa blague biblique :

« On est pareils aux originaux, à la différence que celle-ci, on s'est mis à deux pour la faire !

— Papa ! protesta Nancy.

— Voulez-vous encore du poulet, Will ? demanda Mary.

— Avec plaisir, merci beaucoup.

— Nancy nous a dit que vous aviez passé l'après-midi dans notre belle bibliothèque municipale ?, fit Joe.

— C'est exact. Et j'y ai rencontré un drôle de personnage.

— Donny Golden, déclara Mary avec tristesse.

— Vous le connaissez ?

— Tout le monde connaît Donny, à White Plains, répondit Nancy.

— Mary, raconte-lui, ajouta Joe.

— Eh bien, Will, en fait, Donny et moi étions ensemble au lycée.

— C'était même sa petite amie ! gloussa Joe.

— Je suis sortie une fois avec lui ! corrigea sa femme. Quelle histoire désolante ! C'était un très beau garçon, issu d'une excellente famille juive. Il était tout à fait normal et en bonne santé lorsqu'il est entré à l'université. Au cours de sa première année, il est tombé malade. Certains ont dit que c'était un problème lié à la drogue, d'autres une maladie mentale. Il a passé des années dans un institut. Aujourd'hui, il vit dans le centre, dans une espèce de foyer où on s'occupe plus ou moins de lui, et il passe son temps à la bibliothèque. Il est inoffensif, mais c'est dur de le voir ainsi. Je ne peux me résoudre à aller là-bas.

— Sa vie n'est pas si mauvaise que ça, reprit Joe. Pas de stress. Il n'a pas conscience des problèmes qui affligent la société et le monde.

— Moi aussi, je trouve ça triste, fit Nancy. J'ai vu les albums de lycée de maman. C'était vraiment un beau garçon.

— Qui aurait pu deviner ce que lui réservait le sort ? soupira sa mère. On ne sait jamais ce qui nous attend. »

Tout à coup, Joe redevint sérieux.

« Et vous, Will, vous savez ce qui vous attend ? J'ai entendu dire qu'il se passait de drôles de choses. Je me fais du souci pour vous, bien sûr, mais en tant que père, je m'en fais beaucoup plus pour ma fille.

— Papa, Will n'a pas le droit de parler d'une enquête en cours.

— C'est vrai. Mais je vous entends, Joe. J'ai certaines choses à régler, et je ne veux pas que Nancy y soit mêlée. Elle est partie pour faire une brillante carrière.

— Je préférerais qu'elle fasse quelque chose de moins dangereux que de travailler pour le FBI », intervint sa mère, ressassant ce qui semblait être un refrain habituel.

Nancy leva les yeux au ciel et Joe balaya les inquiétudes de sa femme d'un revers de main.

« J'ai compris que vous étiez sur le point de conclure une arrestation, mais qu'on vous a retiré l'affaire à tous les deux. Comment ce genre de chose peut-il se produire aux États-Unis ? Quand mes parents habitaient encore la Pologne, c'était monnaie courante, mais ici ?

— Eh bien, c'est ce que je voudrais éclaircir. Nancy et moi, nous avons consacré beaucoup de temps à cette enquête, et il y a des victimes qui n'ont pas eu leur mot à dire.

— Faites votre devoir. Vous me semblez être un type bien. Et Nancy vous apprécie beaucoup. Ça signifie que je ne vous oublierai pas dans mes prières. »

L'opéra était terminé et la radio diffusait à présent un bulletin d'informations. Aucun d'eux n'y aurait fait attention s'ils n'avaient surpris le nom de Will.

« À présent, les autres nouvelles. Le bureau du FBI de New York a émis un mandat d'arrestation à l'encontre d'un de ses membres. Il s'agit de l'agent spécial Will Piper, qu'on recherche en raison d'irrégularités de procédure et peut-être de malversations liées à l'affaire Apocalypse. Piper, membre du FBI depuis près de vingt ans, a servi de porte-parole auprès des médias au cours de cette enquête. Ses intentions sont inconnues, il est censé être armé, voire dangereux. Si vous détenez des informations à son sujet, contactez au plus vite le poste de police le plus près de chez vous ou le FBI. »

L'air sombre, Will se leva et enfila sa veste. Ses doigts s'attardèrent sur le bouton de rose.

« Joe, Mary, je vous remercie pour votre accueil. Il faut que j'y aille maintenant. »

À cette heure, le trafic était fluide. Ils s'arrêtèrent d'abord dans une supérette sur Rosedale Avenue, où Nancy alla lui acheter le nécessaire tandis qu'il attendait, impatient, dans la voiture. Elle déposa les deux sacs sur la banquette arrière et répondit d'un ton ferme que non, elle ne lui avait pas pris d'alcool.

Ils s'apprêtaient à franchir Whitestone Bridge quand Will lui rappela de prévenir sa fille. Puis le silence s'installa, et ils regardèrent le soleil qui se couchait sur Long Island, illuminant le bras de mer de ses derniers feux orangés.

La demeure des grands-parents de Nancy se trouvait dans une rue tranquille de Forest Hills, bordée de minuscules maisons de poupées. Son grand-père était désormais placé dans un établissement spécialisé pour les patients atteints d'Alzheimer. Sa grand-mère était en visite chez une nièce, en Floride, pour se reposer un peu. La vieille Ford Taurus du grand-père était toujours dans le garage. « Au cas où ils réussiraient à le guérir », fit Nancy en plaisantant tristement. Ils arrivèrent au crépuscule et se garèrent devant la demeure. Les clefs du garage étaient dissimulées sous une brique, celles du véhicule, sous un pot de peinture, à l'intérieur. À présent, c'était à lui de jouer.

Il se pencha pour l'embrasser, et ils s'étreignirent longuement, comme un couple dans un drive-in.

« On pourrait faire un tour à l'intérieur ? », suggéra Will.

Elle prit ses mains dans les siennes.

« Pas question de faire ça en cachette dans la maison de ma grand-mère !

— Alors, c'est une mauvaise idée ?

— Très mauvaise. En plus, après, tu aurais envie de dormir.

— C'est vrai, ce ne serait pas bien.

— Non. Tu m'appelleras à chaque étape, d'accord ?

— D'accord.

— Will, tu feras bien attention à toi ?

— Mais oui.

— Promis ?

— Promis.

— Il y a un truc qui s'est passé au bureau, aujourd'hui, dont je ne t'ai pas parlé, lui dit-elle en l'embrassant une dernière fois. John Mueller est revenu pour quelques heures. Sue nous a remis ensemble, sur l'affaire des vols de banque à Brooklyn. J'ai discuté un moment avec lui et, tu sais quoi ?

— Quoi ?

— C'est un vrai con. »

Il éclata de rire, leva le pouce puis ouvrit la portière. « Alors, mon travail ici est terminé. »

Mark se rongeait les sangs. Pourquoi avait-il accepté de retourner au bureau alors qu'il était en vacances ?

Il n'avait jamais su dire non, car il n'avait pas assez confiance en lui. Il avait toujours fait tout son possible pour plaire à ses parents, ses professeurs, ses employeurs. Il cherchait sans cesse à être bien vu, à en faire plus, par peur de décevoir. Mais il n'avait pas envie de quitter l'hôtel, cette bulle magnifique où il vivait avec Kerry.

En cet instant, elle se faisait une beauté dans la salle de bains. Ils avaient tout un programme pour la nuit : dîner chez Robuchon, ensuite quelques parties de black-jack, puis retour au Venetian Hotel pour boire un verre au Tao Beach Club.

Il lui faudrait partir tôt et se rendre directement à l'aéroport. À l'aube, il ne serait sans doute pas en grande forme, mais que pouvait-il faire d'autre ? S'il n'y allait pas, toutes les alarmes se déclencheraient.

Il était déjà en tenue de soirée et tournait en rond dans sa suite comme un lion en cage. Aussi se connecta-t-il à Internet. Il secoua la tête : encore un courriel d'Elder. Quelle sangsue ! Mais un marché est un marché. Peut-être, en lui demandant cinq millions, s'était-il vendu au rabais. Sans doute lui redemanderait-il la même somme dans quelques mois. Que ferait l'autre alors ? Pourrait-il refuser ?

L'équipe de Malcolm Frazier passait en revue la liste envoyée par Desert Life : ils étaient dorénavant en alerte Alpha, ce qui signifiait qu'ils bossaient non-stop en se nourrissant de sandwichs, et en se reposant quelques heures à tour de rôle sur des lits de camp. Pour commencer, ils étaient de mauvaise humeur à l'idée de passer leur nuit à la zone 51, loin de leur épouse ou de leur petite amie. Frazier avait même obligé Rebecca Rosenberg à leur tenir compagnie – une première. Toute cette situation la mettait hors d'elle.

Il désigna l'écran avec irritation.

« Regardez ça. Il est à nouveau sur son portail crypté. Comment ça se fait que vous ne parveniez pas à le décoder ? Franchement, ça va vous prendre combien de temps ? On ne sait même pas qui est à l'autre bout ! »

Rosenberg, qui suivait elle aussi les choses sur son écran, lui répondit du tac au tac :

« C'est l'un des meilleurs spécialistes du pays en matière de sécurité informatique !

— Et après ? Vous êtes sa chef, alors décryptez ce putain de code, vous voulez bien ? De quoi on va avoir l'air si on est obligés de refiler le bébé aux services secrets, hein ? Vous êtes censée être la meilleure, vous vous rappelez ?

— Le meilleur, c'est Shackleton ! Je supervise son travail ! Alors, maintenant, foutez-moi la paix ! », hurla-t-elle, à bout de nerfs, faisant sursauter tous les hommes présents dans la pièce.

Mark avait presque fini de répondre à son courrier électronique quand la porte de la salle de bains s'entrouvrit.

« Je suis bientôt prête ! lui lança Kerry avec son accent chantant.

— J'aimerais tellement ne pas avoir besoin de retourner au boulot demain, dit-il par-dessus la télévision.

— Moi aussi. »

Il coupa le son. Elle aimait bien lui parler quand elle était dans la salle de bains.

« On pourrait peut-être remettre ça le week-end prochain ?

— Ce serait génial. »

Le robinet se mit à couler, puis s'arrêta.

« Tu sais ce qui serait encore plus génial ? », renchérit-elle. Il éteignit l'ordinateur et le rangea dans sa housse.

« Dis-moi, qu'est-ce qui serait encore plus génial ?

— Si on allait passer le week-end prochain à Los Angeles, tous les deux ? C'est vrai, ça, toi et moi, on a envie d'aller vivre là-bas. À présent que tu as tout cet argent, tu peux laisser tomber ce boulot débile sur les ovnis pour devenir scénariste à temps complet, et moi, je peux laisser tomber mon boulot débile d'*escort girl* et de secrétaire à la clinique de vasectomie pour devenir actrice, pour de bon. On pourrait commencer à visiter des maisons, aussi ? Qu'est-ce que tu en dis ? Ce serait chouette ! »

La tête de Will Piper apparut soudain en gros plan sur l'écran plasma. Nom de Dieu, songea Mark, c'est la seconde fois en deux jours ! Il remit le son.

« Tu m'entends ? Ce serait chouette, pas vrai ?

— Attends une minute, Kerry, faut que je regarde quelque chose ! »

Il écouta les informations avec un sentiment d'horreur grandissant. On aurait dit qu'un boa constrictor s'enroulait autour de sa poitrine et serrait, serrait, pour l'étouffer. Hier, ce type se vantait en *prime time* d'avoir presque résolu l'affaire, aujourd'hui, c'était un fugitif recherché par toutes les polices ! Et comme par hasard, on l'appelait pour qu'il retourne au bureau au beau milieu de ses vacances ! Ses deux cents points de QI étaient tous concentrés sur le même objectif.

« Putain, putain, putain, putain, putain…

— Qu'est-ce que tu dis, chéri ?

— Une minute, s'il te plaît ! »

Il tremblait comme s'il avait la malaria quand il attrapa son ordinateur.

Il n'avait jamais songé à faire ça ; beaucoup de gens à la zone 51 étaient tentés – c'est bien pour ça que les gardiens existaient, de même que ses algorithmes –, mais lui, il n'était pas comme les autres. Il était fataliste. À présent, toutefois, il lui fallait à tout prix savoir. Il entra son mot de passe et arriva sur la base de données piratée. Il devait faire vite. S'il s'arrêtait pour réfléchir, il risquait de se dégonfler.

Il commença à entrer des noms.

Kerry sortit de la salle de bains toute pomponnée, vêtue d'une robe moulante rouge, sa nouvelle montre étincelant à son poignet.

« Mark ! Qu'y a-t-il ? »

L'ordinateur fermé, posé sur les genoux, il pleurait comme un enfant, de gros sanglots soulevant sa poitrine au milieu d'un torrent de larmes. Elle s'agenouilla auprès de lui et l'entoura de ses bras.

« Qu'est-ce qu'il y a, mon bébé ? »

Il secoua la tête.

« Mais que s'est-il donc passé ? »

Il devait réfléchir vite.

« J'ai eu un courriel, fit-il d'une voix entrecoupée. Ma tante… est morte.

— Oh, mon trésor, je suis désolée ! »

Il se leva, les jambes tremblantes, à la limite de la syncope. Elle se redressa, et l'étreignit, ce qui l'empêcha de basculer en arrière.

« Et c'est arrivé de manière imprévue ? »

Il hocha la tête et s'essuya le visage de sa manche. Elle alla lui chercher un mouchoir, revint en hâte à ses côtés et lui tamponna les yeux, les joues, comme une mère avec son enfant.

« Partons pour Los Angeles dès ce soir. Tout de suite. En voiture. La mienne a un problème, on prendra la tienne. Demain, on achète une maison, OK ? Dans les collines de Hollywood. Beaucoup de scénaristes et d'actrices vivent là-bas. Ça te va ? Tu es prête ? »

Elle le considérait, inquiète, perplexe.

« Tu es sûr de vouloir partir tout de suite, Mark ? Tu viens de subir un choc. Peut-être qu'on devrait attendre demain matin. »

Il tapa du pied et comme un enfant s'écria :

« Non ! Je ne veux pas attendre ! On part tout de suite ! »

Elle recula d'un pas.

« Mais pourquoi tant de hâte, mon chou ? »

Il lui faisait un peu peur.

Il faillit se remettre à pleurer, mais réussit à se maîtriser. Inspirant fort à travers ses narines congestionnées, il rangea son ordinateur portable et éteignit son téléphone.

« Parce que la vie est trop courte, Kerry. Oh, oui, putain, trop courte. »

30 juillet 2009

LOS ANGELES

Leur chambre donnait sur rodeo drive, l'avenue la plus chic de Beverly Hills. Debout en peignoir devant la fenêtre aux rideaux légèrement entrouverts, Mark regardait avec tristesse les voitures de luxe tourner à l'angle de Wilshire Boulevard. Le soleil n'était pas encore assez haut dans le ciel pour dissiper la brume matinale, mais la journée s'annonçait parfaite. La suite du quatorzième étage du Beverly Wilshire Hotel coûtait deux mille cinq cents dollars la nuit. Il avait payé *cash*, pour rendre la tâche un peu plus difficile aux gardiens. Mais qui espérait-il tromper ? Il regarda dans le sac de Kerry pour vérifier que son portable était toujours éteint. Il s'en était occupé pendant qu'elle conduisait. Les gardiens devaient en effet être aussi sur ses traces, à présent, aussi essayait-il de gagner du temps. Un temps précieux.

Ils étaient arrivés tard, après une longue route à travers le désert durant laquelle ils n'avaient guère parlé. Mark n'avait pas eu le temps de planifier quoi que ce soit, mais il voulait que tout soit parfait. Un souvenir lui était revenu : il avait 7 ans, il s'était réveillé avant ses parents et, pour la première fois de sa vie, s'était empressé de leur préparer le petit déjeuner. Il avait versé les céréales dans les bols, coupé une banane en rondelles, puis, chargeant tout sur un plateau, cuillères et jus d'orange compris, il s'était fièrement présenté à la porte de leur chambre. Ce jour-là, il voulait aussi que tout fût parfait : son succès lui avait valu des compliments pendant des semaines. S'il parvenait à garder la tête froide, aujourd'hui aussi, il réussirait.

À leur arrivée à Beverly Hills, ils avaient commandé du champagne et des steaks. Champagne encore pour le brunch, avec des crêpes et des framboises. Ils avaient rendez-vous avec un agent immobilier dans le hall de l'hôtel pour visiter des maisons l'après-midi. Il voulait la rendre heureuse.

« Kerry ? »

Elle remua sous les draps, et il prononça de nouveau son nom, un peu plus fort.

« Bonjour, murmura-t-elle dans l'oreiller.

— Le petit déjeuner arrive, avec du mimosa.

— Mais, on n'a pas déjà mangé ?

— C'était il y a des heures. Tu veux te lever ?

— Oui. Tu leur as dit que tu ne retournerais pas travailler ?

— Ils le savent.

— Mark ? Tu étais bizarre, hier soir.

— Je sais.

— Ça va aller, aujourd'hui ?

— On va essayer.

— Mais, on va vraiment acheter une maison ?

— Si tu en trouves une à ton goût. » Elle se redressa, tournant vers lui un visage illuminé d'un sourire resplendissant.

« Eh bien, on dirait que la journée commence bien pour moi. Viens par ici si tu veux que la tienne aussi démarre bien. »

Will conduisit toute la nuit. À présent, il traversait les vastes plaines de l'Ohio, en évitant les flics et les radars. Fonçant dans l'aube naissante, il jouait le tout pour le tout, dans l'espoir d'en réchapper. Il savait qu'il lui faudrait s'arrêter pour se reposer à un moment ou à un autre. Il choisirait un motel bas de gamme en bordure de route ; il dormirait quatre heures ici, six heures ailleurs, pas plus. Il voulait être à Las Vegas vendredi soir pour gâcher le week-end de ce connard.

Il ne se souvenait plus à quand remontait sa dernière nuit blanche, qui plus est sans une goutte d'alcool, mais il ne se sentait pas bien. Il éprouvait une envie irrépressible de boire, de dormir, de déverser toute sa colère, toute son indignation sur quelque chose. Ses mains étaient engourdies à force d'être crispées sur le volant, et sa cheville droite endolorie, car la vieille Taurus n'avait pas de régulateur de vitesse. Ses yeux rouges et secs le piquaient. Sa vessie était pleine à craquer à cause du dernier grand café qu'il s'était envoyé. Le seul élément qui lui apportait un tant soit peu de réconfort, c'était le bouton de rose rouge des Lipinski, magnifique et plein de sève, qui trônait dans une bouteille d'eau bien calée.

Au beau milieu de la nuit, Malcolm Frazier quitta le centre des opérations et partit faire un tour pour s'éclaircir l'esprit. Ces dernières informations étaient incroyables. Putain, incroyables ! Et cette abomination s'était déroulée sous son nez. S'il survivait – si son équipe survivait ! –, il devrait passer le restant de ses jours à témoigner devant le Pentagone.

L'alarme s'était déclenchée au moment où Shackleton avait éteint son portable. Plus de repère. Aussitôt, une équipe s'était lancée à l'assaut du Venetian Hotel, mais l'oiseau s'était envolé. Sa Corvette était encore à sa place, et la note de la suite n'était pas réglée.

S'ensuivit une heure très sombre. Puis la chance tourna. Shackleton fréquentait une femme, une brune sexy qui, d'après le concierge, était une *escort girl*. Ils consultèrent la liste des gens à qui Shackleton avait téléphoné et trouvèrent des douzaines d'appels adressés à une certaine Kerry Hightower, qui correspondait à la description du concierge.

Ils localisèrent son portable à elle : pour l'heure, elle filait sur l'autoroute I-15, en direction de l'ouest. Le signal cessa vingt-cinq kilomètres avant Barstow. Ils se rendaient sans doute à LA. Ils transmirent la description de sa voiture ainsi que son numéro d'immatriculation à la police locale. Ils apprendraient, le lendemain après-midi, qu'elle avait abandonné sa Toyota et conduisait désormais une voiture de location.

Rebecca Rosenberg en était à son troisième Snickers depuis minuit quand, enfin, elle réussit à percer le code de Mark Shackleton. Elle faillit s'étouffer avec une cacahuète. Elle quitta son bureau en hâte, courut avec lourdeur jusqu'au centre des opérations où elle déboula au milieu des gardiens, sa coiffure afro de femme blanche se balançant sur ses épaules.

« Il a transmis des DDD à une entreprise ! », souffla-t-elle.

Frazier se trouvait à son bureau. Il la regarda, blême, comme s'il s'apprêtait à vomir. C'était donc allé si loin.

« Putain, c'est pas vrai ! Vous êtes sûre de ce que vous dites ?

— 100 % sûre.

— Quel genre de boîte ? »

Le pire restait à venir :

« Assurances vie. »

Les couloirs du premier laboratoire de recherche étaient déserts, ce qui décuplait l'écho. Pour diminuer sa tension intérieure, Malcolm Frazier toussa, jouant avec le phénomène acoustique. Crier ou ululer manquait par trop de dignité, même si personne ne l'écoutait. Dans la journée, en tant que chef de la sécurité NTS-51, il arpentait les sous-sols d'un pas vigoureux, pesant, pour intimider le personnel. Il aimait qu'on le craigne, et la haine viscérale que tout le monde éprouvait pour les gardiens ne l'émouvait guère. Cela signifiait qu'ils faisaient bien leur boulot. Sans la peur, comment faire respecter l'ordre ? La tentation d'exploiter les données à leur profit était trop grande pour tous ces tordus d'informaticiens. Il n'avait que mépris pour eux et éprouvait toujours un sentiment de supériorité quand il les voyait défiler en sous-vêtements par le portail d'entrée, gros et pleins de bourrelets, ou maigres et faibles, mais jamais bien bâtis et musclés comme ses hommes à lui. Shackleton, se rappela-t-il, appartenait à la seconde catégorie : il aurait pu le briser comme un morceau de verre.

Il prit l'ascenseur spécial dont il possédait la clef d'accès. La machine descendait si doucement que c'en était à peine perceptible. Quand il sortit, à l'étage de la crypte, il n'y avait pas âme qui vive. Ses mouvements allaient déclencher un moniteur et l'un de ses hommes le verrait apparaître sur son écran. Sa présence en ces lieux était autorisée, il connaissait le code d'accès et faisait partie des rares privilégiés qui pouvaient franchir les lourdes portes blindées.

La crypte exerçait sur lui une attraction viscérale. Frazier sentit son dos se raidir comme si on lui avait enfoncé une tige de métal dans la colonne vertébrale. Sa poitrine se gonfla, ses sens s'affinèrent malgré la faible lueur bleue. Certaines personnes se sentaient toutes petites dans cet espace immense ; lui gagnait en grandeur, en puissance. Cette nuit, alors qu'il traversait la plus grande crise sécuritaire de toute l'histoire de la zone 51, il éprouvait le besoin d'être là.

Il pénétra dans l'atmosphère fraîche et sèche, fit deux pas, puis dix, puis cinquante. Il n'avait pas l'intention d'aller tout au bout : il n'en avait pas le temps. Il s'avança juste assez pour ressentir toute la magnitude du plafond en forme de dôme et ses dimensions dignes d'un stade. Il laissa le bout de ses doigts frôler la tranche d'un volume. En réalité, il était interdit de toucher aux livres, mais bon, il ne l'avait pas sorti de son étagère, c'était juste pour affirmer son pouvoir.

La reliure était lisse, froide, couleur de cuir moucheté. Une date apparaissait : 1863. Il y en avait des rangées entières. La guerre de Sécession. Et Dieu sait ce qui se passait à l'époque dans le reste du monde. Il n'était pas historien.

Le long du mur de la crypte, un étroit escalier menait à une passerelle d'où l'on avait une vue panoramique des lieux. Des milliers d'étagères métalliques s'étendaient au loin, près de sept cent mille volumes reliés cuir, contenant plus de deux cent quarante milliards de noms. La seule façon d'appréhender ces nombres vertigineux, c'était de grimper là-haut pour contempler la bibliothèque. Il y avait longtemps que toutes les informations étaient stockées sur ordinateur, et les dingues d'informatique étaient impressionnés par les térabits de données et autre conneries du même genre. Mais rien ne pouvait égaler la crypte. Il s'agrippa à la rambarde, se pencha et prit une inspiration longue et profonde.

La matinée de Nelson Elder débutait bien. Assis à sa table préférée, dans la cafétéria de l'entreprise, il entamait une omelette de blancs d'œufs en lisant son journal. Il était allé courir, avait pris une bonne douche chaude et, ainsi revigoré, envisageait l'avenir avec une confiance renouvelée. Parmi tous les facteurs qui affectaient son humeur, le plus important était de très loin le cours de l'action Desert Life. Or, le mois précédent, celle-ci avait gagné 7,2 %. La veille, elle avait grimpé de 1,5 % en une seule journée, battant des records. Il était encore trop tôt pour que le marché incroyable conclu avec Peter Benedict puisse influer sur la compagnie. Toutefois, le P-DG pouvait prédire avec une certitude mathématique que refuser d'assurer sur la vie des gens qui allaient bientôt la perdre et ajuster les primes de ceux dont la date de décès arrivait à moyen terme permettraient à son entreprise de toucher le jackpot.

Par-dessus le marché, les tractations occultes de Bert Myers avec le fonds d'investissement du Connecticut commençaient à porter leurs fruits, avec un rapport à deux chiffres en juillet. La confiance agressive d'Elder transparaissait dans sa manière de s'adresser à ses interlocuteurs, investisseurs et analystes financiers – et Wall Street n'y était pas insensible. L'image de Desert Life changeait.

Il se fichait complètement de savoir comment ce drôle de Peter Benedict pouvait avoir accès à cette base de données magique, d'où elle sortait, ni comment il était possible qu'une telle chose existe. Il n'était ni philosophe ni moraliste. Seul Desert Life l'intéressait. Or, il disposait dorénavant d'un atout avec lequel aucun de ses concurrents ne pouvait rivaliser. Il avait donné à Benedict cinq millions de dollars de sa propre poche, pour éviter que les auditeurs qui épluchaient les transactions d'entreprise ne posent des questions. Les aventures de Bert au pays des fonds d'investissement lui causaient déjà assez de soucis.

Toutefois, cet argent avait été bien dépensé. La valeur de son propre portefeuille boursier avait pris dix millions en un mois – voilà ce qu'on appelait un bon retour sur investissement. Il interrogeait lui-même Benedict. Nul n'était au courant, pas même Bert. C'était trop bizarre, trop dangereux. Il avait déjà eu assez de mal à expliquer au responsable des souscriptions pourquoi il avait besoin de recevoir la liste quotidienne des personnes qui souhaitaient prendre une assurance-vie auprès de Desert Life.

Voyant son patron qui déjeunait seul, Bert vint vers lui, tout sourire, en agitant l'index.

« Je connais votre secret, Nelson ! »

L'autre sursauta.

« Que dites-vous ? fit-il d'un ton grave.

— Vous nous laissez tomber cet après-midi pour aller jouer au golf ! »

Elder sourit tout en poussant un soupir de soulagement.

« Comment le savez-vous ?

— Je suis au courant de tout ce qui se passe ici, se vanta l'autre.

— Pas tout ! J'ai encore quelques atouts dans ma manche.

— C'est aussi là que vous cachez ma prime ?

— Si les hauts rendements continuent, dans deux ans, vous vous offrirez une île. Vous vous joignez à moi pour le petit déjeuner ?

— Je regrette, réunion budgétaire. Vous jouez avec qui, cet après-midi ?

— L'entreprise Wynn organise une manifestation caritative. Je ne sais pas très bien avec qui ni contre qui je joue.

— Alors, amusez-vous bien, vous le méritez. »

Son patron lui adressa un clin d'œil.

« Vous avez tout à fait raison. »

Nancy ne parvenait pas à se concentrer sur les cambriolages de banques. Elle tourna la page, et réalisa qu'elle n'avait rien retenu de ce qu'elle avait lu jusque-là. Elle devait voir John Mueller un peu plus tard dans la matinée pour lui faire un compte rendu du dossier. Toutes les cinq minutes, elle ouvrait son navigateur en quête de nouvelles de Will. Mais elle tombait toujours sur la même dépêche d'agence, inlassablement recyclée à travers le monde. Enfin, elle craqua.

Sue Sanchez l'aperçut dans le couloir et, de loin, l'interpella. Elle faisait partie des gens que Nancy souhaitait par-dessus tout éviter, mais elle ne pouvait feindre de ne pas avoir entendu.

Sa supérieure semblait très tendue. Une sorte de tremblement agitait le coin de son œil gauche, et sa voix était mal assurée. Elle vint vers elle, ce qui mit Nancy encore plus mal à l'aise.

« Alors, a-t-il essayé de vous contacter ? »

La jeune femme s'assura que son sac était bien fermé.

« Vous m'avez déjà posé la question hier soir, et la réponse n'a pas changé.

— Je suis obligée de vous le demander. Vous avez travaillé ensemble. Ça crée des liens. »

Cette déclaration augmenta le malaise de Nancy, Sue s'en aperçut et fit machine arrière.

« Ce n'est pas à ça que je pensais. Mais parfois, vous savez, des amitiés se nouent.

— Il ne m'a contactée ni par téléphone ni par courriel. D'ailleurs, vous le sauriez, s'il l'avait fait.

— Je n'ai jamais donné l'autorisation pour que vous soyez mis sur écoute, ni l'un ni l'autre ! se récria Sue. Et si c'était le cas, croyez-moi, je le saurais ! Je suis votre supérieure à tous les deux !

— Sue, j'en sais beaucoup moins long que vous sur toute cette affaire, mais seriez-vous vraiment choquée d'apprendre qu'une autre agence fédérale est sur le coup ? »

Sanchez semblait blessée, sur la défensive.

« J'ignore de quoi vous parlez. »

Nancy haussa les épaules, et sa supérieure retrouva son calme.

« Où allez-vous ? reprit-elle.

— À la pharmacie. Vous avez besoin de quelque chose ? demanda Nancy en se dirigeant vers l'ascenseur.

— Non, merci. Ça va », fit-elle d'un ton peu convaincant.

Nancy traversa cinq carrefours avant de sortir le portable à carte de son sac. Elle s'assura qu'elle n'était pas suivie et appuya sur la touche.

Il décrocha à la seconde sonnerie.

« Pizza Peppino, bonjour.

— Très appétissant !

— Je suis content que tu appelles, dit-il d'une voix qui laissait transparaître une lassitude extrême. Je commençais à me sentir un peu seul.

— Où es-tu ?

— Dans un coin aussi plat qu'un billard.

— Tu peux être plus précis ?

— Alors, d'après un panneau, ce serait l'Indiana.

— Tu n'as pas conduit toute la nuit durant ?

— On dirait bien que si.

— Mais il faut que tu dormes !

— Ouais, ouais.

— Quand penses-tu t'arrêter ?

— Je suis justement en train de chercher un endroit. Tu as appelé Laura ?

— Je voulais d'abord avoir de tes nouvelles.

— Dis-lui que je vais bien. Qu'elle ne doit pas s'inquiéter.

— Elle s'inquiétera quand même. Et moi aussi.

— Comment ça se passe, au bureau ?

— Sue est complètement défaite. Tout le monde se terre dans son bureau.

— Ils ont parlé de moi toute la nuit à la radio. Ils diffusent tous azimuts.

— S'ils ont lancé une chasse à l'homme contre toi, que font-ils pour Shackleton ?

— Il y a peu de chance que je le trouve en train de boire une bière sur sa terrasse.

— Que vas-tu faire alors ?

— Eh bien, je vais m'en remettre à des années d'expérience et mobiliser toutes mes ressources.

— Ce qui veut dire ?

— Que je vais improviser. »

Il se tut, puis reprit :

« Tu sais, j'ai beaucoup réfléchi.

— Ah bon ? À quoi ?

— À nous.

— À nous ? »

Nouveau silence. Bruit de tonnerre au passage d'un poids lourd.

« Je crois que je suis amoureux. »

Elle ferma les yeux. Quand elle les rouvrit, elle était toujours à Manhattan.

« Will, pourquoi dis-tu ça ? C'est le manque de sommeil ?

— Non. Je le pense vraiment.

— S'il te plaît, trouve-toi un motel et dors un peu.

— C'est tout ce que tu as à me dire ?

— Non. Je crois que je suis amoureuse, moi aussi. »

Greg Davis venait de mettre la bouilloire en marche et il attendait. Cela faisait dix-huit mois seulement qu'il était avec Laura Piper et c'était la première crise qu'ils traversaient ensemble. Il voulait se montrer à la hauteur, prouver qu'il était un mec bien, qui épaulait sa compagne. Or, dans sa famille, quand on avait des problèmes, on faisait du thé.

Ils vivaient dans un appartement minuscule, mal éclairé, sans la moindre vue, mais ils préféraient habiter un placard à Georgetown, dans le quartier nord de Washington, plutôt qu'une jolie maison dans une banlieue sans âme. Laura avait fini par s'assoupir à 2 heures, mais dès qu'elle s'était réveillée, elle avait remis la télévision. La bande qui défilait en bas de l'écran lui avait appris que son père était toujours en fuite, et elle s'était remise à pleurer.

« Tu préfères un thé ou une tisane ? »

Il distingua le mot « tisane » entre deux sanglots.

Il lui apporta une tasse et s'assit à ses côtés sur le lit.

« J'ai réessayé de l'appeler, fit-elle d'une voix éteinte.

— Chez lui et sur son portable ?

— J'ai eu sa messagerie. Tu vas être en retard, dit-elle à Greg qui n'était pas encore habillé.

— Je leur ai déjà téléphoné.

— Pour quoi ?

— Pour dire que je ne viendrai pas : je reste avec toi. Je ne veux pas te laisser toute seule. »

Elle le serra dans ses bras et bientôt l'épaule du jeune homme fut trempée de larmes.

« Pourquoi es-tu si gentil avec moi ?

— Quelle question ! »

Son portable se mit à vibrer et à ramper sur la table de nuit. Il s'en saisit avant qu'il ne tombe. Sur l'écran s'afficha : appel non identifié.

Une voix de femme.

« Greg à l'appareil.

— Bonjour, Greg, c'est Nancy Lipinski, on s'est rencontrés chez Will.

— Bien sûr ! Salut, Nancy ! »

Puis il se tourna vers Laura en chuchotant :

« C'est la coéquipière de ton père. »

La jeune femme se redressa d'un seul coup.

« Comment avez-vous eu mon numéro, Nancy ? reprit-il.

— Greg, je travaille au FBI.

— Ah, oui, c'est vrai. Vous appelez au sujet de Will ?

— Oui. Laura est là ?

— Oui. Mais pourquoi est-ce moi que vous appelez ?

— J'ai peur que la ligne de Laura soit sur écoute.

— Mon Dieu. Mais Will, qu'est-ce qu'il a fait ?

— Est-ce que je m'adresse au journaliste ou au compagnon de sa fille ? »

Il hésita puis, devant le regard implorant de Laura, répondit :

« Son compagnon.

— Eh bien, il est dans de sales draps, mais il n'a rien fait de mal. Nous nous sommes approchés d'un peu trop près d'une affaire sensible, et Will refuse de lâcher. Il faut que vous me promettiez que tout ça restera confidentiel.

— Bien sûr. C'est entre nous.

— Alors, passez-moi Laura. Il m'a chargée de lui dire qu'il va bien. »

Véritable moulin à paroles, l'agente immobilière était une blonde platine arrivant au seuil des années Botox. Avec Kerry, ce fut un vrai coup de foudre. Elles jacassaient comme deux copines à l'avant de la grosse Mercedes, tandis que, assis à l'arrière, serrant sa mallette entre ses jambes, Mark paraissait comme indifférent à son entourage.

Il était vaguement conscient de leur bavardage, des voitures qui défilaient sur Santa Monica Boulevard, des gens, des boutiques, du fait qu'il faisait bon dans la berline, et chaud au-dehors, par-delà les vitres teintées. Il percevait bien deux parfums qui se contrariaient l'un l'autre dans l'habitacle, un goût métallique dans sa bouche, un battement derrière ses yeux. Toutefois, aucune de ces sensations n'était reliée aux autres. Il se réduisait à un ensemble de capteurs sensoriels. Son esprit n'analysait plus les données. Il était ailleurs, il était perdu.

Le glapissement de Kerry perça son voile d'indifférence.

« Mark ! Gina t'a posé une question !

— Désolé. Qu'est-ce qu'il y a ?

— Je vous demandais quels étaient vos délais.

— Nous voulons conclure l'affaire rapidement. Très rapidement, fit-il d'une voix douce.

— Génial ! C'est un argument de poids. Et vous m'avez bien dit que vous paieriez comptant ?

— C'est ça.

— Franchement, vous êtes en plein dans le mille ! s'exclama l'agente. Je vois des gens qui débarquent à LA, et tout ce qui les intéresse, c'est Beverly Hills, Bel Air ou Brentwood – les trois B –, mais vous, vous savez ce que vous voulez, et vous foncez. Non mais c'est vrai ! Rendez-vous compte : les collines de Hollywood, dans votre gamme de prix, c'est la meilleure affaire à LA pour des gens comme vous qui en veulent ! On va passer un super après-midi ! »

Il ne répondit pas, et les deux femmes reprirent leur conversation, l'abandonnant à ses idées noires. Quand la Mercedes se mit à grimper dans les collines, il sentit que son dos appuyait contre le siège. Il ferma les yeux. Il était dans la voiture de son père, ils se rendaient à White Mountains, à Pinkham Notch où ils avaient loué un chalet. Ses parents discutaient de choses sans intérêt ; sa tête était pleine de chiffres qu'il essayait d'arranger de manière à prouver un théorème. Quand il y parvint, que la solution explosa dans son esprit, il se sentit noyé de bonheur – à présent, il cherchait désespérément à retrouver cette sensation.

La berline serpentait le long de la petite route, entre les demeures cachées par-delà les portails et les haies. Elle s'arrêta derrière un des nombreux camions qu'ils n'avaient cessé de croiser. Quand Mark ouvrit la portière, il fut terrassé par la chaleur et le vrombissement d'un aspirateur à feuilles. Kerry se rua vers la grille, serrant une liste dans sa main, comme une enfant excitée.

« Elle est adorable ! fit l'agente immobilière à Mark. Mais vous devriez un peu vous ménager, parce que nous avons beaucoup de rendez-vous prévus. »

Frazier tenait à force de café noir et d'adrénaline. S'il avait pu persuader un médecin de lui donner des amphétamines, il en aurait pris sur-le-champ. La zone 51 était à présent en mode jour normal, remplie d'employés qui faisaient leur boulot de crâne d'œuf habituel. Frazier, en revanche, nageait dans des eaux troubles totalement inconnues, jonglant avec une enquête interne et trois opérations simultanées sur le terrain, tout en informant minute par minute ses supérieurs à Washington.

La première équipe était à New York, à la recherche de Will Piper ; la deuxième, à Los Angeles, attendant pour voir si Shackleton se montrerait ; la troisième, à Las Vegas, s'occupait de Nelson Elder et Desert Life. Tous ses hommes étaient d'anciens militaires. Certains avaient même servi dans la CIA, au Moyen-Orient. Ils formaient un ramassis de salopards méchamment efficaces, qui agissaient avec sang-froid à l'heure où une panique impuissante gagnait le Pentagone.

Il se faisait à Rebecca Rosenberg, même si ses habitudes alimentaires le dégoûtaient, car elles révélaient un manque de discipline personnelle. Toute la nuit durant, il l'avait observée qui se goinfrait de barres chocolatées au nougat et au caramel : il lui semblait qu'elle grossissait à vue d'œil. Sa corbeille à papier était remplie d'emballages, elle était d'une laideur repoussante, néanmoins, il devait bien admettre, malgré lui, qu'elle n'était pas seulement la chef des cracks de l'informatique, elle était, elle aussi, une redoutable tête chercheuse. Peu à peu, elle démontait pierre par pierre les remparts élevés par Shackleton, dévoilant l'ampleur de ses activités.

« Regardez ça, lui dit-elle alors qu'il passait par là. Encore des trucs sur Peter Benedict. Il avait une autorisation de crédit sous ce nom au casino Constellation. Il y a même une carte visa.

— Des pistes intéressantes ?

— Il ne s'est guère servi de sa carte, à part pour régler quelques transactions avec la Guilde américaine des auteurs de scénarios, pour enregistrer un texte, je pense.

— Putain, et en plus, il écrit ! Vous pouvez avoir accès à ses textes ?

— Vous voulez dire en piratant leur serveur ? Oui, sans doute. Il y a autre chose.

— Allez-y.

— Il y a un mois, il a ouvert un compte aux îles Caïmans. Il a reçu un virement de cinq millions de dollars de Nelson G. Elder.

— Par les couilles de Truman ! »

Il devait de toute urgence appeler DeCorso, le chef de l'équipe qui opérait à Las Vegas.

« C'est sûrement le meilleur programmeur que nous ayons jamais eu, fit-elle d'un ton admiratif. On a payé un loup pour garder la bergerie.

— Et comment a-t-il pu sortir les données ?

— Aucune idée pour l'instant.

— Il va falloir à nouveau passer au crible chacun des employés. D'un point de vue criminalistique.

— Je sais.

— Vous compris. »

Elle lui jeta un regard mauvais et lui tendit une pièce d'un dollar.

« Soyez chou, allez me chercher un autre Mars.

— Quand j'aurai appelé ce foutu secrétaire à la Marine. »

Harris Lester, le secrétaire à la Marine, jouissait d'un bureau situé dans les profondeurs du Pentagone, aussi loin que possible de l'extérieur, comme tous les espaces internes du complexe. Il avait suivi le parcours classique : service dans la marine pendant la guerre du Vietnam, quelques années parmi le corps législatif du Maryland, trois mandats au Congrès, vice-président senior de Northrop Grumman Mission Systems Division, un poids lourd de l'armement et du renseignement sur la scène internationale, pour finir nommé par le nouveau président au poste de secrétaire à la Marine.

Il faisait partie de cette catégorie de bureaucrates précis, ennemis du risque, qui n'aimaient les surprises ni dans leur vie personnelle ni sur le plan professionnel. Aussi, quand son supérieur, le secrétaire d'État à la Défense, lui avait parlé pour la première fois de la zone 51, s'était-il montré à la fois stupéfait et irrité.

« Est-ce donc une sorte d'initiation au sein d'un cercle secret, monsieur le secrétaire d'État ?

— Est-ce que j'ai l'air de plaisanter ? avait aboyé l'autre. On est en plein dans la réalité. Ce foutu bazar est sous la responsabilité de la marine, c'est une tradition, alors maintenant c'est votre responsabilité : priez donc pour qu'il n'y ait pas de fuite pendant que vous êtes aux commandes ! »

La chemise de Lester était si bien amidonnée qu'elle émit un craquement lorsqu'il s'assit à son bureau. Il lissa sa cravate rayée noir et argent, passa la main sur son crâne pour ordonner ce qui lui restait de cheveux, puis il chaussa ses petites lunettes aux verres sans monture. Il n'avait pas ouvert son premier dossier que son assistant l'appelait déjà :

« Malcolm Frazier vous appelle de Groom Lake. Vous voulez lui parler ? »

Il sentit son estomac se nouer. Ces appels étaient une véritable torture, mais il ne pouvait charger personne d'autre de s'en occuper. C'était son problème, et c'était à lui de prendre les décisions nécessaires. Il jeta un coup d'œil à l'horloge : là-bas, on était encore au beau milieu de la nuit, heure propice aux cauchemars.

Ils se présentèrent au dernier rendez-vous en fin d'après-midi. La Mercedes se gara sur une allée en

demi-cercle devant une propriété de style méditerranéen.

« Je crois que celle-là, c'est la bonne ! s'exclama
l'agente, surexcitée. Je vous ai gardé le meilleur pour
la fin ! »

Kerry était éblouie et heureuse. Elle jeta un coup
d'œil à sa coiffure et répondit d'un air rêveur :

« Je les aime toutes. »

Mark se traînait derrière elles. Un agent efféminé les
attendait. Il tapota sur sa montre pour leur rappeler
l'heure.

Mark à son tour regarda la sienne.

Nelson Elder faisait le circuit avec le vice-président
de l'entreprise Wynn, le chef des pompiers de la ville
et le P-DG d'une petite entreprise locale de matériel
médical. Il était doué au golf et, ce jour-là, il jouait particulièrement bien, ce qui le rendait euphorique. Le
quarante et unième point fut décisif : c'était son
meilleur fer neuf depuis des années.

Le green fraîchement arrosé avait la couleur d'une
émeraude humide en plein désert. Les brins d'herbe
étaient recourbés comme il fallait pour soutenir les
balles, il ne pouvait rien lui arriver de fâcheux. Comme
le terrain était imprégné d'eau, il gardait sa balle bien
au sec. Le soleil dansait sur les surfaces lisses de
l'hôtel Wynn, qui dominait le country-club. Bien installé dans sa petite voiture, Elder sirotait une bouteille
de thé glacé tout en écoutant le glouglou cristallin d'un
ruisseau artificiel. Il ne s'était pas senti aussi satisfait et
serein depuis bien des années.

Kerry eut un vrai coup de foudre pour la villa de style méditerranéen de Hollyridge Drive. Elle courait de pièce en pièce en poussant des « Oh, mon Dieu ! », auxquels l'agente, qui ne la quittait pas d'une semelle, répondait par des : « Je vous l'avais bien dit ! Tout a été redécoré dans le moindre détail ! » Ainsi en allait-il de la cuisine conçue par un designer, du salon en contrebas, de la salle à manger imposante, de la bibliothèque, de la médiathèque, de la cave à vins, de l'immense suite des maîtres de maison, et des trois autres chambres.

Mark n'eut pas le courage de visiter. Sous l'œil soupçonneux de l'autre agent immobilier, il alla s'asseoir dans le patio, près de la piscine miroitante, bordée de manzanitas, dont les fleurs d'un bleu délicat attiraient les oiseaux-mouches. De là, il surplombait le canyon abrupt, dont le lacis de routes disparaissait dans la lumière crue de l'après-midi.

De l'autre côté, au-delà du toit, perchées très haut sur les crêtes lointaines, se dressaient les lettres du nom HOLLYWOOD. Voilà ce qu'il avait tant désiré, songea-t-il, amer, ce dont il avait rêvé, lorsqu'il aurait réussi comme scénariste : s'asseoir au bord de sa piscine, dans les collines, au pied de ces lettres grandioses. Mais dans ses songes, cela durait un peu plus de cinq minutes.

Kerry sortit comme en trombe par les portes-fenêtres et faillit pleurer en découvrant le panorama.

« Mark, celle-là, je l'aime trop ! Je l'adore, je l'adore, je l'adore !

— Elle l'adore ! renchérit l'agente en arrivant à son tour.

— Combien ? s'enquit Mark d'un air absent.

— Ils en demandent trois millions quatre cent mille, et je trouve que c'est un bon prix. Il y a eu un million et demi de travaux de rénovation…

— On la prend, lâcha-t-il avec indifférence.

— Mark ! », glapit Kerry.

Elle se jeta à son cou et le couvrit de baisers.

« Eh bien, vous faites le bonheur de deux femmes, répliqua l'agente immobilière avec gourmandise. Kerry m'a dit que vous étiez scénariste. Je crois qu'au bord de cette somptueuse piscine, vous allez écrire de grandes choses. Quant à moi, je vais soumettre votre proposition et je vous rappelle ce soir à votre hôtel ! »

Kerry se mit à prendre des photos avec son téléphone. Mark n'y fit pas tout de suite attention, mais soudain, son alarme interne se déclencha, et il bondit pour le lui arracher des mains.

« Tu as déjà pris des photos, avant ?

— Mais non ! Pourquoi ?

— Tu viens juste de l'allumer ?

— Mais oui ! Qu'est-ce qui se passe ? »

Il éteignit l'appareil.

« Tu n'as plus beaucoup de batterie. La mienne est vide. Il faut l'économiser au cas où on aurait besoin de passer un appel. »

Il lui rendit son portable.

« Si ça peut te faire plaisir ! »

Elle lui lança un regard plein de reproches, comme pour lui dire : « Tu ne vas pas te remettre à te comporter bizarrement comme hier ! »

« Allez, viens voir l'intérieur ! Oh, je suis si heureuse ! »

Frazier somnolait à son bureau quand l'un de ses hommes vint lui tapoter l'épaule. Il se réveilla en poussant un grognement.

« On a capté un signal venant du portable de Hightower. Mais ça n'a pas duré longtemps.

— Où sont-ils ?

— Dans les collines de Hollywood, à l'est. »

La mâchoire mal rasée de Frazier se crispa.

« Très bien, ils ont commis une petite erreur. Il y en aura d'autres. Où en est DeCorso ?

— En position, il attend les ordres. »

Frazier ferma de nouveau les yeux.

« Réveillez-moi quand le Pentagone rappellera. »

Elder préparait son drive pour le dix-huitième trou. À l'arrière-plan du green, une cascade de plus de dix mètres de hauteur offrait un cadre magnifique pour finir une partie.

« Qu'est-ce que vous allez utiliser ? demanda le vice-président de Wynn. Un bois un ?

— Oh, oui, Nelson ! Vous faites des étincelles depuis le début !

— Vous savez, si je fais un par, ce sera la meilleure partie de toute ma vie. »

En entendant cela, le capitaine des pompiers et le P-DG se rapprochèrent pour mieux voir.

« Ne dites pas ça ! Vous allez vous attirer le mauvais sort ! », glapit le type de chez Wynn.

Avec lenteur, Elder exécuta un parfait swing en arrière. Au moment où il atteignait le sommet de l'arc, il songea combien la vie était belle. L'instant d'après, une balle lui fracassait le crâne, réduisant en bouillie sa cervelle qui s'éparpilla sur l'herbe dans un bain de sang.

DeCorso regarda dans son viseur pour s'assurer qu'il avait bien atteint sa cible, puis il démonta son arme d'un geste efficace, la jeta dans un sac, et quitta la chambre du dixième étage qui offrait une magnifique perspective sur le terrain de golf.

Quand ils revinrent dans leur suite, Kerry voulut faire l'amour, mais Mark en était incapable. Il se perdit en excuses, blâmant le soleil, et s'enfuit dans la salle de bains. Elle continua de lui parler à travers la porte, trop excitée pour pouvoir se taire tandis que, noyé par le jet puissant de la douche, il pleurait.

L'agente immobilière avait dit à Kerry que le Cut, le restaurant de l'hôtel, était « mortel » – commentaire qui arracha à Mark une grimace. Aussi la jeune femme le supplia de descendre y dîner. Il avait décidé d'exaucer ses moindres désirs, alors, malgré son envie de se terrer dans sa suite, il accepta.

Ce soir-là, elle était éblouissante dans sa robe rouge, et quand ils firent leur entrée dans la salle, tous les convives se retournèrent en se demandant s'il s'agissait d'une célébrité. Mark transportait sa mallette, aussi les gens s'imaginèrent qu'il était l'avocat ou l'agent de cette jeune actrice. Ce gringalet au physique ingrat ne pouvait en aucun cas être son petit ami – à moins, bien sûr, qu'il ne soit plein aux as !

Ils se retrouvèrent assis près d'une fenêtre, sous une immense lucarne qui, au moment du dessert, les nimberait d'un beau clair de lune.

Elle n'avait que la maison en tête. C'était un véritable rêve qui se réalisait. Non, plus que ça, s'exclama-t-elle, car elle n'avait jamais rêvé qu'un tel endroit puisse exister ! C'était tellement incroyable que ça lui rappelait l'ovni qu'elle avait aperçu, petite. Elle était comme une enfant émerveillée : quand allait-il donner sa démission ? À quelle date emménageraient-ils ? Quel style de mobilier choisiraient-ils ? Quand commencerait-elle à prendre des cours d'art dramatique ? Allait-il bientôt se remettre à écrire ? Il répondait par monosyllabe ou haussement d'épaules, le regard braqué dehors, et sans attendre elle passait à autre chose.

Soudain elle se tut, alors il leva les yeux.

« Pourquoi es-tu si triste ? demanda-t-elle.

— Je ne suis pas triste.

— Si, ça se voit.

— Non, je t'assure. »

Guère convaincue, elle renonça à poursuivre et reprit :

« Eh bien, moi, je suis heureuse. C'est le plus beau jour de ma vie. Si je ne t'avais pas rencontré... je ne serais pas là ! Merci, Mark Shackleton. »

Elle lui envoya un baiser sensuel qui transperça enfin son désespoir et le fit sourire.

« Ah, c'est déjà mieux », roucoula-t-elle.

Son téléphone sonna dans son sac.

« Ton portable ! s'exclama-t-il. Pourquoi est-il allumé ? »

Son expression terrorisée effraya Kerry.

« Gina avait besoin d'un numéro où nous joindre s'ils acceptaient notre offre. Ça doit être elle ! dit-elle en cherchant l'appareil.

— Ça fait combien de temps qu'il est allumé ? gémit-il.

— Je ne sais pas. Quelques heures. Ne t'inquiète pas, la batterie est chargée. »

Elle prit la communication.

« Allô ! Tiens, c'est pour toi », dit-elle en lui tendant le téléphone, perplexe et déconfite.

Il reprit sa respiration et répondit. Une voix mâle, autoritaire et cruelle, s'adressa à lui :

« Écoute-moi bien, Shackleton. Ici, Malcolm Frazier. Tu vas sortir du restaurant et remonter dans ta chambre. Là, tu attendras bien sagement que les gardiens viennent te chercher. Je suis sûr que tu as cherché la DDD. Aujourd'hui, ce n'est pas ton jour. C'était celui de Nelson Elder, et il n'est plus là. C'est aussi celui de Kerry Hightower. Pas le tien. Mais ça ne veut pas dire qu'on ne puisse pas s'occuper de toi. On pourrait même te faire regretter que ton heure ne soit pas encore venue. On veut savoir comment tu t'y es pris. Mais on n'est pas obligés d'employer la méthode forte.

— Elle ne sait absolument rien, supplia Mark à mi-voix en se détournant.

— Peu importe. Son jour est venu. Alors, maintenant, tu te lèves et tu sors d'ici tout de suite. C'est bien compris, Mark ? »

Il garda le silence pendant plusieurs secondes. « Mark ? » Il referma le portable et s'écarta de la table. « Qu'est-ce qui se passe ? demanda-t-elle.

— C'est rien », bredouilla-t-il.

Sa respiration se fit plus forte. Ses traits se crispèrent d'angoisse.

« C'est encore à propos de ta tante ?

— Oui. Il faut que j'aille aux toilettes. Je reviens tout de suite. »

Incapable de la regarder, il luttait intérieurement pour ne pas s'effondrer.

« Mon pauvre chéri, dit-elle avec tendresse. Tu m'inquiètes beaucoup, tu sais. Je voudrais que tu sois aussi heureux que moi. Reviens vite auprès de ta petite Kerry, OK ? »

Il prit sa mallette et s'éloigna en traînant les pieds, la tête baissée, comme s'il marchait vers la potence. En arrivant dans le hall de l'hôtel, il entendit un bruit de verre brisé, suivi de deux secondes de silence insupportable, rompu enfin par une violente clameur.

En un clin d'œil, le restaurant et le hall furent envahis d'hommes et de femmes qui couraient en tous sens en poussant des hurlements de terreur. Avançant toujours tel un zombie, Mark franchit l'entrée donnant sur Wilshire Boulevard, où un véhicule stationnait sur le trottoir, attendant le voiturier. Le gardien posté à la porte, attiré par tout ce brouhaha, voulut aller voir ce qui se passait.

Sans réfléchir, Mark monta dans la voiture et démarra dans la tiédeur du soir, essayant tant bien que mal de voir quelque chose à travers ses larmes.

31 juillet 2009

Los Angeles

Marilyn Monroe était descendue dans cet hôtel, ainsi que Liz Taylor, Fred Astaire, Jack Nicholson, Nicole Kidman, Brad Pitt, Johnny Depp, et beaucoup d'autres dont il ne retint pas le nom parce qu'il ne prêtait guère attention aux propos du portier. Celui-ci comprit que son client désirait être seul, car il le vit s'éloigner alors qu'il n'avait pas terminé de lui faire l'historique complet des lieux, comme c'était la coutume.

À cet employé, l'homme parut défait, dans un état de confusion avancé. Pour tout bagage, il avait une mallette. Cependant, l'hôtel avait l'habitude d'accueillir toutes sortes de riches excentriques ou drogués et, comme le client avait laissé au portier un pourboire de cent dollars, tout était pour le mieux.

Mark se réveilla d'un profond sommeil sans savoir où il était. Malgré la migraine qui battait dans sa tête, il revint vite à la réalité et referma les yeux de désespoir. Quelques bruits parvenaient jusqu'à lui : le doux ronron de la climatisation, un oiseau qui pépiait devant sa fenêtre, le frottement de ses cheveux entre son oreille et les draps de coton. Il sentait la caresse fraîche du ventilateur au plafond. Sa bouche était si sèche qu'il n'y subsistait plus la moindre molécule pour humecter sa langue.

Dans ce genre de suite de luxe, on trouvait de petites bouteilles des meilleurs alcools. Sur le bureau, une vodka à moitié vide, remède efficace pour ses problèmes de mémoire : il avait avalé verre sur verre, jusqu'à sombrer dans un bienheureux oubli. Il semblait avoir cependant conservé ses réflexes de base car il s'était déshabillé et avait éteint la lampe.

Une lumière tamisée filtrait par la porte du salon, réveillant les tons pastel du décor. Une palette de teintes pêche, mauve et sauge lui apparut. Kerry aurait adoré cet endroit, songea-t-il, avant d'enfoncer son visage dans l'oreiller de plumes.

Il n'était pas allé bien loin avec sa voiture d'emprunt : il était trop las pour fuir. Il s'était garé sur une portion résidentielle de North Crescent Drive, puis il était parti droit devant lui, avançant au hasard. En état de choc, il était incapable de se rendre compte que, à Beverly Hills, il était beaucoup plus facile de se faire repérer à pied qu'au volant d'une BMW volée. Au bout d'un long moment, il se retrouva planté devant une enseigne vert chartreuse, d'où se détachaient des lettres blanches en relief.

Le Beverly Hills Hotel.

Face à lui se dressait une sorte de pièce montée rose, nichée au creux d'un verdoyant jardin. Il s'engagea dans l'allée, se dirigea vers la réception, demanda s'il restait des chambres et prit la plus chère, un vaste bungalow chargé d'un long passé glorieux qu'il paya d'une poignée de billets.

Il sortit du lit en vacillant, trop déshydraté pour avoir besoin d'aller aux toilettes. Il saisit alors une bouteille d'eau qu'il engloutit d'un trait avant de se rasseoir sur les draps pour essayer de réfléchir. Son disque dur interne était en surchauffe. Il n'avait pas l'habitude de fournir un effort mental pour résoudre un problème. Dans le cas présent, il s'agissait d'un processus d'analyse en forme d'arbre : chaque acte avait différentes conséquences possibles, qui elles-mêmes déclenchaient de nouvelles actions.

Était-ce donc si difficile ? *Concentre-toi !*

Il passa en revue toutes les possibilités, depuis celle qui consistait à fuir en se cachant aussi longtemps que possible grâce à l'argent liquide qui lui restait, jusqu'à la reddition immédiate. Il ne mourrait pas aujourd'hui, ni demain d'ailleurs : il était ADH, ainsi savait-il qu'il ne serait pas assassiné, ni ne tenterait de se suicider par désespoir. Toutefois, cela n'excluait pas que Frazier mette ses menaces à exécution. Et dans le meilleur des cas, il pouvait finir sa vie dans un cachot obscur et solitaire.

Il se remit à pleurer. Était-ce à cause de Kerry, ou bien parce qu'il avait tout fait foirer ? Pourquoi ne s'était-il pas contenté de ce qu'il avait ? Ses mains se posèrent sur ses tempes battantes, et il se mit à se bercer comme un enfant. Sa vie n'était pas si mauvaise, après tout ! Pourquoi avait-il soudain éprouvé ce désir de gloire et de richesse ? Il se trouvait à présent dans le temple de la gloire et de la richesse, dans le plus prestigieux bungalow du Beverly Hills Hotel... et après ? Ce n'était rien qu'une succession de pièces garnies de meubles et de divers appareils. Il possédait déjà tout ça. Mark Shackleton n'était pas un mauvais bougre. Il avait le sens des limites. Tout était la faute de ce salopard de Peter Benedict, cet ambitieux insatiable, c'est lui qui l'avait mis dans cette situation. C'est lui qu'il faut châtier, pas moi, songea Mark en franchissant le pas vers la folie.

Il mit les infos à la télévision. En l'espace de cinq minutes, défilèrent trois sujets en rapport avec lui. Le directeur d'une compagnie d'assurances avait été tué par un tireur embusqué sur un golf de Las Vegas. Will Piper, l'agent spécial du FBI chargé de l'affaire du tueur de l'Apocalypse, demeurait introuvable. Enfin, dans les nouvelles locales, une cliente du restaurant de Wolfgang Puck avait été tuée d'une balle en pleine tête par un inconnu qui avait réussi à s'enfuir.

Il se remit à pleurer à la vue du corps de Kerry enveloppé d'un sac mortuaire qu'elle remplissait à peine.

À cet instant, il sut qu'il ne pouvait se livrer à Frazier. Cet homme au visage anguleux et aux yeux froids comme la mort le terrifiait. Il avait toujours eu peur des gardiens – et il ignorait à l'époque qu'ils étaient capables de tuer de sang-froid.

Une seule personne pouvait l'aider.

Il lui fallait une cabine téléphonique.

Cette simple nécessité faillit avoir raison de lui. En effet, dans le Beverly Hills du XXIe siècle, ce genre d'appareil avaient quasiment disparu. De plus, il était à pied. L'hôtel aurait pu mettre une ligne à sa disposition, mais il lui fallait s'éloigner de son refuge pour ne pas trop faciliter la tâche à ses poursuivants.

Il marcha pendant presque une heure, en sueur, jusqu'à ce qu'enfin il découvre un vieux téléphone à pièces dans un café de North Beverly Hills. C'était le milieu de la matinée, et l'endroit tournait au ralenti. Il eut l'impression que les rares clients l'observaient, mais c'était le fruit de son imagination. Il se rendit dans le couloir qui menait aux toilettes, près de la sortie de derrière. Il avait fait de la monnaie sur un billet de vingt dollars à l'hôtel, et ses poches étaient pleines de pièces. Il composa un premier numéro mais tomba sur une boîte vocale. Il raccrocha sans laisser de message.

Deuxième numéro : *idem*.

Enfin, le dernier qu'il connaissait. Il retint son souffle.

Une femme répondit à la seconde sonnerie :

« Allô ! »

Il hésita avant de répondre :

« C'est bien Laura Piper ?

— Oui. Qui est à l'appareil ? »

Son appréhension était palpable.

« Je m'appelle Mark Shackleton. Je suis l'homme que cherche votre père.

— Oh, mon Dieu ! Vous êtes le tueur !

— Non ! Je vous en prie ! Je n'ai tué personne ! Il faut que vous le lui disiez ! »

Nancy conduisait John Mueller à Brooklyn où ils devaient interroger le directeur d'une des banques dévalisées. Caméras de surveillance et témoins étaient unanimes : les deux malfaiteurs de type arabe étaient les mêmes qui avaient commis les cinq hold-up, et la brigade antiterroriste faisait pression sur la section des Vols & Crimes avec violence à la recherche d'une piste terroriste. Cela ne plaisait guère à Nancy, mais son coéquipier s'en accommodait tout à fait.

« Il ne faut pas traiter les choses à la légère. C'est une leçon que tu dois apprendre dès maintenant. Nous menons une guerre globale contre le terrorisme et il me semble parfaitement approprié de traiter ces deux suspects comme des terroristes tant qu'on n'a pas prouvé le contraire.

— Ce ne sont que des cambrioleurs avec des têtes d'Arabes. Rien n'indique qu'il y ait un lien politique, insista-t-elle.

— Tu commets une simple erreur et tu te retrouves avec le sang de milliers d'Américains sur les mains. Si j'étais resté sur l'affaire du tueur de l'Apocalypse, là aussi j'aurais suivi la piste terroriste.

— Aucun indice ne menait dans cette direction, John.

— Tu n'en sais rien. L'affaire n'a pas été classée, ou alors j'ai raté quelque chose.

— En effet, John, l'affaire n'a pas été classée », répondit-elle entre ses dents.

Il n'avait pas encore remis le sujet sur le tapis mais elle sentait que cela n'allait pas tarder. « Mais que peut bien faire Will, Dieu du ciel !

— D'après moi, il pense faire son boulot.

— Il existe une bonne façon de mener à bien une enquête et d'innombrables manières de mal s'y prendre : Will trouve toujours la mauvaise, fit-il d'un air pontifiant. Je suis heureux d'être de retour pour reprendre en main ta formation. »

Comme il ne la regardait pas, elle leva les yeux au ciel. Elle était très nerveuse, et il ne faisait qu'accroître sa tension. La journée s'était ouverte sur une information dérangeante : Nelson Elder avait été assassiné par un tueur embusqué. C'était sans doute une coïncidence, toutefois, elle n'avait aucun moyen de le vérifier, elle n'était plus sur l'affaire.

Will avait dû apprendre la nouvelle à la radio ou à la télévision dans un motel. De toute façon, elle ne voulait pas l'appeler, de peur de le réveiller alors qu'il faisait une pause. Elle préférait attendre qu'il la contacte lui-même.

Elle se garait sur le parking de la banque, à Flatbush, quand justement le portable à carte sonna. Elle détacha sa ceinture de sécurité en hâte, sortit du véhicule et s'éloigna pour ne pas que Mueller l'entende.

« Will !

— C'est Laura ! »

Elle avait l'air complètement affolée.

« Laura ? Mais que se passe-t-il ?

— Mark Shackleton vient juste de m'appeler. Il veut voir papa. »

La route grimpait, ce qui plaisait beaucoup à Will parce que ça le changeait un peu. Il en avait plus qu'assez de la plaine inlassable et hypnotique, et les Sandia Mountains le mettaient de bonne humeur. À Plainfield, dans l'Indiana, il avait dormi six heures au Days Inn, mais cela remontait à dix-huit heures à présent. S'il ne faisait pas bientôt une halte, il risquait de s'endormir au volant et d'avoir un accident.

Il appellerait Nancy lorsqu'il s'arrêterait. Il avait appris le meurtre d'Elder à la radio et espérait qu'elle disposerait d'informations supplémentaires. Tout ça le mettait sur des charbons ardents, mais hélas, il avait des soucis à la pelle en ce moment, comme par exemple se retenir de boire. Nerveux, il essayait de prendre les choses à la rigolade en se donnant à lui-même la réplique d'une voix de fausset :

« En fait, tu as peut-être un problème avec l'alcool, Willie.

— C'est ça, va te faire foutre, mon seul problème, c'est que j'ai pas eu droit au verre réglementaire.

— Tu apportes de l'eau à mon moulin.

— Ben, ton moulin, tu peux te le mettre quelque part. »

Parmi toutes ces choses qui lui encombraient l'esprit, il y avait les mots qu'il avait dits à Nancy la veille, sa déclaration d'amour. Le pensait-il vraiment ? Était-ce à cause de la fatigue, de la solitude ? Et elle, pensait-elle vraiment ce qu'elle lui avait répondu ? À présent qu'il avait lâché le mot « amour », il fallait assumer la situation.

Il le faudrait tôt ou tard. C'est alors que son portable sonna.

« Coucou, ça me fait plaisir que tu m'appelles.

— Où es-tu ? demanda Nancy.

— Je traverse le Nouveau-Mexique. »

Il entendit des bruits de circulation et reprit :

« Et toi, tu es dans la rue ?

— Sur Broadway. Le trafic du vendredi. J'ai quelque chose à te dire, Will.

— C'est à propos de Nelson Elder, c'est ça ? J'ai appris, aux nouvelles. Ça me rend dingue !

— Il a appelé Laura. »

Will n'y comprenait plus rien.

« Qui ça ?

— Mark Shackleton. »

Silence.

« Will ?

— Ce fils de pute a téléphoné à ma fille ? fit-il entre ses dents.

— Il a dit qu'il avait essayé de te contacter aux autres numéros. Appeler Laura était la seule solution. Il veut te voir.

— Il peut se livrer à n'importe quel poste de police.

— Il a peur. Il dit que tu es le seul en qui il ait confiance.

— Je suis à un peu moins de mille bornes de Vegas. Ouais, il peut compter sur moi pour lui casser la gueule parce qu'il s'est permis d'appeler Laura.

— Il n'est pas à Las Vegas. Il est à LA.

— Nom de Dieu, presque cinq cents bornes de plus. Il a dit autre chose ?

— Oui : il n'a tué personne.

— J'y crois pas. Rien d'autre ?

— Il dit qu'il est désolé.

— Où est-ce que je peux le trouver ?

— Il veut que tu le rejoignes dans une sorte de café à Beverly Hills demain matin à dix heures. J'ai l'adresse.

— Il y sera ?

— C'est ce qu'il a dit.

— Bon, si je continue à cette allure, en prenant huit heures de repos quelque part en route, j'ai tout le temps d'arriver pour aller boire un café avec mon vieux pote.

— Je me fais du souci pour toi, Will.

— Je vais bientôt m'arrêter. J'ai les fesses ankylosées, mais ça va. La voiture de ta grand-mère, elle est pas faite pour les rallyes ! »

La faire rire le ragaillardit.

« Nancy, à propos de ce que je t'ai dit hier...

— Attendons que toute cette affaire soit finie. Nous en parlerons quand nous nous retrouverons, tu veux bien ? »

Il accepta avec joie.

« Garde ton téléphone en veille. Tu es ma bouée de sauvetage. Donne-moi l'adresse, maintenant. »

Frazier n'était pas rentré chez lui depuis le début de la crise et il avait interdit à ses hommes de quitter le centre des opérations. Ils n'étaient pas au bout de leurs peines : Washington leur mettait la pression et tout le monde se sentait frustré. Ils tenaient Shackleton dans le creux de la main, tonnait-il, et par la faute d'un pauvre connard d'amateur, il avait réussi à leur filer entre les doigts, alors qu'ils formaient la meilleure équipe du pays ! À présent, c'était Frazier qui avait chaud aux fesses, et ça ne lui plaisait pas du tout d'être ainsi sur la sellette.

« Ce qu'il nous faudrait, ici, c'est une salle de gym, grogna un de ses hommes.

— On fait pas une thalasso ! rétorqua son supérieur.

— Et un punching-ball ? On pourrait l'accrocher ici, dans un coin ? claironna un autre depuis son bureau.

— Si tu as envie de taper, viens voir par là, je suis ton homme, lâcha Frazier.

— Tout ce que je veux, c'est mettre la main sur ce fils de pute et rentrer chez moi, reprit le premier.

— On a deux fils de pute : celui de chez nous, et l'autre fouteur de merde du FBI. »

La ligne directe du Pentagone se mit à sonner. L'homme au punching-ball décrocha et s'empressa de prendre des notes. En le regardant s'affairer, Frazier comprit aussitôt qu'il y avait du nouveau.

« Malcolm, on tient une piste. Les gars du contre-espionnage ont intercepté une communication reçue par la fille de Piper.

— De qui ?

— Shackleton.

— Bordel de merde !

— Ils sont en train de télécharger la conversation. On devrait l'avoir d'ici deux minutes. Shackleton a donné rendez-vous à Piper dans un café de Beverly Hills demain matin. »

D'un air de triomphe, Frazier applaudit tout en s'exclamant :

« D'une pierre deux coups ! Merci, mon Dieu ! » Puis il revint sur terre. « Elle a passé d'autres coups de fil ? Comment transmet-elle les infos ?

— Aucun appel depuis chez elle, ni sur son portable.

— Bon. Elle habite Georgetown, c'est bien ça ? Faites analyser tous les téléphones publics dans un rayon de trois kilomètres autour de chez elle, élargissez aux autres sur la période qui a suivi cet appel, ainsi que tous les portables à carte du coin. Essayez de savoir si elle a un petit ami ou un colocataire et trouvez leurs coordonnées. Je veux que le filet se referme sur Piper. »

Dans la soirée, la chaleur se fit moins forte, à Los Angeles. Mark passa la journée dans son bungalow, un panneau NE PAS DÉRANGER accroché à sa porte. Il résolut de faire pénitence pour le meurtre de Kerry. Toutefois, dans l'après-midi, pris de vertiges, il grignota les gâteaux apéritif qui se trouvaient dans le bar. Quoi qu'il en soit, raisonnait-il, il est arrivé ce qui devait arriver : ce n'était pas sa faute, pas vrai ? Il se sentit un peu moins mal après cette réflexion et ouvrit une bière. Il en but deux, coup sur coup, puis s'attaqua à la vodka.

Son bungalow de luxe possédait son propre jardin privé, dissimulé derrière des murs saumon où apparaissaient des arcs néorenaissance en trompe l'œil. Il sortit, la bouteille à la main, et s'allongea sur un transat. Les plantes du jardin tropical diffusaient les fragrances capiteuses de leurs fleurs exotiques. Il s'assoupit. Au réveil, le ciel était noir, et il faisait frais. Il frissonna et se sentit plus seul que jamais.

Aux petites heures du jour en ce samedi matin, la chaleur avoisinait les quarante-cinq degrés dans le désert de Mojave. Quand Will s'arrêta sur le bas-côté pour uriner, il crut qu'il allait être calciné sur place. En lui-même, il pria pour que la vieille Taurus redémarre bien, et son vœu fut exaucé. Il serait à l'heure à Beverly Hills, voire même en avance.

À la zone 51, Frazier suivait Will, petit point jaune sur une vue par satellite. Il avait été détecté pour la dernière fois par une antenne-relais sur l'I-40, à huit kilomètres à l'ouest de Needles. Frazier aimait limiter les aléas et éliminer toute surprise potentielle : cet œil de lynx digital le rassurait.

Le travail d'investigation à l'ancienne les avait conduits jusqu'au téléphone à carte de Will. À Washington, un membre de la DIA, le contre-espionnage, avait découvert que l'appartement où vivait Laura était loué au nom de Greg Davis. Le vendredi soir, le portable de ce dernier avait reçu un appel d'un téléphone à carte depuis White Plains, dans l'État de New York. Ce téléphone, depuis qu'il était en activité, n'avait échangé d'appels qu'avec un autre appareil à carte, qui se déplaçait vers l'ouest à travers l'Arizona au même moment.

C'était dès lors un jeu d'enfant que de remonter jusqu'à Nancy Lipinski, la coéquipière de Will Piper, qui vivait à White Plains. La DIA avait mis sous surveillance les deux portables à carte, et avait offert le tout à Frazier sur un plateau d'argent. Piper et Shackleton devaient partager un petit déjeuner en ce samedi matin au café Sal & Tony. En attendant, le chef des gardiens suivait des yeux le point jaune représentant Will qui filait vers l'ouest à près de cent trente kilomètres à l'heure sur l'I-40, comptant les heures qui lui restaient avant la fin de ce cauchemar.

Will arriva à Beverly Hills peu avant 7 heures du matin. Il passa devant le café, afin de reconnaître les lieux. À cette heure, North Beverly Drive était vide : la célébrissime ville des stars ressemblait davantage à une bourgade de province endormie. Il se gara dans une rue parallèle, Cañon Road, régla l'alarme de son téléphone sur 9 h 30 et s'endormit aussitôt.

Quand il se réveilla, la rue grouillait de véhicules, et il étouffait dans la Taurus. Avant toute chose, il lui fallait trouver un endroit où faire un brin de toilette. Il avisa une station-service, une rue plus loin. En sortant, il entendit un bruit de casse : son portable à carte gisait sur le trottoir. Il le ramassa en jurant et le remit dans sa poche.

Au même moment, sur l'écran satellite du centre des opérations de la zone 51, le point jaune disparut. Alerté sur-le-champ, Frazier explosa avant de retrouver son calme et de conclure : « Tout ira bien. Il est dans la nasse. Dans une demi-heure, tout ça sera de l'histoire ancienne. »

Sal & Tony avait le vent en poupe. Les tables comme les alcôves étaient toutes occupées par des gens du quartier et des touristes. Ça sentait les *pancakes* et le café. En entrant, avec quelques minutes d'avance, Will fut assailli par un véritable brouhaha. La serveuse l'accueillit de sa voix rauque de fumeuse endurcie :

« Comment ça va, mon chou ? Tu es tout seul ?

— J'ai rendez-vous avec un copain. Je crois qu'il n'est pas encore là », dit-il en regardant autour de lui.

Shackleton devait l'attendre au fond, près du téléphone, à 10 heures pile.

« Ça ne devrait pas être très long. Tu vas avoir une table dans deux minutes.

— Faut que je passe un coup de fil, expliqua-t-il en désignant l'appareil payant.

— Je viendrai te chercher. »

Du fond du café, Will étudia la clientèle, sautant d'une table à l'autre en profilant chaque personne. Il y avait un vieil homme avec une canne, accompagné de sa femme : des gens du quartier. Quatre jeunes types en costume : des commerciaux. Trois femmes bien en chair, au teint pâle, coiffées de visières Rodeo Drive : des touristes. Six Coréennes : encore des touristes. Un père avec son petit garçon de 6 ans : un divorcé exerçant son droit de visite. Un jeune couple d'une vingtaine d'années en jeans troués, qui paraissait défoncé : des gosses du quartier. Deux hommes et une femme entre deux âges, portant des T-shirts Verizon : des employés qui faisaient leur pause.

Et puis, au milieu de la salle, ces quatre armoires à glace qui lui donnèrent des sueurs froides. Ils avaient la trentaine et semblaient tous sortir du même moule. Propres sur eux, cheveux courts, très costauds : rien qu'en regardant leur nuque, il sut qu'ils faisaient de la musculation. Ils redoublaient d'efforts pour ne pas se faire remarquer, en pantalon kaki, la chemise sortie par-dessus, feignant d'entretenir une conversation ordinaire. L'un d'eux avait même posé son sac banane devant lui sur la table.

Aucun d'eux ne le regardait et il feignait de ne pas les voir. Planté près du téléphone, il les observait du coin de l'œil. Ils bossaient pour une agence gouvernementale. Laquelle, il n'en savait rien. Tous ses réflexes de base lui disaient de laisser tomber, de se glisser par la porte de derrière et de fuir à toutes jambes, mais après ? Il devait trouver Shackleton, c'était le seul moyen. Il lui faudrait s'occuper des quatre malabars. À chaque respiration, il sentait son arme contre ses côtes.

Frazier eut une décharge électrique dans tout le corps lorsqu'il vit Will apparaître sur l'écran du moniteur, appuyé contre un mur, près d'un téléphone. La banane contenait une caméra microscopique, que manipulait un de ses hommes.

« C'est bien, DeCorso, c'est très bien, dit Frazier dans le micro de son casque. On le tient ! »

Sa mâchoire se crispa. À présent, il désirait plus que tout voir sa seconde cible s'afficher à l'écran. Il mourait d'envie de donner l'ordre à ses hommes de passer à l'action pour qu'ils les embarquent et viennent les lui livrer à domicile.

Will étudia la situation. Faisant de son mieux pour adopter une allure dégagée, il entra dans les toilettes des hommes pour reconnaître les lieux. Pas de lucarne. Il s'aspergea le visage d'eau froide, puis s'essuya. Il n'était pas encore 10 heures. En ressortant des cabinets, il alla directement à la porte de derrière. Il voulait voir si les fédéraux bougeraient, et surtout quelles étaient les issues de ce côté. Une allée de service parallèle desservait les bâtiments situés sur Beverly Drive et Cañon Road. Ainsi avisa-t-il dans un rayon de quelques mètres les entrées du personnel d'une librairie, d'une pharmacie, d'un salon de coiffure, d'un magasin de chaussures et d'une banque. À gauche, la ruelle débouchait sur un parking réservé à des immeubles de bureaux donnant sur Cañon Road. Plusieurs passages s'ouvraient vers le nord, le sud, l'est et l'ouest. Se sentant un peu moins acculé, il respira et retourna à l'intérieur.

« Ah, le voilà ! fit la serveuse depuis l'autre bout du café en le faisant sursauter. La table est prête ! »

Il s'assit près de la fenêtre. Par chance, il avait une vue parfaite sur le téléphone du fond. 10 heures. Les quatre fédéraux se resservirent une tournée de café.

DeCorso, le chef d'équipe, était rasé. Il avait d'épais sourcils noirs et des avant-bras velus, aussi gros que des jambons. Dans son oreillette, il entendait Frazier râler :

« Il est l'heure ! Mais qu'est-ce qu'il fout, Shackleton ? »

Sur son moniteur, il vit Will se verser un café, puis y mélanger de la crème.

Cinq minutes passèrent.

Will avait faim, alors il commanda à manger.
Dix minutes.
Il engloutit ses œufs au bacon. Les quatre types rongeaient leur frein.

À 10 h 15, il commença à penser que Mark s'était foutu de lui. Après avoir ingurgité trois grandes tasses de café, il eut de nouveau envie d'aller aux toilettes. Le vieux monsieur à la canne s'y trouvait aussi, aussi vif qu'un escargot. Will ressortit et avisa près du téléphone un panneau où étaient accrochées des petites annonces. Il y avait surtout des cartes professionnelles, des annonces immobilières ou d'autres signalant des chats perdus. Il l'avait bien déjà vu tout à l'heure, ce panneau, mais ça n'avait fait que l'effleurer.

À présent, ça lui sautait aux yeux.

Format carte postale.

Un dessin de cercueil fait à la main. Le même que sur les cartes du tueur de l'Apocalypse. Et ces mots : « Bev Hills Hotel, Bung 7 ».

Will déglutit. Son instinct reprit le dessus. Il arracha le mot du tableau et s'engouffra par la porte arrière.

Frazier réagit avant ses hommes.

« Putain ! Il se barre ! C'est pas vrai, il se barre ! »

Les quatre fédéraux se levèrent d'un bond et se ruèrent vers le fond du café. Mais ils trouvèrent sur leur passage le monsieur âgé qui, sortant des toilettes, leur barrait la route. La banane avait beau tressauter en tous sens, depuis son QG, Frazier avisa le vieil homme et hurla :

« Ne vous arrêtez pas ! Il va filer ! »

DeCorso attrapa l'encombrant vieillard dans ses bras, et le déposa à nouveau dans les toilettes, tandis que ses collègues se précipitaient vers l'issue de secours. Quand ils débouchèrent dans la ruelle, elle était vide. DeCorso dépêcha deux de ses hommes à droite et il prit à gauche avec le troisième.

Ils cherchèrent partout, parcoururent l'allée, fouillèrent les boutiques, les immeubles qui donnaient sur

Beverly Drive et Cañon Road, regardant jusque sous les voitures. Frazier vociférait comme un fou dans l'oreillette de DeCorso, si bien que celui-ci finit par le supplier de se calmer.

« Malcolm, arrêtez de crier. Je ne peux pas me concentrer si vous continuez comme ça. »

Will s'était réfugié dans les toilettes du salon de coiffure Via Veneto, établissement voisin du café Sal & Tony. Il passa dix bonnes minutes debout sur la cuvette, courbé, son arme à la main. Quelqu'un entra peu après lui, mais ressortit tout de suite. Il souffla, sans quitter sa posture inconfortable.

Il ne pouvait rester là toute la journée : quelqu'un finirait bien par entrer. Aussi ressortit-il et se glissa-t-il en toute discrétion dans le salon de coiffure où une demi-douzaine de jeunes femmes s'occupaient de leurs clientes tout en bavardant. C'était un salon pour dames, et Will détonnait complètement.

« Bonjour ! Je ne vous avais pas vu », lui lança une coiffeuse, surprise.

Elle avait des cheveux blonds très courts et une microjupe par-dessus un collant framboise.

« Vous prenez les clients sans rendez-vous ?

— D'habitude, non. »

Will plaisait à la jeune femme. Celle-ci se demanda un instant s'il ne s'agissait pas d'une célébrité.

« On se connaît ? reprit-elle.

— Pas encore, mais si vous acceptez de me couper les cheveux, alors on pourrait faire connaissance, fit-il avec humour. Vous vous occupez des hommes ?

— Soyez tranquille, je vais m'occuper de vous ! Je viens d'avoir une annulation, fit-elle séduite.

— Je ne veux pas m'asseoir près de la fenêtre, et je veux que vous preniez tout votre temps. Je ne suis pas pressé.

— Vous en avez, des exigences ! s'exclama-t-elle en riant. Eh bien, ce sera comme vous voulez, monsieur le donneur d'ordres ! Asseyez-vous là, et je vous apporte un café. »

Une heure plus tard, Will avait gagné sur quatre plans : il avait à présent une bonne coupe de cheveux, des ongles manucurés, le numéro de téléphone de la coiffeuse, et surtout il était libre. Il demanda qu'on lui appelle un taxi et quand il le vit s'arrêter devant le salon de coiffure, il donna à la jeune femme un gros pourboire avant de s'enfoncer le plus bas possible sur la banquette arrière. Lorsque le véhicule démarra, Will songea qu'il s'était vraiment fait la belle comme un prince de l'évasion. Il transforma en confettis le numéro de téléphone de la jeune femme, et les laissa s'envoler par la fenêtre. Il lui faudrait raconter ça à Nancy, car c'était là une preuve tangible de ses sentiments pour elle.

La porte du bungalow 7 était peinte dans un doux ton de pêche. Will sonna. Un écriteau NE PAS DÉRANGER était accroché, et, par terre, gisait le journal du samedi. Il glissa son Glock à sa ceinture pour y avoir plus vite accès ; sa main droite l'effleurait presque.

L'œilleton s'obscurcit un instant, puis la poignée de la porte tourna, et les deux hommes se retrouvèrent nez à nez.

« Salut, Will, tu as trouvé mon message. »

Il eut un choc en découvrant son ancien camarade, hagard, vieilli, presque méconnaissable. La porte se referma toute seule, les plongeant dans une semi-obscurité. Les rideaux étaient tirés.

« Salut, Mark. »

L'autre tendit un doigt vers les pans de la veste de Will.

« Tu n'as pas besoin de ton revolver.

— Ah bon ? »

L'informaticien se laissa choir dans un fauteuil près de la cheminée. Will choisit le canapé. Il était fatigué lui aussi.

« Ils nous attendaient, au café. »

Mark écarquilla les yeux.

« Ils ne t'ont pas suivi, au moins ?

— Je crois que ça va. Pour le moment.

— Ils ont dû intercepter mon appel à ta fille. Je savais que tu serais fou de rage. Je suis désolé. C'était le seul moyen.

— C'est qui, ces mecs ?

— Les gens pour qui je travaille.

— Dis-moi d'abord une chose : et si je n'avais pas vu ta carte ? »

Shackleton haussa les épaules. « Dans mon domaine, on est obligé de s'en remettre au hasard.

— Et c'est quoi, ton domaine, Mark ? Mais bon Dieu, pour qui est-ce que tu bosses ?

— Je travaille à la bibliothèque. »

Frazier ne parvenait pas à s'en remettre. L'opération s'avérait un fiasco monumental, et la seule solution qu'il avait trouvée pour l'instant, c'était de hurler comme un fou. Quand enfin sa gorge se révéla trop enrouée pour continuer, d'une voix rauque, il ordonna à ses hommes de rester en position et de poursuivre leurs recherches, même si elles paraissaient inutiles, jusqu'à ce qu'il leur ordonne d'arrêter. Rien de tout cela ne serait arrivé s'il avait été sur place, ne cessait-il de ressasser. Il croyait tenir une équipe de vrais professionnels. DeCorso était en effet un bon élément, mais pour diriger les hommes sur le terrain, il était nul, ça crevait les yeux. Et qui devrait rendre des comptes après cet échec lamentable ? Son casque vissé sur le crâne, il traversa lentement les couloirs déserts de la zone 51 en marmonnant :

« L'échec n'est pas envisageable, bordel ! »

Puis il prit l'ascenseur pour remonter à la surface prendre le soleil.

Par moments, Mark parlait à voix basse, comme s'il lui faisait des confidences, à d'autres, il pleurnichait, se vantait ou se montrait arrogant. Parfois, il s'irritait de questions qu'il jugeait naïves ou répétitives. Will s'adressait à lui en professionnel, d'un ton égal, bien que, parfois, il dût lutter pour ne pas perdre son calme face à tout ce qu'il découvrait.

Il débuta son interrogatoire par une question simple :

« Est-ce toi qui as envoyé les cartes de l'Apocalypse ?

— Oui.

— Mais tu n'as pas tué les victimes ?

— Je n'ai jamais quitté le Nevada. Je ne suis pas un tueur. Mais je sais bien pourquoi tu le penses. D'ailleurs, c'est ce que je voulais te faire croire, à toi et aux autres.

— Alors, comment sont morts tous ces gens ?

— Par accident, suicide, meurtre, cause naturelle… exactement comme n'importe quel groupe de gens sélectionnés au hasard.

« — Tu es en train de m'expliquer qu'il n'y a pas de tueur unique ?

— Tout à fait. C'est la vérité.

— Tu n'as pas payé ou poussé quelqu'un à commettre tous ces assassinats ?

— Non ! Certains sont bien des crimes, j'en suis convaincu, mais toi, tu sais bien au fond de toi que tous n'en sont pas. Je me trompe ?

— Certains, en effet, posent problème », admit Will.

Il songea à Milos Covic qui avait sauté par la fenêtre ; à Marco Napolitano avec son aiguille enfoncée dans le bras ; à Clive Robertson, qui s'était effondré, le nez en avant. Les yeux de Will se rétrécirent :

« Si tu me dis la vérité, alors comment est-ce possible que tu aies su à l'avance qu'ils allaient mourir ? »

Le sourire entendu de Mark le mit hors de lui. Il avait interrogé bon nombre de psychotiques, et cet air de « moi je sais et pas toi » semblait tout droit sorti du manuel *Comment repérer un schizophrène en cinq leçons*. Sauf que son vieux camarade d'université n'était pas fou, il le savait.

« La zone 51.

— Et alors ? Quel rapport ?

— J'y travaille. »

Will commençait à perdre patience. « OK, ça, j'ai pigé. Explique-toi ! Tu as dit que tu travaillais dans une bibliothèque.

— Il y en a une, à la zone 51. »

Il fallait lui arracher la vérité, question après question.

« Parle-moi de cette bibliothèque.

— Elle a été construite par Harry Truman à la fin des années 1940. Après la Seconde Guerre mondiale, les Britanniques ont découvert un complexe souterrain près d'un monastère sur l'île de Wight. Il y avait là des centaines de milliers de livres.

— Quel genre de livres ?

— Des manuscrits du Moyen Âge. Ils contenaient des noms, Will, par milliards : plus de deux cents milliards !

— Quels noms ?

— Les noms de tout le genre humain. »

Will secoua la tête. Il avait l'impression de marcher sur un lac gelé, et craignait à tout instant d'être englouti.

« Je regrette, mais je ne te suis pas.

— Depuis l'aube des temps, à peine cent milliards d'êtres humains ont vécu sur Terre. Ces manuscrits recensent toutes les naissances et tous les décès depuis le VIIIe siècle. Ils font la chronique de douze cents ans de présence humaine sur cette planète.

— Et comment ? », fit Will, irrité.

Après tout, il s'était peut-être bien trompé : ce type était fou à lier.

« La colère est un classique. C'est ainsi que réagissent la plupart des gens quand on leur apprend l'existence de la bibliothèque, car cela remet en cause absolument toutes leurs certitudes. En vérité, Will, nul n'a la moindre idée d'où elle vient ni de pourquoi elle est là. Le débat fait rage depuis soixante-deux ans et personne n'en sait rien. Il aurait fallu que des centaines de moines travaillent en même temps – si c'est bien de ce genre de scribes dont il s'agissait – et qu'ils écrivent sans relâche pendant plus de cinq siècles pour avoir le temps de rédiger tous ces noms, une fois à la naissance, et une fois au moment de la mort. Ils apparaissent dans l'ordre chronologique, au début, en suivant le calendrier julien, puis plus tard, le calendrier grégorien. Chaque nom est écrit dans sa langue d'origine, avec une simple annotation en latin : naissance ou mort. Voilà tout. Sans commentaire ni explication. Comment ont-ils fait ? D'après les religieux, ils écrivaient sous la dictée de Dieu. Peut-être étaient-ce des médiums qui voyaient l'avenir. Ou bien venaient-ils de l'espace. Tu peux me croire : personne n'en sait rien. La seule chose dont nous soyons sûrs, c'est que ce fut une tâche monumentale. Réfléchis : le nombre d'habitants n'a cessé d'augmenter au fil du temps. Aujourd'hui seulement, ce 1er août 2009, trois cent cinquante mille bébés vont naître et cent cinquante mille personnes mourront. Et puis demain, et le jour suivant, et celui d'après. Et tout ça sur douze cents ans ! Chacun des noms a été écrit à la plume. Ces types ont dû fonctionner comme des machines.

— Je ne crois pas un traître mot de ce que tu me racontes, répondit tranquillement Will.

— Donne-moi une journée, et je te le prouverai. Je peux te sortir la liste des gens qui vont mourir à LA demain. Ou si tu préfères, à New York, Miami, ou n'importe où.

— On ne dispose pas d'une journée. »

Exaspéré, Will se leva et se mit à faire les cent pas.

« Je ne peux même pas imaginer que je puisse t'accorder ne serait-ce qu'une minute de plus », continua-t-il.

Enfin, courroucé, il jura, puis exigea :

« Va chercher le *News Herald* de Panama City en Floride. Jette un coup d'œil à la rubrique nécrologique, et ensuite on verra bien s'ils se trouvent dans ta putain de base de données.

— Pourquoi pas le journal local ? Ce ne serait pas plus facile ?

— Tu l'as peut-être déjà consulté.

— Parce que tu crois que c'est un coup monté ?

— Peut-être bien. »

Mark semblait contrarié.

« Je ne peux pas me connecter.

— Ah ! s'exclama Will. C'est bien ce que je pensais ! Je savais que c'étaient des conneries !

— Écoute, si je me connecte, ils me repéreront tout de suite. Je refuse de le faire. »

Frustré, Will regarda autour de lui.

« Et ça, c'est quoi ? fit-il en apercevant une prise Internet sur la télévision.

— L'accès au Web de l'hôtel. Je ne l'avais pas vu.

— Alors, tu peux le faire ?

— Je suis informaticien. Je pense que ça ne devrait pas poser de problème.

— Je croyais que tu étais bibliothécaire ? »

Shackleton ne releva pas. En moins d'une minute, la télévision affichait le site du journal.

« C'est un quotidien local, c'est ça ?

— Bien sûr. »

Mark sortit son portable et l'alluma. Tandis que l'ordinateur se mettait en route, Will souleva un détail qui lui paraissait illogique.

« Attends un peu ! Tu as dit que ces manuscrits ne comportaient que des noms et des dates. Et maintenant tu affirmes que tu peux les trier par villes. Comment c'est possible ?

447

— C'est en cela que consiste une grande partie du travail effectué à la zone 51. Sans corrélation géographique, les données n'ont aucun intérêt. Nous avons accès à presque toutes les bases de données existantes au monde, annuaires, registres des naissances, des mariages, du chômage, des impôts en tous genres, des assurances, des banques, tout ce que tu peux imaginer. Il y a six milliards six cents millions d'individus sur Terre. Nous avons des moyens pour identifier les adresses, ou tout au moins la province, voire le pays, dans 94 % des cas. Et on atteint un taux de presque 100 % en Amérique du Nord et en Europe. C'est moi qui ai conçu les codes, fit-il en levant les yeux. Pour ta gouverne, il y a un mot de passe, et je ne te le donnerai pas. J'ai besoin d'être sûr que tu vas me protéger.

— De qui ?

— Des mêmes brutes qui te courent après. Nous, on les appelle les gardiens. C'est la sécurité de la zone 51. Voilà, ça y est, j'y suis. Tu peux y aller.

— Va dans la chambre, ordonna Will. Je ne veux pas que tu voies les dates.

— Tu ne me fais pas confiance.

— Exact. »

Pendant plusieurs minutes, Will cria les noms des morts de Panama City. Il mêlait des données récentes à d'autres, tirées des archives. À son grand étonnement, Mark lui fournissait toujours la bonne réponse. Enfin, il le rappela, exaspéré.

« J'ai l'impression d'être au casino ! On se croirait à une table de jeu à Vegas, et toi, tu comptes les cartes ! Comment tu fais ?

— Je t'ai dit la vérité. Si tu crois que je te fais marcher, tu n'as qu'à attendre demain. Je te donnerai une liste d'une dizaine de personnes qui vont mourir aujourd'hui à LA, et tu iras vérifier dans les rubriques nécrologiques. »

Ensuite, il lui fournit dix noms, accompagnés de leurs dates et de leur adresse. Will nota tout sur un bloc-notes de l'hôtel et, d'un geste agacé, l'enfonça dans la poche. Aussitôt, il le ressortit d'un air triomphant :

« Pourquoi ne pas essayer tout de suite ? »

Il sortit son portable de sa poche, et s'aperçut qu'il était éteint : la batterie avait été bousculée lorsqu'il était tombé sur le trottoir. Il la remit en place, et le téléphone se ralluma. Mark regarda d'un air amusé son camarade tandis qu'il appelait les renseignements pour obtenir les numéros des gens concernés.

Lorsqu'il tombait sur une messagerie ou bien que personne ne répondait, il jurait. À la septième tentative, on décrocha.

« Bonjour, Larry Jackson, j'ai reçu un message d'Ora LeCeille Dunn. Oui, elle m'a appelé la semaine dernière. Nous avons une connaissance en commun. »

Il écouta tout en arpentant la pièce. Soudain, il s'effondra sur le canapé.

« Je suis navré. Quand est-ce arrivé ? Ce matin ? C'est inattendu. Je suis sincèrement désolé. Mes condoléances. »

Mark ouvrit les mains. Il avait l'air triomphant.

« Tu me crois, à présent ? »

Le casque de Frazier se remit en marche.

« Malcolm, on vient de localiser à nouveau le portable de Piper. Il est quelque part dans Sunset Boulevard autour du 9600. »

Il revint en courant au centre des opérations.

Will se leva et inspecta le bar. Il y avait une petite bouteille de vingt centilitres de Johnnie Walker Black. Il l'ouvrit et se versa un verre.

« T'en veux un ?

— Trop tôt.

— Ah bon ? »

Il but son verre cul sec, laissant l'alcool l'envahir peu à peu.

« Combien de gens sont au courant de tout ça ?

— Je ne sais pas très bien. Entre le Nevada et Washington, je dirais un millier.

— Qui dirige tout ça ? Qui sont les responsables ?

— C'est la marine. Je suis certain que le président et quelques membres de son cabinet sont au courant, ainsi que des gens du Pentagone et de la sécurité intérieure du pays. Mais le plus haut gradé, à ma connaissance, c'est le secrétaire à la Marine : j'ai vu son nom passer sur des mémos.

— Mais pourquoi la marine ? fit Will, surpris.

— Je l'ignore. C'est comme ça depuis le début.

— Et c'est resté top secret depuis soixante ans ? Le gouvernement ne peut pas être aussi efficace !

— Ils tuent tous ceux qui parlent, fit Mark avec amertume.

— Mais quel intérêt ? Qu'est-ce qu'ils font de tout ça ?

— Des recherches. Des projections. De l'extraction de données. La CIA et l'armée l'utilisent depuis les années 1950. Ils pensent que, puisqu'ils ont ça sous la main, ils ne peuvent pas ne pas s'en servir. Grâce à la bibliothèque, même si on n'a pas de prise sur certains événements, on peut les prévoir. Enfin, s'il y a des morts. Et quand on sait qu'une catastrophe va avoir lieu, on a la possibilité de prévoir des secours, un budget, de mettre au point une politique, parfois d'atténuer le choc. La zone 51 avait senti venir la guerre de Corée, les purges en Chine sous Mao, la guerre du Viêtnam, les massacres de Pol Pot au Cambodge, les deux guerres du Golfe et les famines en Afrique. En général, on arrive à détecter à l'avance les accidents d'avion et les catastrophes naturelles comme les inondations, les tsunamis. On avait vu venir le 11-Septembre.

Will était abasourdi. « Et on ne peut rien faire ?

— Je te l'ai dit : il est impossible de changer l'ordre des choses. Même si on avait une idée, *grosso modo*, on ne savait pas comment se produiraient les attentats, ni qui en serait responsable. C'est pour ça qu'on a été si prompts à attaquer l'Irak. Tout était joué d'avance.

— Nom de Dieu !

— On a de superordinateurs qui croisent des données vingt-quatre heures sur vingt-quatre, à la recherche de modèles à l'échelle mondiale. » Il se pencha vers Will et dit à mi-voix : « Je peux t'apprendre avec certitude que le 9 février 2013, il va y avoir deux cent mille morts en Chine. Mais j'ignore pourquoi. Des gens travaillent là-dessus en ce moment. En 2025, le 25 mars, pour être précis, il y aura plus d'un million de morts en Inde et au Pakistan. C'est un événement déterminant, mais c'est encore trop loin pour qu'on s'y intéresse vraiment.

— Pourquoi le Nevada ?

— C'est là que les forces aéronavales ont transporté la bibliothèque quand ils l'ont rapportée d'Angleterre.

451

Dans le sous-sol du désert, on a bâti une crypte capable de résister à un choc atomique. Il a fallu vingt ans pour transcrire toutes les données postérieures à 1947 sur un support informatique. Avant cela, les livres n'avaient pas de prix. Aujourd'hui, ils n'ont plus qu'une valeur symbolique. C'est très étonnant à voir, mais tous ces manuscrits n'ont plus guère d'intérêt désormais. Quant au Nevada, c'est loin de tout et facile à protéger. Truman a créé un fabuleux écran de fumée en 1947 en lançant l'affaire Roswell, puis en laissant le public croire que la zone 51 menait des recherches sur les ovnis. Ils ne pouvaient dissimuler l'existence de la base parce que trop de gens y travaillent. En revanche, ils ont caché sa fonction véritable. Nombreux sont les crétins qui croient encore à toutes ces conneries sur les extraterrestres. »

Will s'apprêtait à se resservir un scotch quand il s'aperçut que cela l'affectait davantage qu'il ne l'aurait voulu. Ce n'était pas le bon moment pour se bourrer la gueule.

« Et toi, qu'est-ce que tu fais là-bas ?

— Je protège les données. Nous possédons le serveur le plus sûr au monde. Toute intrusion, toute fuite est impossible, de l'extérieur, comme de l'intérieur. Enfin, ça l'était.

— Tu as cambriolé la banque que tu protégeais.

— J'étais le seul à pouvoir le faire, fanfaronna-t-il.

— Comment tu t'y es pris ?

— Un jeu d'enfant. Je me suis enfoncé une clef USB dans l'anus. Je les ai eus, ces gros cons de gardiens. Ils ne veulent pas que le monde connaisse l'existence de la bibliothèque. Tu imagines la situation ? Les gens seraient paralysés s'ils savaient à quelle date ils vont mourir, eux ou leur femme, leurs parents, leurs enfants, leurs amis. D'après nos analystes, la société serait complètement chamboulée. Des pans entiers de la population pourraient se dire "À quoi bon ?" et tout laisser tomber. Les criminels commettraient davantage de crimes s'ils savaient qu'ils s'en tireront. On peut imaginer toutes sortes de conséquences dramatiques. Le plus drôle, c'est qu'il s'agit juste des dates de début et de fin de la vie. On ne sait rien de la manière dont les gens mèneront leur existence, on n'a aucun élément sur la qualité de vie. Ce sont de pures extrapolations.

— Alors, pourquoi tu as fait ça ? Pourquoi tu as envoyé ces cartes ? », fit Will en élevant la voix.

Mark s'attendait à cette question. Will le savait. La lèvre inférieure de l'informaticien se mit à trembler, comme un enfant qui s'attend à être puni.

« Je voulais... »

Il fondit en larmes et se mit à hoqueter.

« Tu voulais quoi ?

— Je voulais... avoir une vie meilleure. Être quelqu'un... d'autre. »

Will fut soudain envahi par le mépris, mais il parvint à maîtriser sa colère.

« Continue, je t'écoute. »

Shackleton prit un mouchoir et souffla.

« Je ne voulais pas passer ma vie coincé dans ce labo, sous terre. Au casino, je vois des gens riches, et je me demande : pourquoi eux ? Je suis un million de fois plus intelligent. Alors, pourquoi pas moi ? Seulement, je n'ai jamais eu ma chance. Aucune des entreprises qui m'ont recruté n'a connu le succès extraordinaire de Microsoft ou Google. J'ai gagné un peu d'argent grâce aux *stock-options*, mais je suis passé à côté de la bulle des start-up. Et puis j'ai tout foutu en l'air en acceptant de travailler pour le gouvernement. Une fois passé le premier moment d'excitation de la zone 51, je me suis retrouvé face à un boulot d'informatique de base mal payé, au fond d'une cave. J'ai essayé de vendre mes scénarios – je t'ai raconté que j'écrivais –, et personne n'en a voulu. Alors, j'ai décidé de changer de vie en utilisant quelques données de la bibliothèque.

— Alors, tout ça, c'est juste une histoire de pognon ? C'est ça ? »

Mark acquiesça, puis ajouta :

« Ce n'est pas uniquement l'argent pour l'argent : c'est pour le changement qu'il procure.

— Et comment tu comptais tirer des bénéfices de l'affaire Apocalypse ? »

Un sourire de triomphe chassa l'expression fermée de Mark :

« C'est déjà fait ! Je suis plein aux as !

— Éclaire ma lanterne, je ne suis pas aussi intelligent que toi. »

Mark ne sentit pas l'ironie de Will : il prit sa réflexion pour un compliment et se lança dans de longues explications, d'abord avec lenteur et patience, puis avec une rapidité grandissante.

« Voilà comment j'ai conçu le truc – et je dois préciser que tout s'est passé exactement comme prévu. J'avais besoin de faire la démonstration de ce dont j'étais capable. De prouver que j'étais fiable. D'abord, il fallait que j'attire l'attention. Le meilleur moyen, c'était d'utiliser les médias, pas vrai ? Et quelle meilleure façon de les appâter ? L'affaire du tueur de l'Apocalypse ! D'ailleurs, je dois dire que c'est un nom génial ! Je voulais que tout le monde croie à l'existence d'un tueur en série qui annonçait à l'avance à ses victimes qu'il allait les tuer. Alors, j'ai choisi au hasard dans la base de données un groupe de neuf personnes habitant New York. Oui, oui, je vois bien cet air de réprobation dans tes yeux, et peut-être en effet ai-je commis un délit à un certain niveau, pourtant je n'ai tué personne. Et quand l'affaire a fait la une de tous les journaux, j'ai tout de suite réussi à capter l'attention de l'homme que je voulais atteindre : Nelson Elder. »

L'ébahissement se peignit sur les traits de Will.

« Ben, quoi ? Tu le connais ? », interrogea Shackleton.

Will secoua la tête, stupéfait.

« Ouais, je le connais. J'ai appris qu'il était mort.

— Ils l'ont tué. Et Kerry, aussi.

— Pardon, qui ça ?

— Ils ont assassiné ma petite amie ! hurla Mark avant de redescendre d'un ton. Elle ne savait rien. Ils n'avaient pas besoin de l'éliminer. Le pire, c'est que j'aurais pu vérifier leur DDD plus tôt. Hélas, quand j'y ai pensé... »

Mais Will ne l'écoutait plus. Ça venait de faire tilt avec quelques secondes de retard. « Putain de merde ! Nelson Elder ! Les assurances vie !

— Je l'ai rencontré dans un casino. C'était un type sympathique. Et puis j'ai découvert que sa boîte était en difficulté. Comment mieux aider une compagnie d'assurances vie si ce n'est en lui apportant la date de décès des gens sur un plateau d'argent ? C'était ça, ma grande idée. Il a tout de suite compris.

— Combien ?

— Combien d'argent ?

— Bien sûr !

— Cinq millions.

— Tu as bradé les bijoux de la Couronne pour cinq pauvres millions de dollars ?

— Non ! J'ai été très discret. Il m'a envoyé des noms, et je lui ai refilé des dates. Et le tour était joué. Tout le monde était gagnant. J'ai conservé la base de données. Je suis le seul à en disposer.

— Tu as tout copié ?

— Non, que les États-Unis. Desert Life ne travaille pas avec l'étranger. Et puis la base de données tout entière est bien trop énorme. »

Will se trouvait plongé dans une masse d'informations à la limite de l'intelligible, tout en luttant contre des émotions extrêmes.

« Mais il y a plus que ça, hein, il manque encore la cerise sur le gâteau. »

Mark se taisait, mais ses mains s'agitaient, nerveuses.

« T'as voulu me faire plonger, hein ? Tu as choisi New York pour ta petite plaisanterie parce que c'est mon territoire. Tu voulais me foutre dans la merde, pas vrai ? Réponds. »

Mark baissait la tête, tel un enfant contrit.

« J'ai toujours été jaloux, murmura-t-il. C'est vrai, à l'époque où on partageait cette chambre… je n'avais jamais connu de gars comme toi, au lycée. Tout ce que tu entreprenais marchait. Tout ce que moi je faisais… Et quand je t'ai vu, l'an dernier, ça a rouvert la plaie.

— Mark, on était en première année, on partageait juste une piaule ! On a seulement passé neuf mois ensemble, et on était des mômes, rien à voir avec aujourd'hui ! »

Shackleton l'admit d'un air sombre, ravalant ses émotions.

« J'espérais que tu accepterais encore de partager ta chambre avec moi, l'année suivante. Et puis tu les as aidés. À m'attacher sur le lit. Avec du ruban adhésif. »

Will avait des démangeaisons dans les poings. Ce type était vraiment lamentable. Pas la moindre trace de grandeur dans ses actes, ses intentions. Sa vie, son être étaient entièrement focalisés sur son petit ego égratigné, sa haine de lui-même, et ses pulsions infantiles, le tout enrobé dans un QI hors norme qui lui avait servi à mettre au point cette vengeance minable. Bien sûr, il avait été traumatisé ; bien sûr, Will s'était senti coupable de sa non-intervention, mais ce n'était qu'une farce d'étudiants qui remontait désormais à presque trente ans ! Ce type, terré dans sa chambre d'hôtel comme un animal traqué, était vil et dangereux. Will avait toutes les peines du monde à se retenir de lui mettre son poing dans la figure.

En un clin d'œil, ce connard avait mis sa vie sens dessus dessous. Will ne voulait pas être mêlé à tout ça. Tout ce qu'il désirait, c'était prendre sa retraite tranquillement et qu'on lui foute la paix. Hélas, une chose était certaine : une fois découvert le secret de la bibliothèque, tout était différent. Il avait besoin de réfléchir, mais avant tout, il fallait trouver le moyen de survivre.

« Dis-moi une chose, Mark, tu m'as cherché dans ta base de données ? Est-ce que je dois mourir aujourd'hui ? »

En attendant sa réponse, il songea : Et quand bien même, après tout, quelle importance ? Qu'est-ce qui me retient ici ? Je risque de foutre en l'air la vie de Nancy comme je l'ai fait avec les autres. Allez, finissons-en !

« Non. Moi non plus. On est tous les deux ADH.

— Qu'est-ce que ça veut dire ?

— Au-delà de l'horizon. Les manuscrits s'arrêtent en 2027. La zone 51 avait une espérance de vie de quatre-vingts ans.

— Pourquoi ça s'arrête ?

— Nous l'ignorons. Il semble qu'il y ait eu un incendie au monastère. Était-ce une catastrophe naturelle ? Un acte politique ? Religieux ? Aucun moyen de savoir. Mais les faits sont là.

— Ainsi donc, je vivrais au moins jusqu'en 2027, conclut Will, songeur.

— Moi aussi, lui rappela l'autre. Est-ce que je peux te poser une question ?

— Vas-y.

— Tu as vraiment découvert que c'était moi ? Et c'est à cause de ça qu'ils te recherchent aussi ?

— Oui, je t'ai démasqué.

— Comment tu as fait ? Je suis certain de n'avoir laissé aucune trace ! »

Will voyait bien qu'il mourait d'envie de savoir.

« Je suis tombé sur ton scénario dans les archives de la société des auteurs. La première version : un ramassis de personnages sans intérêt. La seconde : un ramassis de noms très très intéressants. Il fallait que tu le rendes public, hein ? Même si c'était une vengeance mesquine contre moi ? »

Mark était éberlué.

« Mais qu'est-ce qui t'a donné l'idée d'aller voir là ?

— La police utilisée pour les cartes de l'Apocalypse. On ne s'en sert plus guère aujourd'hui, à part quand on écrit des scénarios. »

Mark était bouche bée.

« Jamais je n'aurais imaginé.

— Quoi ?

— Que tu étais aussi intelligent. »

Assis devant son ordinateur, Frazier essayait de voir le bon côté des choses. Ils avaient localisé le portable de Will, ses hommes étaient à proximité, et il savait qu'aucun d'eux ne mourrait aujourd'hui – pas plus d'ailleurs que Shackleton et Piper. La conclusion était évidente : l'opération allait se dérouler en douceur, les deux hommes seraient arrêtés et ramenés ici pour être interrogés. Ce qui leur arriverait ensuite n'était pas de son ressort. Ils étaient tous les deux ADH, cependant, il savait bien qu'ils seraient neutralisés d'une manière ou d'une autre. Mais ça, il s'en foutait.

Son nouvel optimisme fut néanmoins ébranlé par DeCorso.

« Malcolm, voilà comment ça se présente, entendit-il dans son casque. Ils sont au Beverly Hills Hotel. Il y a plusieurs centaines de chambres réparties sur près de cinq hectares. On n'est capables de les localiser que dans un rayon de trois cents mètres. Mais on n'a pas assez d'hommes pour fouiller l'hôtel.

— Bordel ! Y a pas moyen d'affiner la localisation ? »

Sans quitter des yeux son écran, l'un des techniciens du centre des opérations répondit :

« Appelez-le sur son portable. S'il répond, on l'aura dans un rayon de quinze mètres. »

Un sourire sardonique fleurit sur les lèvres de Frazier.

« Espèce de crâne d'œuf de mes deux. On va bien s'amuser tous les deux. »

Il saisit un téléphone et appuya sur le zéro pour passer un appel externe.

Le portable de Will se mit à sonner. Nancy, songea-t-il. Il désirait si fort entendre sa voix qu'il ne prêta pas attention à l'identification inconnue du correspondant.

« Allô ! »

Silence.

« Nancy ? »

Rien.

Il raccrocha.

« C'était qui ? demanda Mark.

— Je n'aime pas ça. »

Will considéra son téléphone d'un air méfiant, fit la grimace, puis l'éteignit.

« Il faut qu'on file d'ici. Rassemble tes affaires. »

Mark prit l'air effrayé.

« Où va-t-on ?

— Je l'ignore encore. On quitte LA. Ils savent que je suis là, donc, toi aussi. On va prendre un taxi pour aller jusqu'à ma voiture et on avisera. Deux types aussi intelligents que nous, on devrait réussir à trouver une solution, non ? »

Mark se pencha pour ramasser son ordinateur. Will se tenait au-dessus de lui, menaçant.

« Qu'est-ce qu'il y a ?

— C'est moi qui embarque ça.

— Pourquoi ? »

Will lui fit comprendre que, cette fois, le muscle l'emportait sur la matière grise.

« Parce que je te le demande. Et je ne le répéterai pas. Donne-moi ton mot de passe.

— Non ! Sinon, tu vas me laisser tomber.

— Mais non.

— Comment je pourrais en être sûr ? »

Soudain, en le voyant si effrayé, si vulnérable, pour la première fois, Will eut pitié de lui.

« Parce que je te donne ma parole. Écoute, si on a tous les deux le mot de passe, ça me permettra de te couvrir auprès des autres si jamais on est séparés. C'est la seule solution.

— Pythagore.

— Comment ?

— Le mathématicien grec Pythagore.

— Est-ce que ça signifie quelque chose pour toi ? »

Il n'eut pas le temps de répondre. Will entendit un bruit venant du patio. Il sortit son Glock.

Soudain, les deux portes s'ouvrirent en même temps et le salon fut rempli d'hommes en armes.

Pour ceux qui étaient là, le combat rapproché dura une éternité ; pour un observateur extérieur comme Frazier, qui suivait l'action grâce à ses écouteurs, tout fut terminé en moins de dix secondes.

DeCorso aperçut le revolver de Will et fit feu. Les premières balles lui frôlèrent les oreilles : il plongea vers le tapis et répondit en tirant depuis le sol, aussi rapide que possible. Viser ces grosses cibles à la poitrine et à l'abdomen n'était pas difficile.

Will avait fait usage de son arme une seule fois au cours de sa carrière, lors d'une mauvaise rencontre sur une autoroute de Floride, la deuxième année où il travaillait au bureau du shérif. Il avait descendu deux hommes ce jour-là : ils faisaient des cibles bien plus faciles que les écureuils.

DeCorso tomba le premier, causant un instant d'égarement parmi ses hommes. Les revolvers des gardiens étaient munis de silencieux, aussi leurs coups de feu ne causaient-ils pas d'explosion, mais un bruit de bouteille qu'on débouche. Celui de Will, en revanche, déclenchait le tonnerre à chaque tir, ce qui arrachait chaque fois une grimace à Frazier : au bout de dix-huit impacts, le calme revint.

Le magnifique salon était désormais rempli de fumée bleue et d'une âcre odeur de poudre. Will distingua de minuscules cris hystériques sortant d'un casque qui gisait sur le sol, loin de son propriétaire.

Partout, la couleur primaire du sang jurait avec les tons pastel de la superbe suite. Les quatre assaillants étaient à terre ; deux gémissaient, deux étaient inconscients. Will se remit à genoux, mais il fit une pause avant de se relever car il avait les jambes en coton. Il n'éprouvait aucune douleur, mais il savait que l'adrénaline peut pendant un temps masquer la souffrance occasionnée par une blessure sérieuse. Il s'examina : pas de trace de sang. C'est alors qu'il aperçut les pieds de Mark, sortant de derrière le canapé. Il alla l'aider.

Nom de Dieu, songea-t-il en découvrant son camarade. Il avait un énorme trou dans la tête. Des bulles rouges et un peu de cervelle en sortaient. Sa bouche écumait, gargouillait. Et il était ADH ? Will frissonna en songeant que ce pauvre con avait encore au moins dix-huit ans à vivre.

Il saisit la mallette et fila.

1er août 2009

Will essayait de ne pas se faire remarquer. Il croisa un flot de gens qui couraient tous en direction du bungalow. Deux gardes de l'hôtel en blazer bleu le bousculèrent même. Il avançait à travers les jardins de l'hôtel d'un air nonchalant, impassible, serrant la mallette sous sa veste, s'éloignant le plus possible du théâtre des événements. Encore quelques secondes et la situation deviendrait explosive. Il entendait déjà les sirènes. Les forces de l'ordre réagissent plus vite dans les quartiers chic, songea-t-il. Il avait une décision à prendre. Soit il essayait de revenir à sa voiture, soit il restait sur place, se cachant au cœur du tumulte. Cette tactique avait fonctionné au salon de coiffure, alors il décida de recommencer. De toute façon, il était trop perturbé pour agir autrement.

Autour du bureau de la réception régnait la plus grande confusion. Les clients rapportaient qu'ils avaient entendu des coups de feu, toute la sécurité était en alerte. Il passa devant les employés affolés sans leur prêter attention, fila vers les ascenseurs, pour monter dans le premier venu et appuya au hasard sur le bouton du troisième étage.

Le couloir était vide, à l'exception d'un chariot d'ustensiles de ménage stationnant à mi-parcours. Par la porte entrouverte de la chambre 315, il aperçut une femme vêtue d'une blouse, qui passait l'aspirateur.

« Bonjour ! », dit-il du ton le plus dégagé qu'il put.

L'employée lui sourit.

« Bonjour, monsieur, j'ai bientôt fini. »

Il y avait là des sacs de voyage et des vêtements d'homme dans le placard.

« Je rentre plus tôt de ma réunion. J'ai un coup de fil à passer.

— Pas de problème, monsieur. Appelez le service de nettoyage quand vous voudrez que je revienne. »

Il était seul à présent.

En regardant dehors, il vit la police et des infirmiers traverser en hâte le jardin. Il s'écroula sur un fauteuil et ferma les yeux. Il ignorait combien de temps il avait devant lui. Il avait besoin de réfléchir.

Will se retrouva à nouveau en train de pêcher avec son père, Phillip Weston Piper, qui appâtait en silence. Il avait toujours trouvé que c'était un nom ronflant pour un type aux mains épaisses et au teint buriné qui gagnait sa vie en arrêtant des ivrognes et en distribuant des contraventions pour excès de vitesse. Son grand-père enseignait les sciences sociales au collège de Pensacola. Il formait de grands desseins pour son fils, voilà pourquoi il avait choisi de donner à ce nouveau-né un prénom très chic, dans l'espoir que cela l'aiderait à faire son chemin. Hélas, ce fut sans effet. Phillip Weston Piper devint un fêtard qui toute sa vie taquina la bouteille et fit de l'existence de sa femme un véritable enfer.

Néanmoins, il n'était pas si mauvais père, bien qu'il fût taciturne à l'extrême. Will eut toujours le sentiment qu'il faisait de son mieux pour élever son fils. Peut-être leur relation eût-elle été meilleure s'il avait su que son père mourrait alors qu'il terminait ses études. Peut-être eût-il fait le premier pas pour engager la conversation avec lui afin de savoir ce qu'il pensait de la vie, de la famille, de son fils. Mais cette conversation fut enterrée avec Phillip Weston Piper, et Will dut continuer à vivre avec cette énigme.

Jamais il ne s'était beaucoup préoccupé de religion ni de philosophie. Dans son travail, il était sans cesse confronté à la mort, mais son approche était basée sur les faits. Certaines personnes vivaient, d'autres mouraient car elles se trouvaient au mauvais endroit, au mauvais moment. Tout ça était totalement aléatoire.

Sa mère était une vraie grenouille de bénitier et, quand il lui rendait visite, en bon fils dévoué, il l'accompagnait à la première église baptiste de Panama City. C'est là qu'on avait célébré ses funérailles quand le cancer l'avait emportée. Petit, on lui avait rebattu les oreilles de la volonté divine et du grand ordonnancement du monde. À l'école, il avait lu des livres sur le calvinisme et la prédestination. Tout ça, c'est du pipeau, avait-il toujours pensé. Le chaos et le hasard régnaient sur l'univers. Il n'y avait aucun dessein supérieur.

Eh bien, il s'était trompé.

Il ouvrit les yeux, tourna la tête. Toutes les forces de police étaient à présent rassemblées dans les jardins du Beverly Hills Hotel. De nouvelles ambulances ne cessaient d'arriver, déversant sur les lieux toute sorte d'urgentistes. Il attrapa l'ordinateur portable et l'ouvrit.

Il était encore en veille. Dès qu'il le ralluma, la petite fenêtre d'accès à la base de données de Shackleton apparut, lui demandant le mot de passe. Il s'y reprit à trois fois avant de bien orthographier Pythagore. Mauvaise pub pour Harvard !

Une nouvelle page s'ouvrit, proposant différentes entrées : nom, DDN – date de naissance –, DDD – date de décès –, ville, code postal, adresse. C'était une application très conviviale. Il tapa son propre nom et sa date de naissance. L'ordinateur répondit : ADH. Confirmé. Très bien, pensa-t-il. Avec un peu de chance, il ne passerait pas les dix-huit prochaines années dans le même état que Mark Shackleton. Dix-huit ans : presque une vie.

Les prochaines entrées allaient s'avérer beaucoup plus ardues. Il hésita, songea à refermer le portable, mais les sirènes redoublaient, ainsi que la clameur qui montait du jardin. Il inspira profondément puis tapa : Laura Jean Piper, 7 août 1984. Entrée.

ADH.

Il souffla et sur ses lèvres se dessina cette prière : Merci mon Dieu.

Puis il reprit sa respiration et tapa : Nancy Lipinski, White Plains, État de New York. Entrée.

ADH.

Enfin, pour consolider son plan : Jim Zeckendorf, Weston, Massachusetts.

ADH.

C'est tout ce que je veux savoir, tout ce dont j'ai besoin, pensa-t-il. Il tremblait.

Il demeura assis là. La logique des choses lui parut soudain implacable. Lui, sa fille et Nancy survivraient malgré les barbouzes qui avaient pour mission de les tuer au nom de la sécurité de la zone 51. Cela signifiait qu'il allait trouver le moyen de les en empêcher.

C'était de la folie ! Alors, le libre arbitre, c'est de la connerie, se dit-il. Il était emporté par le flux de la destinée. Il n'était pas maître de son destin, ni capitaine de son âme.

Pour la première fois depuis la mort de son père, il se mit à pleurer.

Pendant que les secours transportaient les blessés du bungalow vers les ambulances, assis au bureau de la chambre 315, Will écrivait une lettre sur le papier à en-tête de l'hôtel. Lorsqu'il eut terminé, il la relut. Il lui restait un espace à remplir avant de l'envoyer.

À Beverly Hills, cc beau samedi après-midi fut gâché par le bruit et les fumées des moteurs diesel des douzaines d'ambulances et de camionnettes de la télévision qui encombraient Sunset Boulevard. Will longea la cohue, tête baissée, s'éloigna un peu, puis héla un taxi.

« Nom de Dieu, mais qu'est-ce qui se passe par ici ? demanda le chauffeur.

— Aucune idée.

— Je vous emmène où ?

— Dans un magasin d'informatique, à la bibliothèque municipale de LA et à la poste. Tout ça dans l'ordre. Gardez tout, dit-il en laissant choir un billet de cent dollars sur les genoux du chauffeur.

— Tout ce que vous voudrez, monsieur ! », répondit l'autre avec enthousiasme.

Dans un magasin, Will acheta une clef USB. De retour dans le taxi, il y copia la base de données, puis la rangea dans sa poche de chemise.

Le taxi le déposa devant la bibliothèque, palais blanc Art déco situé près de Pershing Square dans le centre de Los Angeles, puis il alla se garer pour l'attendre. Après s'être renseigné à l'accueil, Will s'enfonça parmi des rangées d'étagères. Dans la lumière crue des néons d'un sous-sol peu fréquenté, il songea à ce dingue de Donny et, en lui-même, le remercia de lui avoir inspiré malgré lui cette cachette parfaite.

Une étagère tout entière était réservée aux volumes épais et poussiéreux des archives municipales. Après s'être assuré qu'il était seul, en se hissant sur la pointe des pieds, il attrapa un gros livre qu'il parvint à déloger de sa rangée avec peine. L'année 1947 lui tomba lourdement dans les bras.

1947. Une petite touche d'ironie dans une journée bien sinistre. Le volume sentait le vieux, l'inutile. À moins d'un événement extraordinaire, il était à peu près sûr d'être la dernière personne à y toucher avant très longtemps. Il l'ouvrit en son milieu. La reliure du dos s'écarta, formant un espace où il inséra la clef USB, bien en profondeur. Il referma le livre : la reliure reprit sa forme initiale avec un craquement, avalant le petit objet informatique en le dérobant aux regards.

L'arrêt suivant fut rapide : le bureau de poste le plus proche, où il acheta un timbre avant de déposer son courrier à la boîte. Il était adressé à Jim Zeckendorf, à son cabinet de Boston. Dans la lettre se trouvait une seconde enveloppe contenant un message qui commençait ainsi :

Jim, désolé de te mêler à tout ça. C'est une affaire très compliquée et j'ai besoin de ton aide. Si je ne te contacte pas en personne chaque premier mardi du mois à l'avenir, je veux que tu ouvres l'autre enveloppe et que tu suives les instructions.

De retour dans le taxi, il demanda au chauffeur :
« Pour le dernier arrêt, emmenez-moi au Grauman's Chinese Theater.
— Le célèbre cinéma, à Hollywood ? Vous n'avez pourtant pas l'air d'un touriste !
— J'aime la foule. »

Les trottoirs de Hollywood grouillaient de touristes et de marchands ambulants. Will s'arrêta sur une plaque de béton où il était inscrit : À SID, ON TE SOUHAITE DE LONGUES BALADES TRANQUILLES, ROY ROGERS ET TRIGGER. Cette déclaration était agrémentée d'empreintes de mains, de pieds et de sabots de cheval. Will sortit son téléphone de sa poche et l'alluma.

Elle répondit aussitôt, comme si elle avait eu son portable dans la main, attendant avec impatience qu'il sonne. « Mon Dieu, Will, tu vas bien ?
— J'ai eu une journée de merde, Nancy. Et toi, ça va ?
— Je suis morte d'inquiétude. Tu l'as trouvé ?
— Ouais, mais je ne peux pas te parler maintenant. On nous écoute.
— Tu es en sécurité ?
— Oui, je suis couvert. Tout ira bien.
— Qu'est-ce que je peux faire ?
— Attends-moi, et redis-moi que tu m'aimes.
— Je t'aime. »

Il raccrocha et chercha un numéro auprès des renseignements. Tenace, il réussit à remonter la ligne jusqu'à la personne qui précédait sa cible. Il coupa court aux discours d'usage.

« Écoutez, je suis Will Piper, agent spécial du FBI. Dites au secrétaire de la Marine que je suis en ligne. Dites-lui aussi que j'ai passé une partie de la journée en compagnie de Mark Shackleton. Et que je sais tout de la zone 51. Ah, et puis informez-le que je lui laisse une minute pour décrocher son téléphone. »

8 janvier 1297

Baldwin, l'abbé de l'île de Wight, priait au pied de la tombe la plus révérée du monastère, cherchant des solutions à son problème.

Entre les piliers qui séparaient la nef des bas-côtés, une dalle funéraire était enchâssée parmi les autres, plus ordinaires. Le sol de pierre était glacial et, malgré ses vêtements, le moine sentait ses genoux geler peu à peu. Pourtant, il ne bougeait pas, plongé dans cette méditation plaintive qu'il adressait à saint Josephus, le patron de l'abbaye.

Cette sépulture était l'endroit par excellence où l'on venait se recueillir dans la cathédrale, splendide édifice aux hauts clochers érigé sur le site de l'ancienne église du monastère. La dalle funéraire de diabase portait cette simple inscription profondément gravée : *Sanctus Josephus, Anno Domini 800*.

Depuis la mort du saint, cinq siècles plus tôt, l'abbaye avait beaucoup changé. L'annexion des champs et des prés alentour avait permis d'étendre son périmètre de façon considérable. Un haut mur de pierre et une herse protégeaient désormais le site contre les pirates français qui rançonnaient l'île ainsi que la côte voisine du Hampshire. La cathédrale, une des plus belles du royaume d'Angleterre, lançait ses vertigineux clochers à l'assaut du ciel. Plus de trente bâtiments de pierre s'élevaient désormais, tous reliés par des galeries couvertes ou des couloirs : dortoirs, réfectoire, office, hospice, chapitre, scriptorium, infirmerie, brasserie, cellier, cuisines, étables, appartements de l'abbé. Les cloîtres, cours et potagers étaient vastes et bien proportionnés. Il y avait un grand cimetière. Un peu plus loin se trouvait une ferme qui comportait un moulin et un enclos avec des cochons. En tout, six cents personnes vivaient au monastère, ce qui en faisait le deuxième centre de peuplement de l'île. C'était en outre l'un des plus prospères du monde chrétien, rivalisant avec Westminster, Canterbury et Salisbury.

Cette prospérité s'étendait d'ailleurs à toute l'île, dont la population et la richesse avaient beaucoup augmenté avec le temps. Après la conquête de la Grande-Bretagne par Guillaume le Conquérant à la bataille d'Hastings en 1066, l'île était donc passée sous contrôle normand, se coupant définitivement de toute influence scandinave, transformant jusqu'à son nom de Wiht, donné par les Jutes, en Wight. Le duc de Normandie en avait fait don à son ami William Fitz Osbern, qui était alors devenu le premier lord de l'île de Wight. Sous la protection des monarques britanniques, l'île s'était transformée en prospère bastion fortifié contre les Français. Au centre, s'élevait la forteresse trapue de Carisbrooke Castle, où une succession de seigneurs avaient exercé leur pouvoir féodal et forgé une alliance ecclésiastique avec les moines de l'abbaye, leur voisine spirituelle.

Le dernier de la lignée n'était en réalité pas un lord mais une lady, la comtesse Isabella de Fortibus, qui acquit son titre à la mort de son frère, en 1262. Grâce aux impôts que lui rapportaient ses terres du Devon et aux droits maritimes, cette femme aigrie et laide était devenue la plus riche du royaume. Comme elle était solitaire et pieuse, Edgar, l'abbé de l'île de Wight, puis à son tour Baldwin avaient toujours entretenu d'excellents rapports avec elle, ne manquant jamais de l'inclure dans leurs prières, et lui offrant les plus beaux manuscrits enluminés par leurs copistes. En retour, Isabella se montrait généreuse : elle était le principal mécène de l'abbaye.

En 1293, Baldwin fut appelé à son chevet à Carisbrooke pour lui donner l'extrême-onction. Dans sa chambre glaciale, elle l'informa d'une voix mourante qu'elle venait de vendre l'île à la couronne d'Angleterre pour la somme de six mille marks, transférant ainsi au roi Edward sa suzeraineté. L'abbé devrait désormais chercher un autre mécène. Lorsqu'elle expira, il la bénit du bout des lèvres.

Les quatre années qui suivirent furent extrêmement difficiles pour Baldwin. Des décennies de protection n'avaient pas préparé l'abbaye à de si rudes lendemains. Le monastère était à présent si peuplé qu'il ne pouvait plus vivre en autarcie et devait en permanence chercher de nouvelles sources de financement. Ainsi Baldwin faisait-il d'incessants allers-retours sur le continent, tel un mendiant demandant l'aumône aux comtes, lords, évêques et cardinaux. À l'inverse d'Edgar, son prédécesseur, que tout le monde aimait, même les chiens, Baldwin n'était pas diplomate. C'était un homme froid et glissant comme un poisson.

Administrateur efficace, dont la passion des registres rivalisait avec son amour pour Dieu, il n'éprouvait, en revanche, guère d'affection pour ses frères humains. Quoi qu'il en soit, le bonheur et la paix étaient des concepts modernes, encore fort abstraits.

Cependant, de graves problèmes couvaient.

Profondément enfouis.

Baldwin adressa une fervente prière à Josephus, puis il se leva pour aller voir le prieur auquel il avait une requête urgente à soumettre.

Luke, fils d'Archibald, bottier à Londres, était le plus jeune moine de l'abbaye. À 27 ans, il avait davantage le physique d'un soldat que d'un homme de Dieu. Son père avait été fort déçu que son fils préférât la prière au cuir mais, de même qu'on ne peut empêcher la pâte à pain de lever, il n'avait pu raisonner ce garçon obstiné. Petit, Luke était ébloui par l'atmosphère de paix qui régnait autour du prêtre de sa paroisse. Dès lors, il n'avait plus désiré qu'une seule chose : vouer sa vie au Christ.

L'immersion totale de la vie monastique l'attirait tout particulièrement. Il avait beaucoup entendu parler des frères de l'abbaye de Wight, de la beauté âpre des lieux. Aussi, à l'âge de 17 ans, avait-il pris le chemin du Hampshire, utilisant ses dernières pièces pour payer son passage par bateau. Pendant la traversée, il avait observé les falaises sévères de l'île, qui se dessinaient peu à peu à l'horizon, et il était resté bouche bée, plein d'effroi devant les flèches de la cathédrale qui se dressaient dans les nuées, doigts de pierre pointant vers le royaume des cieux. Il pria de toutes ses forces pour ne jamais devoir franchir le détroit dans l'autre sens.

Après une longue marche à travers la verte campagne de l'île, Luke se présenta devant la herse de l'abbaye où il exposa sa requête avec humilité. Le prieur, frère Félix, un solide Breton au teint aussi mat que celui du nouveau venu était pâle, vit tout de suite qu'il était sincère et l'admit sans réserve. Au bout de quatre années de dur labeur en tant qu'oblat, puis frère lai, Luke prononça ses vœux. Dès lors, chaque matin, il se réveillait le cœur débordant de joie à l'idée d'entamer une nouvelle journée. Son éternel sourire apportait la gaieté aux frères et aux sœurs, au point que certains d'entre eux faisaient parfois un détour pour s'y réchauffer.

Peu après son arrivée à l'abbaye de l'île de Wight, il avait eu vent de rumeurs à propos d'une crypte, colportées par d'autres novices installés là depuis plus longtemps que lui. Un monde souterrain existait, peuplé d'êtres différents, se livrant à d'étranges pratiques. Rituels. Perversions. Il y avait aussi une société secrète, l'ordre des Noms.

Balivernes, pensa Luke, rite d'initiation pour jeunes gens à l'imagination fertile. Il ne voulait point se laisser entraîner vers de telles absurdités afin de se consacrer à ses devoirs et son apprentissage.

Pourtant, on ne pouvait nier la présence d'un bâtiment au-delà des limites de l'abbaye. Dans un coin isolé, derrière le cimetière, se dressait une petite construction de bois de la taille d'une chapelle, reliée à une sorte de long magasin qui portait le nom de cuisine extérieure. Par curiosité, Luke s'en approchait de temps à autre pour observer les allées et venues. Il y avait vu entrer du grain, des légumes, de la viande, du lait. Certains frères, toujours les mêmes, venaient puis repartaient et, en plusieurs occasions, de jeunes femmes avaient été escortées dans la chapelle.

Jeune, sans expérience, Luke acceptait de ne point comprendre tout ce qui se passait autour de lui. Rien ne devait empiéter sur son intimité avec Dieu, qui se renforçait chaque jour un peu plus, protégée par les murs du monastère.

La parfaite harmonie dans laquelle baignait l'existence du jeune moine trouva une fin brutale par un jour d'octobre. La matinée avait été chaude et ensoleillée pour la saison, mais au cours de l'après-midi la pluie et la fraîcheur étaient arrivées dans le sillage d'une tempête qui avait effleuré l'île. Luke avait entrepris une promenade méditative quand le vent se leva, amenant l'ondée. Il décida de rentrer en s'abritant le long de l'enceinte de l'abbaye. Sa route l'avait amené du côté du dortoir des sœurs. Là, il avait vu des femmes s'affairer pour rentrer le linge qui séchait au-dehors.

Une bourrasque plus forte emporta soudain une chemise d'enfant accrochée sur un fil tendu. Après avoir joué un moment avec, la tempête la déposa tout près de Luke. Il s'avança pour la ramasser, tandis qu'une jeune femme quittait le groupe pour la même raison. Elle courait. Son voile s'envola alors, révélant une cascade de cheveux couleur miel.

Ce n'est pas une sœur, songea Luke, car ses cheveux seraient coupés. Elle avait l'agilité et la grâce d'un faon, et en montra la timidité lorsqu'elle comprit qu'ils allaient se rencontrer : elle s'arrêta net, laissant le jeune homme saisir la chemise à sa place. Il l'agita devant elle, souriant comme à son habitude, en s'écriant :

« Tiens ! Je l'ai attrapée pour toi ! »

Jamais il n'avait vu visage aussi beau que le sien : un menton parfait, des pommettes hautes, des yeux bleu vert, des lèvres humides, et une peau aussi lumineuse que la perle qu'il se rappelait avoir observée un jour à Londres au doigt d'une lady.

Elizabeth n'avait guère plus de 16 ans : c'était l'incarnation de la jeunesse et de la pureté. Elle venait de Newport, où son père l'avait vendue à l'âge de 9 ans pour servir au château de la comtesse Isabella, à Carisbrooke. Celle-ci, à son tour, l'avait offerte au monastère deux ans plus tard. Sœur Sabeline en personne avait choisi la jeune fille parmi d'autres. La saisissant par la mâchoire pour mieux l'examiner, elle avait déclaré qu'elle convenait pour le monastère.

« Merci, dit-elle à Luke d'une voix qui ressemblait à un carillon léger.

— Je suis désolé, elle est trempée. »

Il lui remit le vêtement, et bien que leurs mains ne se soient pas touchées, il sentit une onde de choc passer entre eux. Il s'assura que personne ne les regardait, puis il reprit :

« Comment t'appelles-tu ?

— Elizabeth.

— Moi je suis frère Luke.

— Je sais. Je vous ai déjà vu.

— Vraiment ?

— Je dois retourner là-bas », dit-elle en baissant les yeux.

Elle repartit en courant, et il la suivit du regard. À partir de cet instant, Jésus-Christ, son Seigneur, son Sauveur, ne fut plus le seul à habiter les pensées du moine.

Il prit l'habitude de passer derrière le dortoir des sœurs lorsqu'il se promenait. Chaque fois, Elizabeth apparaissait, ne serait-ce que pour battre un linge sur la pierre à laver ou vider un seau. Dès qu'il l'apercevait, son sourire irradiait ; elle lui adressait alors un petit signe de la tête et, à son tour, lui rendait son sourire. Jamais ils ne se parlaient, mais cela ne diminuait en rien le plaisir de ces rencontres et, dès que c'était fini, Luke songeait à la prochaine fois.

Certes, son attitude était répréhensible, songeait-il, et ses pensées impures. Seulement, il n'avait jamais éprouvé un tel sentiment pour une autre personne, et il se révélait incapable de s'empêcher de penser à elle. Il avait beau se repentir, il ne pouvait réprimer ce désir fou qu'il avait de toucher sa peau de soie, idée qui virait à l'obsession lorsqu'il était allongé sur sa couche, luttant pour calmer le feu de ses reins.

Bientôt, Luke éprouva pour lui-même de la haine, et son éternel sourire se dissipa. Son âme était torturée, et il devint un moine au visage sévère parmi les autres, avançant comme une ombre à travers le monastère.

Il savait exactement ce qu'il méritait : être châtié – si ce n'est dans ce monde, alors dans l'autre.

Pendant que l'abbé Baldwin adressait ses prières à la sépulture de Josephus, Luke s'approchait du dortoir des sœurs, dans l'espoir d'apercevoir Elizabeth. C'était un matin pur et glacé, et l'âpreté de la bise sur sa peau nue satisfaisait son masochisme. La cour était déserte, derrière le dortoir, et il pouvait seulement espérer qu'elle l'aperçût par les minuscules fenêtres alignées sous le toit pentu.

Il ne fut point déçu. Alors qu'il arrivait tout près, une porte s'ouvrit et la jeune fille apparut, enveloppée d'un long châle brun. Il retenait son souffle. En la voyant, il expira des volutes de fumée blanche, nuage éphémère. Elle était si jolie qu'il ralentit pour prolonger cet instant, s'autorisant peut-être à frôler le bâtiment d'un peu plus près que d'habitude, pour distinguer le battement de ses cils.

C'est alors qu'il se produisit un fait extraordinaire.

Elle vint droit vers lui. La surprise le cloua sur place. Elle s'arrêta à un pas. Un instant, il se demanda s'il rêvait, mais en constatant qu'elle pleurait, en sentant le souffle chaud de ses sanglots, il sut que c'était bien la réalité. Stupéfait, il en oublia qu'on pouvait les voir.

« Elizabeth ! Mais que se passe-t-il ?

— Sœur Sabeline m'a dit que c'était mon tour, dit-elle en hoquetant.

— Ton tour ? Mais ton tour de quoi ?

— Pour la crypte. On veut m'envoyer dans la crypte ! Je vous en prie, frère Luke, aidez-moi ! »

Il aurait voulu la serrer dans ses bras pour la réconforter, mais c'eût été impardonnable.

« J'ignore totalement de quoi tu parles. Que se passe-t-il dans la crypte ?

— Vous ne savez pas ?

— Mais non ! Explique-moi.

— Pas ici. Pas maintenant, sanglota-t-elle. Pouvons-nous nous retrouver ce soir ? Après les vêpres ?

— Où ça ?

— Je ne sais ! Pas ici ! Vite, sœur Sabeline va nous voir ! » Soudain, gagné à son tour par la panique, son esprit en feu se mit à chercher une solution :

« J'ai une idée, les étables. Après les vêpres. Retrouve-moi là-bas si tu peux. Je t'attendrai.

— J'y serai. Je dois me retirer à présent. Dieu vous bénisse, frère Luke. »

Baldwin tournait d'un pas nerveux autour de son prieur, Félix, assis dans un fauteuil au coussin de crin de cheval. D'ordinaire, Félix eût été à son aise – les appartements privés de l'abbé étaient confortables, une douce chaleur y régnait, et un bon fauteuil ainsi qu'une cruche de vin étaient à disposition. Pourtant, ce jour-là, il était fort ennuyé. Baldwin s'agitait comme un papillon de nuit auprès d'une flamme, et son anxiété s'avérait contagieuse. L'abbé était un homme de taille et d'aspect tout à fait ordinaires, qui n'affichait ni sérénité ni sagesse particulière permettant de déceler sa fonction. Sans sa robe à feston d'hermine et son crucifix orné, il eût pu passer pour un colporteur, un commerçant du commun.

« Je prie pour obtenir des réponses, hélas, je n'en reçois point, se lamenta Baldwin. Ne pouvez-vous m'aider à résoudre ces sombres tracas ?

— Je ne le peux, mon père, répondit Félix avec son fort accent breton.

— Dans ce cas il nous faut réunir le conseil. »

Le conseil de l'ordre des Noms ne s'était point retrouvé depuis bien des années. Le prieur fouilla dans sa mémoire pour se souvenir à quand remontait la dernière fois. Cela devait bien dater de vingt ans, quand on avait pris la décision d'agrandir la bibliothèque. Il était jeune alors. C'était un lettré, également relieur, qui avait choisi l'abbaye de l'île de Wight pour son célèbre scriptorium. En raison de son intelligence, de son habileté et de sa probité, Baldwin, alors prieur, l'avait introduit au sein de l'ordre des Noms.

L'abbé dirigeait l'office de none dans la cathédrale et le chant mélodieux de sa congrégation emplissait le sanctuaire. Suivant à la lettre l'ordre prescrit qu'il connaissait par cœur, il laissa son esprit revenir à son principal souci : la crypte. None débutait par le *Deus in Adjutorium*, suivi par l'hymne de none, les psaumes CXXV, CXXVI et CXXVII, un verset, le *Kyrie*, le *Pater*, un cantique, et pour conclure, la dix-septième prière de saint Benoît. Quand la cérémonie fut terminée, il quitta le sanctuaire le premier, écoutant le bruit des pas des membres de l'ordre des Noms qui le suivaient jusqu'au chapitre tout proche, un bâtiment en forme de polygone au toit très pointu. À la table prirent place Félix, frère Bartholomew, le vieux moine qui dirigeait le scriptorium, frère Gabriel, l'astronome à la langue bien pendue, frère Edward, le chirurgien qui dirigeait l'infirmerie, frère Thomas, gros gardien endormi du cellier et de l'office, et enfin sœur Sabeline, mère supérieure de toutes les moniales, femme d'âge mûr au port altier, d'origine aristocratique.

« Qui parmi vous peut me résumer où en est la situation actuelle de la bibliothèque ? »

Tous les moines présents s'étaient récemment rendus à la bibliothèque, poussés par une curiosité malsaine, mais aucun d'entre eux ne connaissait mieux l'endroit que Bartholomew, qui y passait la plus grande partie de son existence. Avec le temps il avait même pris l'allure d'une taupe avec son visage pointu, son aversion pour la lumière, et ses petits gestes rapides, illustrant ses propos.

« Quelque chose les trouble, commença-t-il. Je les observe depuis bien des années, soupira-t-il. De trop nombreuses années, en vérité, et ils manifestent un comportement très proche de ce que j'appellerais des émotions.

— Je suis d'accord avec toi, renchérit Gabriel de sa voix flûtée. Il ne s'agit pas bien sûr d'émotions semblables aux nôtres comme la joie, la colère, la fatigue, la faim, mais de la sensation désagréable que quelque chose ne fonctionne plus.

— Pouvez-vous préciser ce qui diffère de leurs pratiques habituelles ? », interrogea Baldwin, songeur.

Félix prit la parole :

« J'ai l'impression que leur sens du devoir s'est amoindri.

— Tout à fait ! s'exclama Bartholomew.

— Au fil des ans, nous nous sommes toujours émerveillés de leur infatigable ardeur à la tâche. Les efforts qu'ils fournissent sont incalculables ! Ils travaillent sans relâche jusqu'à s'écrouler sur leur pupitre et, lorsqu'ils s'éveillent après un bref répit, ils sont comme régénérés, prêts à reprendre là où ils s'étaient interrompus. Ils s'arrêtent quelques instants pour se nourrir, boire, et faire leurs besoins naturels. Mais à présent…

— Ils sont devenus aussi paresseux que moi ! pouffa frère Thomas.

— Paresseux, non », intervint le chirurgien. Frère Edward avait une longue barbe fine qu'il lissait de manière obsessionnelle. « Je dirais plutôt qu'ils sont devenus nonchalants. Leur rythme de travail a ralenti, ils sont plus mesurés, leurs mains sont moins rapides, leurs nuits sont plus longues et ils prennent leur temps pour se restaurer.

— En effet, c'est bien de la nonchalance, acquiesça Bartholomew. Ils n'ont point changé d'attitude, mais il est vrai qu'ils ont beaucoup ralenti.

— Avez-vous observé autre chose ? », fit Baldwin.

Sœur Sabeline triturait le bord de son voile.

« La semaine dernière, l'un d'eux a dédaigné une occasion.

— Stupéfiant ! s'exclama Thomas.

— Cela s'est-il reproduit ? », demanda Gabriel.

Elle secoua la tête.

« L'occasion ne s'est point encore présentée. Cependant, demain, je dois amener une jolie fille appelée Elizabeth. Je vous tiendrai au courant de ce qui s'est passé.

— Fort bien, conclut l'abbé. Et instruisez-moi également des suites de... cette nonchalance. »

Bartholomew descendait avec prudence l'abrupt escalier en colimaçon menant de la petite chapelle à la crypte. Des torches étaient disposées par intervalles le long des marches, ce qui suffisait pour la plupart des visiteurs. Hélas, les yeux du copiste étaient désormais usés par des décennies de labeur sur des manuscrits éclairés à la chandelle. D'un pied, il tâtait avec soin le rebord de la marche suivante avant d'y poser l'autre. L'escalier était si étroit, il tournait si souvent, qu'en atteignant le bas, le moine avait le tournis. Chaque fois qu'il se rendait à la crypte, il s'émerveillait des prouesses des architectes du XIe siècle qui étaient parvenus à construire sous terre de pareils édifices.

Il prit la lourde clef noire qu'il portait à la ceinture. Comme il était petit et de constitution frêle, il lui fallut peser de tout son poids contre la porte pour qu'elle s'ouvrît. Elle pivota sur ses gonds et il entra dans la salle des scribes.

Il avait beau être venu là des milliers de fois depuis son initiation au sein de l'ordre des Noms, alors jeune lettré curieux de nature, il se sentait toujours aussi muet d'admiration et de stupéfaction en découvrant les lieux.

Bartholomew regarda les rangées d'hommes et de garçons roux au teint blafard, penchés sur leur pupitre, qui ne cessaient de tremper leur plume dans l'encrier pour écrire à nouveau, dans un froissement, un grattement, comme si des centaines de rats avaient grignoté un baril de grains. Certains étaient âgés, d'autres jeunes, mais en dépit de leur âge, leur ressemblance était troublante et chacun affichait un visage impassible, leurs yeux verts ne voyant rien d'autre que le parchemin posé devant eux.

Les scribes étaient assis les uns à côté des autres, épaule contre épaule, devant de longues tables. La salle possédait un plafond voûté, blanchi à la chaux, conçu spécialement par frère Bertram, un architecte du XIᵉ siècle, pour refléter les chandelles et en décupler la luminosité. Tous les vingt ou trente ans, le dôme était à nouveau chaulé afin d'effacer la suie.

Quinze tables étaient disposées les unes derrière les autres, accueillant une dizaine de scribes. La plupart étaient entièrement occupées, mais parfois, il y avait des espaces vides quand certains allaient s'étendre sur les paillasses disposées le long des murs de la salle pour se reposer.

Bartholomew passa entre les rangs, s'arrêtant pour regarder par-dessus une épaule, ici et là. Tout semblait en ordre. La porte s'ouvrit à nouveau, laissant entrer de jeunes frères qui transportaient une marmite fumante. C'était l'heure de la soupe.

Arrivé au fond de la salle, le moine ouvrit une autre lourde porte. Il prit une torche qu'il alluma grâce à une chandelle qui brûlait toujours là à cet effet. Il pénétra alors dans la première de deux salles obscures, immenses en comparaison de celle des scribes.

La bibliothèque était un bâtiment magnifique, voûté, où régnait une atmosphère fraîche et sèche. Dans la lumière de la torche, elle semblait si vaste qu'elle paraissait n'avoir point de fin. Il emprunta l'allée centrale, inspirant la riche odeur de terre que dégageaient les peaux de vache étendues sur le sol. Régulièrement, il venait vérifier que la vermine ne s'était point introduite dans la forteresse de pierre souterraine. Il allait procéder à son inspection habituelle quand il entendit un fracas dans la salle précédente.

Un jeune moine nommé Alfonso appela ses compagnons.

Bartholomew retourna en hâte sur ses pas, et le vit agenouillé au bord de la quatrième table avec deux autres frères. Une assiette de ragoût s'était renversée et il faillit glisser dessus.

« Qu'y a-t-il ? », s'écria-t-il.

Les autres scribes n'avaient même pas levé les yeux. Ils procédaient à leur tâche habituelle, comme si de rien n'était. Mais devant les genoux d'Alfonso, une flaque de sang s'étendait, coulant de la tête d'un des scribes, dont la plume était plantée dans l'œil, lui perforant le cerveau.

« Par saint Josephus ! s'exclama le vieil homme. Qui a fait cela ?

— Personne ! s'écria le jeune moine qui tremblait comme un enfant sans feu l'hiver. Il s'est infligé ça lui-même ! Je l'ai vu ! Je lui servais son ragoût. Il s'est fait ça tout seul ! »

L'ordre des Noms se rassembla de nouveau ce jour-là. Nul n'avait jamais ouï parler d'un tel événement, et aucune chronique du passé n'en faisait état. Les scribes naissaient et mouraient de vieillesse. En cela, ils étaient comme tous les mortels, si ce n'est qu'ils n'inscrivaient ni leur naissance ni leur décès dans leurs propres registres. Cependant, cette fin-là était tout à fait différente des autres. L'homme en question était jeune, et ne montrait nul signe de maladie. Frère Edward, le chirurgien, en attestait. Bartholomew avait examiné la dernière entrée inscrite sur le parchemin et n'avait rien vu là de remarquable. Un simple nom, en caractère chinois d'après lui.

Manifestement, il s'agissait d'un suicide, acte aussi abominable qu'inexplicable pour tout être. Ils discutèrent tard dans la nuit pour savoir ce qu'il convenait de faire, mais il n'existait aucune réponse évidente. Gabriel proposa que l'on montât le corps à l'extérieur pour le brûler. Mais il se heurta à une opposition nette. Jamais aucun scribe n'avait été traité de la sorte, et ils ne pouvaient se résoudre à rompre avec les traditions séculaires. Enfin, Baldwin décida que le cadavre fût placé dans les catacombes qui jouxtaient la salle des scribes, afin que cette âme infortunée trouvât la même fin que ses congénères.

Quand Félix redescendit sous terre accompagné de jeunes moines robustes pour procéder aux funérailles, il remarqua que les scribes étaient languissants, et qu'un grand nombre d'entre eux dormaient sur leur paillasse.

On eût dit qu'ils avaient pris le deuil.

Quand il entra dans l'étable, Luke entendit les chevaux qui s'ébrouaient, hennissaient. Il faisait noir, il faisait froid, et sa propre audace le terrifiait.

« Hou ! Hou ! fit-il tout bas. Il y a quelqu'un ? »

Une petite voix lui répondit :

« Je suis là, frère Luke. Tout au fond. »

Grâce au rayon de lune qui entrait par la porte ouverte, il réussit à la trouver. Elizabeth s'était réfugiée dans la stalle d'une grosse jument baie, et s'était pelotonnée contre elle pour se réchauffer.

« Merci d'être venu. J'ai si peur. »

Elle ne pleurait plus. Il faisait trop froid pour cela.

« Tu es glacée, dit-il.

— Ah ? »

Elle tendit sa main, qu'il saisit aussitôt. Quand ses doigts enserrèrent son poignet d'albâtre, il se rendit compte qu'il ne pouvait plus les retirer.

« Oui, tu es gelée.

— Embrasse-moi, Luke.

— Je ne le puis !

— Je t'en prie.

— Pourquoi me torturer ? Tu sais bien que je ne le puis. J'ai prononcé le vœu de chasteté. D'ailleurs, je suis ici pour entendre tes malheurs. Tu as parlé d'une crypte, dit-il en la lâchant et s'écartant.

— Je t'en prie, n'aie point de colère contre moi. On doit me mener demain à la crypte.

— Mais pour quelle raison ?

— Ils veulent qu'un homme me prenne, ce qui ne m'est jamais arrivé, s'écria-t-elle. D'autres filles ont connu ce sort. Je les ai rencontrées. Elles ont porté des enfants qu'on leur a retirés une fois sevrés. Certaines ont ainsi été utilisées encore et encore, jusqu'à ce qu'elles en perdent l'esprit. Je t'en supplie, ne les laisse point m'infliger ça !

— Cela ne peut être vrai ! s'exclama-t-il. Nous sommes dans la maison de Dieu !

— C'est pourtant la vérité. Il y a des secrets dans cette abbaye. N'as-tu point entendu les rumeurs ?

— J'ai ouï dire beaucoup de choses, mais je n'ai rien vu de mes propres yeux. Je crois ce que je vois.

— Pourtant tu crois en Dieu ? Or, tu ne L'as jamais vu.

— C'est différent ! Je n'ai point besoin de Le voir. Je sens Sa présence. »

Elle était au bord du gouffre. Elle tenta de recouvrer son calme et lui prit la main. Il n'était pas sur ses gardes et la laissa faire.

« Je t'en prie, Luke, prends-moi, ici, dans la paille. »

Elle posa sa main sur sa poitrine et la serra contre elle. En sentant ainsi ses chairs fermes sous sa cape, une énergie nouvelle jaillit en lui. Il désirait plus que tout refermer sa paume sur ce sein rond et, un instant, il faillit s'abandonner. Mais il retrouva ses esprits et s'arracha à elle, se cognant contre la paroi de l'étable.

Folle de frayeur, elle écarquilla les yeux.

« Luke, je t'en supplie, ne t'en va pas ! Si tu prends ma virginité, je ne leur serai plus d'aucun usage et ils ne me mèneront point à la crypte ! Je t'en supplie ! Ne m'abandonne pas !

— Et moi, que m'arrivera-t-il alors ? fit-il plein de colère. On me bannirait du monastère ! Je refuse de faire ce que tu me demandes. Je suis un homme de Dieu ! Aie pitié de moi ! À présent, je dois te laisser. »

Il s'enfuit de l'étable. À ses oreilles résonnaient les gémissements désespérés de la jeune fille, mêlés aux hennissements des chevaux perturbés.

Les lourds nuages d'orage qui s'étaient amoncelés au-dessus de l'île étaient si épais, si opaques, que la transition entre l'obscurité et le jour fut à peine perceptible. Toute la nuit, Luke était resté allongé sans dormir, en proie au trouble et à l'agitation. À l'office des laudes, il eut peine à se concentrer sur les hymnes et les psaumes. Pendant le bref intervalle dont il disposait avant de retourner à la cathédrale pour l'office de prime, il expédia en hâte toutes ses tâches.

Enfin, à bout, ne pouvant plus supporter cette situation, il alla trouver son supérieur, frère Martin, en se tenant le ventre, et demanda la permission de manquer l'office pour se rendre à l'infirmerie.

La permission accordée, il releva sa capuche et s'en alla en toute discrétion vers les bâtiments interdits. Il choisit un gros érable dans un bosquet tout proche et se cacha derrière. De là, il fit le guet dans la brume grise et glacée.

Il entendit les cloches sonner l'office de prime.

Nul ne sortit de la petite chapelle.

Les cloches retentirent à nouveau à la fin de l'office.

Tout était tranquille. Il se demanda pendant combien de temps il pourrait demeurer ainsi sans se faire remarquer et quelles seraient les conséquences de cet acte. Il accepterait la punition avec grâce, sachant que le Seigneur considérait avec miséricorde et amour Ses créatures frêles et faillibles.

L'écorce était rude contre la joue de Luke. Recru de fatigue, il somnolait, mais se réveilla en sursaut quand sa peau racla la surface irrégulière.

Il la vit arriver dans l'allée, marchant derrière sœur Sabeline telle une esclave enchaînée. De là où il était, il voyait bien qu'elle pleurait.

Au moins, cette partie du récit était-elle véridique.

Les deux femmes disparurent dans la petite chapelle.

Son cœur se mit à battre plus fort. Il serra les poings et martela doucement le tronc de l'arbre. Il pria pour que Dieu le guidât.

Mais il ne bougea point.

Dès l'instant où elle entra dans la chapelle et commença la descente souterraine, Elizabeth eut l'impression qu'elle vivait un rêve. Des années plus tard, quand elle repenserait à cct épisode, jamais son esprit ne lui permettrait de repasser en détail ce qu'elle avait vu ce jour-là, au point que, quand elle serait bien vieille, assise au coin du feu, elle se demanderait si toute cette histoire était vraiment arrivée.

La chapelle était vide. Sur un sol aux dalles de diabase, s'élevaient des murs de pierre râblés, surmontés d'un cadre de bois servant d'assise à une charpente qui soutenait un toit d'ardoises fort pentu. La seule décoration consistait en un crucifix doré, fixé au-dessus d'une porte en chêne à l'autre bout de la pièce.

Sœur Sabeline lui fit franchir le seuil en la poussant, puis descendre un escalier très raide qui s'enfonçait dans les profondeurs de la terre.

En arrivant dans la salle des scribes, Elizabeth écarquilla les yeux, se demandant si elle n'était point victime d'une hallucination. Essayant de donner du sens à ce qu'elle voyait, elle se tourna vers la sœur et la dévisagea, éberluée.

« Retiens ta langue, ma fille », l'admonesta l'autre avec sévérité.

Puis elle la traîna le long des tables, l'une après l'autre, l'exhibant devant chacun des hommes présents. Mais aucun ne prêtait attention à elle. Enfin, l'un d'eux releva la tête pour regarder la jeune fille. Il devait avoir 18 ou 19 ans. Elizabeth remarqua que, à la main droite, ses doigts étaient tachés d'encre. Elle crut entendre un grognement sourd sortant de sa maigre poitrine.

Sabeline tira en arrière la jeune fille horrifiée. Arrivée au bout de la rangée, elle l'entraîna vers une sorte de passage obscur où elle la fit entrer. Ce doit être la porte des enfers, songea Elizabeth. Elle s'aperçut alors que le jeune homme s'était levé et les suivait.

C'était l'entrée des catacombes. La première pièce respirait la misère ; la seconde sentait la mort. En découvrant cette puanteur, la jeune fille eut la sensation d'étouffer. Des squelettes jaunis auxquels adhéraient encore des lambeaux de chair étaient empilés là, dans des alcôves, comme du petit bois. Sabeline alluma une chandelle et une vision de cauchemar s'offrit à Elizabeth. Partout, des os, des crânes grotesques aux mandibules ouvertes, à perte de vue. Elle se mit à prier pour perdre connaissance. Hélas, son vœu ne fut point exaucé.

Mais les deux femmes n'étaient pas seules. Il y avait quelqu'un d'autre. Elizabeth, sortant de sa torpeur, se retourna et se trouva nez à nez avec le visage impassible de l'homme aux cheveux roux, qui lui bloquait le passage. Sabeline s'écarta, accrochant dans sa large manche la jambe d'un squelette, dont les os desséchés tintèrent. Elle s'arrêta un peu plus loin, tenant bien haut la chandelle.

Folle de terreur, Elizabeth haletait comme un animal. Elle aurait pu fuir à travers les catacombes, mais elle avait bien trop peur. L'homme aux cheveux roux se tenait à quelques centimètres, les bras ballants. Les secondes passèrent. Sabeline s'impatientait.

« J'ai amené cette fille pour vous ! »

Rien ne se produisit.

« Allez, touchez-la ! », insista sœur Sabeline.

Elizabeth ferma les yeux, s'attendant à tout instant à être assaillie par ce squelette vivant. Soudain, elle sentit une main chaude sur son épaule mais, fait étrange, elle n'éprouva aucune répulsion, bien au contraire, elle se sentit rassurée. Elle entendit alors la sœur s'écrier :

« Mais que faites-vous ici ! Sortez tout de suite ! »

La jeune fille ouvrit les yeux et, comme par magie, découvrit le visage de Luke. Le jeune homme aux cheveux roux gisait à présent à terre, là où Luke l'avait projeté sans ménagement.

« Frère Luke, laissez-nous ! hurlait Sabeline. Vous avez violé un sanctuaire !

— Je ne partirai point sans elle, répondit-il d'un ton de défi. Et comment cet endroit pourrait-il être sacré ? Tout ce que je vois ici porte l'empreinte du mal.

— Vous ne comprenez rien ! », s'époumona la sœur.

Tout à coup, depuis la salle leur parvint une immense clameur.

Des coups sourds.

Des bruits d'écrasement.

De déchirement.

Le jeune scribe se releva et s'éloigna.

« Mais que se passe-t-il ? », demanda Luke.

Sabeline ne répondit rien. Sa chandelle à la main, elle se précipita dans la salle, les laissant dans le noir.

« Tu vas bien ? », fit le jeune homme avec tendresse.

Il avait toujours la main posée sur l'épaule de la jeune fille. Elle s'aperçut qu'il ne l'avait pas retirée depuis le début.

« Tu es venu pour moi », murmura-t-elle.

Malgré les ténèbres, il l'aida à trouver son chemin jusqu'à la lumière de la salle.

Mais ce n'était plus la salle des scribes.

C'était désormais la crypte des morts.

La seule créature vivante était à présent sœur Sabeline, pataugeant dans le sang. Elle errait sans but à travers un espace jonché de cadavres, qui gisaient sur les tables, les paillasses, recroquevillés en tas, dont certains étaient encore secoués de convulsions. Elle arborait une expression figée, maladive, et ne pouvait que murmurer : « Oh, mon Dieu ! Oh, mon Dieu ! Oh, mon Dieu ! », telle une litanie funèbre.

Peu à peu, le sol, les pupitres, les chaises de la salle se couvraient de sang, à mesure qu'il sourdait des yeux crevés par la plume de presque cent cinquante hommes et garçons.

Luke prit Elizabeth par la main et la guida à travers ce carnage. Il eut la présence d'esprit de jeter un coup d'œil aux parchemins qui demeuraient encore sur les tables, certains déjà maculés de sang. Fut-ce la curiosité, l'instinct de survie, il en saisit un au passage. Longtemps après, il se demanderait ce qui l'avait poussé à accomplir ce geste.

Ils remontèrent en hâte l'escalier escarpé, traversèrent la chapelle et s'enfuirent dans la bruine dense. Ils coururent aussi longtemps que leurs jambes les portèrent. Lorsqu'ils s'arrêtèrent pour rafraîchir leurs poumons brûlants, ils entendirent les cloches de la cathédrale qui sonnaient le tocsin.

1er août 2009

Los Angeles

La marine ne disposait que d'un seul appareil civil, le Gulfstream V, encore appelé C-37A, avion de luxe aux performances élevées que le secrétaire à la Marine aimait particulièrement utiliser lors de ses déplacements. Les deux réacteurs Rolls-Royce s'allumèrent soudain à pleine puissance et l'avion décolla à une vitesse étourdissante, laissant en quelques secondes derrière lui les lumières incandescentes de la nuit de Los Angeles, pour percer la légère couche de nuages.

Après une journée stressante qui s'étalait sur plusieurs fuseaux horaires, Harris Lester tenait le coup grâce à la caféine. Cette journée avait commencé bien avant l'aube à Fairfax, chez lui, en Virginie, puis elle s'était poursuivie en plusieurs étapes successives au Pentagone, à la base aéronavale Andrews, et enfin à LA. Après une brève halte, il était reparti pour Washington. Il avait le teint brouillé, l'air malade, et l'haleine rance. Seules sa cravate et sa chemise paraissaient aussi fraîches que si elles sortaient de leur emballage de chez Brooks Brothers.

Trois passagers se trouvaient dans la luxueuse cabine lambrissée, aux fauteuils de cuir bleu marine, séparés par des tables en teck. Lester et Malcolm Frazier affichaient tous deux une grimace impénétrable tandis qu'ils dévisageaient l'homme assis en face d'eux, une main crispée sur l'accoudoir et dans l'autre un verre en cristal rempli de scotch.

Will était totalement épuisé, pourtant, il se sentait beaucoup mieux que ses deux compagnons de voyage. Il avait joué, et il avait remporté la manche.

Quelques heures plus tôt, Frazier et une équipe de gardiens arrivant tout droit de Groom Lake en jet étaient venus le chercher à Hollywood. Ils l'avaient fait monter dans un gros 4 × 4 noir, l'avaient conduit à un terminal privé de l'aéroport, où ils l'avaient laissé mariner dans une salle, sans l'interroger, jusqu'à l'arrivée de Lester. Will avait l'impression que Frazier aurait préféré le descendre tout de suite, ou du moins lui faire payer ce qu'il avait fait à ses hommes. Après tout, il aurait éprouvé la même chose si quelqu'un s'en était pris à son équipe du FBI. Mais il avait aussi compris que Frazier était avant tout un soldat, et un bon soldat obéissait aux ordres.

Le chef des gardiens ouvrit le portable de Shackleton et au bout de quelques instants lui demanda son mot de passe.

« Pythagore », répondit Will.

Frazier soupira.

« Putain de crâne d'œuf. P-I ?

— P-Y », le reprit tristement Will.

Puis après quelques secondes :

« Tout est conforme, monsieur le secrétaire.

— Comment pouvons-nous être certains que vous avez bien effectué une copie, agent Piper ? », demanda Lester.

Will tira de son portefeuille un reçu qu'il jeta sur la table.

« C'est une facture pour une clef USB achetée aujourd'hui, après les incidents.

— Donc on sait que tu l'as planquée quelque part en ville, lâcha Frazier avec mépris.

— Et Los Angeles est une grande ville. D'un autre côté, j'ai pu l'envoyer par la poste. Ou encore la confier à quelqu'un qui ignore peut-être de quoi il s'agit. Quoi qu'il en soit, je vous garantis que si je n'entre pas de manière régulière en contact avec une ou plusieurs personnes, cette clef sera aussitôt envoyée aux médias, dit-il en se forçant à sourire. Alors, messieurs, arrêtez de me faire chier, moi et les miens. »

Lester se massa les tempes.

« J'entends bien ce que vous voulez dire. Au fond, vous ne souhaitez pas vraiment rendre tout ça public, n'est-ce pas ? »

Will posa son verre, qui imprima un cercle humide sur le bois.

« Si je l'avais voulu, je l'aurais moi-même envoyée aux médias. Ce n'est pas à moi de décider si le monde doit être mis au courant. Après tout, qui suis-je ? J'aurais préféré tout ignorer ! Je n'ai pas encore eu le temps de beaucoup réfléchir à tout ça, mais le simple fait de savoir que la bibliothèque existe… ça change tout. »

Soudain, il éclata de rire.

« Qu'y a-t-il de drôle ? demanda Lester

— Eh bien, pour un type qui s'appelle Will, ce qui dans notre langue signifie "volonté", le concept de libre arbitre est très important, figurez-vous ! » En un clin d'œil, il redevint sérieux. « Franchement, je ne sais même plus si ce concept existe à présent. Tout est écrit d'avance, c'est bien ça ? Rien ne peut changer si votre nom est programmé, c'est bien ça ?

— T'as raison, fit Frazier avec dépit. Sinon, en ce moment, tu serais parti pour une chute de trente mille pieds. »

Will ne prêta pas attention à ses menaces stériles.

« Vous vivez déjà avec ça. Cela affecte-t-il votre vie ?

— Bien sûr ! lâcha Lester. C'est un poids terrible. J'ai un fils, agent Piper, le cadet. Il a 22 ans et souffre de mucoviscidose. Son espérance de vie est limitée, et nous l'acceptons. Mais vous croyez que cela m'enchante de savoir que la date de sa mort est déjà gravée dans le marbre ? Croyez-vous que je tienne à savoir cette date, ou bien à ce que lui la connaisse ? Bien sûr que non ! »

Frazier avait une vision des choses très différente, qui glaça Will.

« Pour moi, ça facilite les choses. Je savais que Kerry Hightower et Nelson Elder devaient mourir hier. Je n'ai fait que presser la détente. Je dors sur mes deux oreilles. »

Will secoua la tête et termina son verre.

« C'est bien là le problème. Comment tournerait le monde si les données étaient accessibles et que les gens pensaient tous comme ça ? »

Pendant quelques instants, on n'entendit plus que le vrombissement des moteurs. Enfin, Lester mit un terme au débat par une réponse de politicien.

« Voilà pourquoi nous tenons la bibliothèque secrète. Nous nous sommes fort bien débrouillés pendant soixante ans, grâce au travail d'hommes dévoués comme Frazier, ici présent. Nous ne l'exploitons qu'à des fins géopolitiques et pour des questions de sécurité nationale. Nous n'effectuons jamais de recherches personnelles, sauf en cas de menace imminente. Nous sommes les gardiens responsables de cette ressource miraculeuse. Il y a eu par le passé de légers problèmes, des indiscrétions, auxquels nous avons remédié de façon chirurgicale. L'affaire Shackleton est la première catastrophe de cette ampleur dans toute l'histoire de la zone 51. J'espère que vous me comprenez. »

Will acquiesça et se pencha aussi loin qu'il put sur la table. Les yeux dans les yeux, avec gravité, d'un ton qui ne souffrait pas de réplique, il rétorqua :

« Je vous comprends parfaitement. Je sais aussi ce qu'est un moyen de pression. Si jamais vous mettez la main sur ma copie de cette base de données, vous me collerez dans le trou le plus profond que vous pourrez creuser, et vous ferez disparaître tous mes proches avec. Nous le savons tous les deux. Je me protège, c'est tout. Je ne suis ni théologien ni philosophe. Les grands problèmes moraux ne m'intéressent pas, pigé ? Je n'ai jamais voulu être mêlé à vos affaires, moi, mais c'est arrivé, tout ça parce qu'il y a trente ans, le hasard a fait que j'ai partagé la même chambre universitaire que Mark Shackleton ! Tout ce que je demande, c'est qu'on me foute la paix ! Je veux prendre ma retraite et mener une petite vie tranquille jusqu'en 2027 au moins. Votre terrible adversaire n'est qu'un petit gars de la campagne qui ne pense qu'à aller à la pêche. »

Il se renfonça dans son fauteuil et observa les traits de Lester qui se figeaient en une grimace impassible.

« Bon, messieurs, qui me ressert un verre ? », conclut Will.

À Washington, il passa deux jours entre les mains de Frazier et d'un groupe d'agents du contre-espionnage à côté de qui le chef des gardiens faisait l'effet d'un humaniste. Ils lui demandèrent de raconter par le menu tout ce qu'il savait de l'affaire – tout, bien sûr, sauf l'emplacement de la clef USB.

Quand ils en eurent terminé avec lui, il accepta de prêter le même serment de confidentialité que les employés de la zone 51. Puis il sortit et fut remis à ses collègues du FBI.

Le directeur de l'agence fédérale demanda à ce qu'il ne soit pas soumis à un nouvel interrogatoire concernant les derniers jours d'enquête sur l'affaire du tueur de l'Apocalypse. Totalement déconcertée, Sue Sanchez lui offrit de partir en vacances jusqu'à ce qu'il atteigne ses vingt ans de carrière, congés qui alors se transformeraient en retraite à taux complet. Il accepta en souriant et, lorsqu'elle quitta son bureau, il lui mit une main aux fesses. Elle pivota sur ses talons, rouge de colère, et il lui adressa un clin d'œil espiègle.

Will éprouvait une douce satisfaction en écoutant la conversation qui se déroulait à table. Le caractère domestique et traditionnel de ce simple dîner était en harmonie avec son rythme profond. Il n'avait guère connu ce genre de moment en grandissant, pas plus qu'il n'en avait offert à sa fille, au cours du temps limité où ils avaient formé une famille.

Il dégustait son steak en prenant tout son temps et suivait la conversation de ses invités. Son appartement était plongé dans un agréable désordre de cartons empilés, de valises, de vêtements féminins, de nouveaux meubles et de bric-à-brac.

Laura voulut remplir son verre, mais il posa la main dessus pour l'en empêcher.

« Ça va, papa, tu te sens bien ? plaisanta-t-elle.

— Je m'entraîne !

— Il a presque arrêté de boire, renchérit Nancy.

— C'est ça, le nouveau Will, fit-il en haussant les épaules. Pareil que l'ancien, mais avec un taux d'alcoolémie plus faible.

— Et vous vous sentez mieux comme ça ? l'interrogea Greg.

— Ça ne sortira pas d'ici ?

— Promis.

— Eh bien, oui. Allez savoir. Et ton bouquin, Laura, comment ça se présente ?

— Tout va bien. J'attends les épreuves et je me prépare à devenir riche et célèbre.

— Du moment que tu es heureuse, tout me va. Et c'est pareil pour Greg. »

Le jeune homme baissa les yeux, désarçonné par cette gentillesse. En tant que journaliste, il mourait d'envie de savoir ce qu'était devenue l'affaire Apocalypse. Il s'en était ouvert auprès de Laura, répétant même à l'avance les questions qu'il souhaitait poser au cas où il en aurait le courage. Mais le sujet était tabou. Il doutait de jamais savoir ce qui s'était vraiment passé, même s'il devenait un jour le gendre de Will.

Pourquoi lui avait-on retiré l'enquête ? Pourquoi avait-il soudain été recherché ? Pourquoi avait-on

étouffé l'affaire alors qu'il n'y avait eu aucune arrestation ni semblant de conclusion ? Pourquoi enfin Will
avait-il été réhabilité et gentiment mis sur la touche ?

Mais au lieu de toutes ces questions, il lui demanda :

« Alors, maintenant, qu'est-ce que vous comptez
faire, Will ? De bonnes parties de pêche, les doigts de
pied en éventail ?

— Pas du tout ! intervint Nancy. Maintenant que je
suis là, Will va se mettre à fréquenter les théâtres, les
musées, les expos, sans oublier les bons restaurants !

— Mais papa, je croyais que tu détestais New
York ?

— J'y suis, j'y reste. On peut bien essayer. Nous
autres, retraités, on a besoin de garder un peu d'activité
pendant que les femmes courent après les cambrioleurs
de banques. »

Lorsque les deux jeunes gens furent sur le point de
s'en aller, Will embrassa sa fille et, la prenant à part :

« Tu sais, il me plaît, Greg. Je voulais te le dire.
Accroche-toi bien à lui. »

Il savait que le journaliste était ADH.

Allongé sur son lit, Will observait Nancy qui disposait des photos sur les murs de leur chambre. Elle avait
déjà installé sa boîte à bijoux et un ours en peluche.

« Tu crois que c'est bien ?

— Tu as du goût.

— Non, je veux dire, toi et moi. C'est une bonne
idée ?

— Pour moi, oui. Quand tu auras fini de redécorer
l'appart, tu devrais venir vérifier si ton nouveau lit
aussi te convient.

— Mais j'ai déjà dormi là, releva-t-elle en riant.

— Oui, mais c'est différent ! À présent, c'est notre lit à tous les deux !

— Dans ce cas, je prendrai le côté fenêtre.

— Tu sais quoi ? Je crois bien que tu es mon genre.

— Et c'est quoi, ton genre ?

— Du caractère, des neurones, un joli cul. »

Elle vint se pelotonner contre lui et il la serra dans ses bras. Il lui avait parlé de la bibliothèque. Il avait besoin de partager ce secret avec quelqu'un. De plus, cela les rapprochait encore davantage.

« Tu sais, à LA, j'ai regardé un autre truc, dans l'ordi de Shackleton.

— Est-ce que j'ai vraiment envie de savoir ça ?

— Le 12 mai 2010, va naître un enfant qui portera le nom de Phillip Weston Piper. C'est exactement dans neuf mois. Ce sera notre fils. »

Elle resta pétrifiée l'espace de quelques secondes. Puis elle l'embrassa.

Il lui rendit son baiser et déclara :

« Je trouve que l'avenir se présente plutôt bien. »

9 janvier 1297

La robe blanche de l'abbé était trempée de sang. À chaque fois qu'il se penchait pour toucher un front ou faire un signe de croix sur un corps sans vie, son habit était un peu plus souillé.

Félix, le prieur, lui tenait le bras, pour ne pas que Baldwin glissât sur les dalles maculées. Ils contemplaient ce massacre, passant les scribes en revue pour s'assurer qu'aucun d'eux n'avait survécu. Mais le seul cœur qui battît encore parmi cette hécatombe était celui du vieux Bartholomew, qui procédait à la même inspection à l'autre bout de la salle. L'abbé avait renvoyé sœur Sabeline, toujours en état de choc, car ses pleurs irrépressibles l'empêchaient de réfléchir.

« Ils sont morts, déclara Baldwin. Tous. Au nom de Dieu, que s'est-il passé ? »

Bartholomew avançait de table en table, évitant les corps qui jonchaient le sol et les tables pour ne point tomber, ramassant avec soin les dernières feuilles de parchemin. Malgré son âge vénérable, il était assez rapide.

« Regardez. Lisez ceci. »

Il posa l'ensemble des pages devant l'abbé qui se mit à les parcourir. Pour aller plus vite, il les disposa les unes à côté des autres sur une table.

Chacune d'elle portait la même date, 9 février 2027, avec une inscription identique.

« *Finis Dierum*, prononça Baldwin. La fin des temps.

— Cette date est donc celle de la fin du monde ? », fit Félix en tremblant.

Un sourire s'esquissa sur les lèvres de Bartholomew.

« Ils avaient donc achevé leur mission. » L'abbé rassembla les feuilles et les serra contre sa poitrine.

« La nôtre en revanche n'est point terminée, mes frères. Ces hommes doivent être ensevelis dans les catacombes. Je dirai une messe en leur honneur. Ensuite, la bibliothèque sera scellée et la chapelle brûlée. Le monde n'est point encore prêt pour une telle révélation. »

Les deux moines acquiescèrent.

« L'année 2027 est fort loin, conclut Baldwin. Il reste à l'humanité beaucoup de temps pour se préparer à la fin du monde. »

REMERCIEMENTS

Je ne sais pas si ce livre aurait pu voir le jour sans l'intervention de Steve Kasdin, de l'agence littéraire Sandra Dijkstra : mon courrier entre tous lui a plu, et il m'a aidé à donner à ce livre sa forme définitive. Il a une grosse cote auprès de la famille Cooper. Tout comme Caspian Dennis, de l'agence Abner Stein, qui m'a présenté à l'équipe fabuleuse d'Arrow Books. J'ai pris beaucoup de plaisir à travailler aux côtés de Kate Elton et Georgina Hawtrey Woore. Grâce à elles, mes débuts ont été vraiment mémorables. Merci également à mes premiers lecteurs qui m'ont tant encouragé : Gunilla Lacoche, Megan Murphy, Allison Tobia et George Tobia, mon ami et avocat. Enfin, un immense merci à ma femme, Tessa, mon fils, Shane, qui m'ont soutenu à chaque étape de cette aventure, ainsi qu'à ma mère, Rose Cooper, et à ma sœur, Gale Cooper, pour une vie d'échanges sur l'écriture et la lecture.

Le moyen le plus simple d'échapper à la tentation ? C'est d'y céder

(Pocket n° 14222)

Tom et Anna Reed forment un couple sans histoire, jusqu'au jour où ils trouvent le cadavre de leur locataire, mort d'une crise cardiaque. Et, en découvrant le corps, les Reed font main basse sur les 370 000 dollars qu'il planquait chez lui, soit le butin d'un braquage improvisé pour dévaliser une star en plein deal de drogue. Que faire de cet argent ? Le rendre à la police… ou le garder ? Tentés, les Reed ne se doutent pas encore qu'en empochant le pactole, ils s'exposent à la pire des vendettas…
Normaux et sans histoire, les Reeds ? Vraiment ?

Il y a toujours un Pocket à découvrir

Tout avait commencé comme un conte de fées...

LÀ OÙ VIVENT LES PEURS

JAMES SIEGEL

THRILLER

POCKET

(Pocket n° 13710)

Bogotà. Paul et Joanna Breidbart, couple d'Américains de passage en Colombie, sont au comble de la joie : l'enfant tant attendu les attend au centre d'adoption. Joelle a un mois.
Quelques jours plus tard, pourtant, tout déraille. De retour à leur hôtel après quelques heures d'absence, le bébé qu'ils récupèrent chez la nourrice semble différent. Est-ce vraiment Joelle ? Pour Paul, c'est le début d'une terrible descente aux enfers : dans ce pays sans loi, la vérité a parfois le goût de sang...

Il y a toujours un Pocket à découvrir

Composé par Nord Compo
à Villeneuve-d'Ascq (Nord)

Imprimé en France par

MAURY-IMPRIMEUR
à Malesherbes (Loiret)
en avril 2011

POCKET – 12, avenue d'Italie - 75627 Paris cedex 13

N° d'impression : 163582
Dépôt légal : février 2011
S19216/04